S0-BBD-083

Poesía inédita de juventud

Letras Hispánicas

Federico García Lorca

Poesía inédita de juventud

Edición de Christian De Paepe
Prefacio de Marie Laffranque

SEGUNDA EDICIÓN CORREGIDA Y AUMENTADA

CATEDRA

LETRAS HISPANICAS

La publicación de esta obra ha merecido una de las Ayudas a la Edición del Ministerio de Cultura para la difusión del Patrimonio Literario y Científico español.

Ilustración de cubierta: Federico García Lorca, Granada, 1919
Ilustraciónes de cubierta e interiores, cortesía
de la Fundación Federico García Lorca

Ediciones Cátedra, S. A., 1996
Juan Ignacio Luca de Tena, 15. 28027-Madrid
Depósito legal: M. 37.209-1996
I.S.B.N.: 84-376-1224-1
Printed in Spain
Impreso Gráficas Rógar
Navalcarnero (Madrid)

A modo de prefacio

Se publica en libro por primera vez, más o menos a los setenta y seis años de su escritura, este conjunto de poemas juveniles conservados por Federico García Lorca durante toda su vida y desde el verano de 1936 por sus familiares. Estos a su vez lo trasladaron al final del último decenio, con los demás manuscritos en su poder, al archivo de la incipiente Fundación Federico García Lorca (1988).

No quedaron inasequibles del todo hasta aquella fecha. Desde hacía tiempo, algunos amigos o estudiosos de la confianza de Concha, Francisco e Isabel García Lorca pudieron manejar, y aprovechar implícita o explícitamente para una mejor comprensión del resto de la obra, este voluminoso legajo de contenido excepcional. Tuve la suerte de experimentarlo personalmente en la larga etapa que empieza —al cabo de unos treinta años de ausencia— por la jubilación y el regreso a España del hermano del poeta, juntándose con los demás familiares en compañía de sus tres hijas y de su esposa Laura de los Ríos (1967).

La norma literaria respetada en aquella etapa otorgaba una prioridad absoluta a la publicación de los propios escritos del poeta sobre la divulgación por otros medios, y de modo general, por lo tanto, sobre la utilización anticipada de la obra inédita. Francisco García Lorca observó con rigor esta regla en sus inestimables trabajos sobre Federico; especialmente en las memorias y estudios críticos recopilados en obra tan rápidamente consagrada, clásica antes de ser conocida en una versión enteramente —o al máximo— fiable, controlable y segura. La fuerza de la creación comunicable y comunicada, es decir oralmente compartida a pequeña o gran escala como fue la de Federico García Lorca hasta las últimas semanas de su vida, supera las ambiciones y relativiza felizmente los necesarios servicios que podamos prestarle los estudiosos y eruditos.

Los poemas primerizos aquí descifrados, depurados y transcritos con esmero cordial por Christian de Paepe habrán tardado unos tres cuartos de siglo en editarse. El que los escritos más antiguos de un poeta sean los últimos en ver la luz de la imprenta es cosa natural y frecuente. El larguísimo plazo observado en este caso, principalmente por condiciones y razones que no expondremos en estas breves líneas, se debe a una sucesión excepcional de circunstancias, de transversalidades ya personales, ya históricosociales, con las que hubo de enfrentarse la cadena de responsables de los manuscritos y del trabajo por realizar.

Pero al principio fue la voluntad en el propio autor de no dar a conocer esta parte más incierta hasta que la indudable autoridad de su obra posterior impusiera la atención y el respeto al conjunto. A esta voluntad corresponde la línea de conducta escogida por quienes tuvieron que asumir temprana y trágicamente tamaña responsabilidad. Su mayor cuidado y su preocupación constante habrá sido la edición más completa de esos poemas salvados de la destrucción y del olvido, siempre y cuando estuvieran reunidos los medios, las condiciones humanas, el ambiente social y mental necesarios a la presentación más digna y a la más abierta acogida por parte de todos los lectores posibles.

Atrevámonos a decir desde este momento que la presente edición llega en tiempo oportuno, salvo los seis últimos meses de retraso debido a mi propia tardanza.

Estos 155 poemas constituyen un "fondo" excepcional, en el pleno sentido de la palabra "fondo". Y especialmente en cinco acepciones esenciales: primero como *vestigios* significativos de una y probablemente varias selecciones realizadas tempranamente por el mismo autor; al mismo tiempo, como *reserva* constituida y conservada por su voluntad, con orden y cuidado; más tarde, como *punto de arranque,* permanente *referencia* o recurso para su evolución y obra ulterior; ahora mismo, como clave principal y, más aún, como *tierra feraz* para la recepción y comprensión de esa obra ya madura; y desde luego como *base* insustituible para un nuevo avance en la auténtica acogida del conjunto —con sus ya innumerables interpretaciones, repercusiones y consecuencias— entre un público renovado por ese mismo cambio.

De "fondo" tiene, ante todo, el que para componerlos y al escribirlos Federico tuvo que tocar el fondo; y acaso lo tuvieron que tocar, lo tocaron más de una vez, quienes recogieron esa herencia sin precio.

Marie Laffranque

Introducción

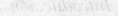

"Poesía inédita de juventud" (1917-1919) y "Libro de poemas" (1918-1920)[1]

Las fechas extremas de composición de los poemas que constituyen la presente colección de poesía juvenil inédita de F. García Lorca van del mes de junio del año 1917 a los últimos meses del año 1919. Este largo período de dos años y medio de producción inédita se reduce sin embargo a unos veinte meses cuando se tienen en cuenta los tres siguientes fenómenos. Primero: la verdadera actividad lírica arranca sólo a finales de octubre de 1917, sustituyendo paulatinamente a una anterior efervescencia de escritura en prosa[2]. Segundo: de los meses de mayo a diciembre de 1919 se conservan apenas unos pocos inéditos en verso de julio y de noviem-

[1] Por motivos completamente ajenos a mi voluntad la primera edición de la *Poesía inédita de juventud* de F. García Lorca apareció (mayo de 1994) sin *Introducción.* Agradezco a Gustavo Domínguez, director de *Cátedra,* la oportunidad que me ofrece de reparar esta laguna. Entretanto se han publicado también la prosa y el teatro inéditos (véase PrJ y TeJ de las *Referencias bibliográficas)* lo que permite ahora una visión de conjunto de los escritos juveniles lorquianos. Aprovecho esta ocasión para corregir igualmente algunas imperfecciones de mi primera edición. También doy en Apéndice el texto de un poema juvenil recientemente descubierto: "Buddha"

[2] Véase F. García Lorca, *Prosa inédita de juventud,* edición de Christopher Maurer, Madrid, Cátedra, Letras Hispánicas 377, 1994, sobre todo las *Notas sobre los textos,* págs. 507-520; y *Catálogo General de los fondos documentales de la Fundación F. García Lorca* (dir. Chr. De Paepe), vol. 3: *Manuscritos de la obra en prosa,* Madrid, Ministerio de Cultura, Fundación F. García Lorca, 1995.

bre-diciembre. Finalmente: el primer libro de poesía de Lorca, llamado sencillamente *Libro de poemas*[3], editado en 1921, recoge una selección de su poesía juvenil a partir del mes de abril de 1918 hasta diciembre de 1920.

Se pueden considerar pues los dos conjuntos líricos, el inédito (unos 155 poemas) y el editado (68 poemas) como un todo homogéneo de unos 225 poemas, con la siguiente secuencia de producción: sobre 10% en 1917, un 55% en 1918, 20% en 1919 y 15% en 1920. Sólo una tercera parte escasa del total de los poemas escritos entre 1917 y 1920 fueron seleccionados para el *Libro de poemas:* del año 1917 ningún poema pasó al libro; del año 1918 que se caracteriza por una productividad excepcional, el poeta estimó sólo 12 textos dignos de publicación, y entre los poemas escritos en 1919 más de la mitad pasaron a la edición de 1921. No se conservan inéditos juveniles de 1920 que es el año de redacción de más de la mitad de las composiciones del *Libro de poemas*.

Nada más que observando estos datos puramente técnicos y estadísticos uno adivina ya gran parte del interés que presenta la publicación de estos materiales juveniles hasta ahora prácticamente desconocidos. No sólo permiten asistir al nacimiento de las primeras manifestaciones del arte lírico lorquiano, estudiar sus titubeos expresivos y vacilaciones estilísticas, sino también apreciar sus iniciales criterios de selección. A este respecto se revela altamente instructivo el cotejo de unos pocos textos editados en *Libro de poemas* con sus versiones autógrafas *(¡Cigarra!, Mañana, Nido de ruiseñores)*. También se hace posible la reconstrucción de poemas en su primera estructura, como por ejemplo *Aire de nocturno*, cuyas estrofas finales primitivas se dan a conocer aquí con el título de *[Yo te llevaría]*, ofreciéndose además la fecha original exacta del poema.

---

[3] F. García Lorca, *Libro de poemas,* Madrid, Imprenta Maroto, 1921.

En cuanto al ritmo de producción en esta primera etapa lírica (finales de 1917-finales de 1920), se observa un *crescendo* muy rápido que culmina en el verano de 1918, seguido por un lento y regular *decrescendo* que deja ver un último pico importante en julio-agosto de 1920. Hacia finales de este último año la inicial vena poética lorquiana parece agotada. El año 1921 inaugurará una notable renovación de la temática pero más aún de la metafórica y de los modelos expresivos; triunfarán la forma breve y la organización poemática en series, secciones o suites.

PÁGINAS DE UN DIARIO ÍNTIMO

En mi *Nota a esta edición* comento unos aspectos prácticos y técnicos de la organización del presente volumen a base de los datos cronológicos que se leen en la gran mayoría de los manuscritos autógrafos. Aquí quisiera insistir más bien en el carácter de diario de los mismos. Bien es verdad que a lo largo de su actividad literaria Lorca tomaría la costumbre de dejar regularmente constancia de fechas y lugares de composición en sus manuscritos. Pero en el momento de su publicación, estos elementos circunstanciales metatextuales, que fijaban las vivencias emocionales y estéticas en un tiempo y un espacio bien determinados, solían perder vigencia e importancia y sólo en contadas ocasiones aparecen en las ediciones definitivas de los poemas. Algunas características de los autógrafos juveniles sin embargo —sobre todo los de prosa y de poesía— subrayan de manera imperiosa que al conjunto de los juvenilia lorquianos hay que considerarlos como una crónica minuciosa de sus "días de adolescencia y juventud"[4] y

[4] Texto sacado de las *Palabras de justificación* que preceden al *Libro de poemas*.

que constituyen por consiguiente las páginas conservadas de su diario íntimo.

En 80% de los poemas aquí presentados existe alguna que otra forma de datación. Cuando se piensa que gran parte de los poemas sin fecha son textos incompletos o fragmentos sueltos, se apreciará todavía más este factor. La primitiva selección operada por los hermanos Francisco y Federico García Lorca sobre el conjunto de los autógrafos, en vista de una publicación nunca realizada, se hizo precisamente basándose en la cronología de composición. Este hecho demuestra aún más la importancia que le daban los hermanos coeditores a la secuencia cronológica y genética de esos escritos. Para ilustrar el impacto concreto de la experiencia emocional en el interior de una circunstancia temporal particular, bastará con consultar la serie de textos escritos en los días de carnaval del año 1918. El poema *Carnaval* (núm. 42), por ejemplo, fechado en el segundo día de carnaval (que era el 11 de febrero), lleva como subtítulo *Visión interior.* Expone muy claramente el paso exegético del dato cronológico exterior a su interpretación interior:

> Pasa la farsa de inquietudes
> Del carnaval.
> ....
> Carnaval perpetuo en mi corazón.

La fiesta pública, los participantes en la farsa colectiva, los personajes de la commedia dell'arte Pierrot, Arlequín, Colombina, Pantaleón

> Son las máscaras preciosas
> De mi carnaval.

Abundantes datos complementarios de la fecha subrayan cada uno a su manera la característica de apuntes de intimidad que lleva gran parte de la documentación juvenil. Efectivamente, cuarenta autógrafos ofrecen bien coordenadas cronológicas suplementarias *("noche", "amanecer", "tarde", "mañana"...)*, bien datos de índole geográfica *("Granada", "Asquerosa", "Frente al paisaje", "junto al río", "en el campo"...)*, bien coordenadas de tipo sicológico-emocional *("tarde gris", "a la muerte de...",* etc.). En cuanto a esta última categoría de apuntes complementarios, es sobre todo la serie de poemas numerados 100 a 106 (todos de julio de 1918) la que ofrece los materiales más específicos. Así, por ejemplo, debajo del poema *Sangre de los campos* (núm. 100) se leen, no sólo la fecha *("3 de Julio")* y el lugar *("junto al río")* de la vivencia emocional, sino también la siguiente confesión: *"Hoy no sé nada. Mañana quizá pueda observar toda la intensidad de mi corazón."* Y unos días más tarde, al pie del poema *Ribera* (número 105), del que existen dos manuscritos, uno completo y otro fragmentario, se halla una explícita 'leyenda' metatextual: *"17 de Julio - Asquerosa. Frente al paisaje"*, más esta extraordinaria reflexión: *"No. Nunca. Ya todo terminó. Sin embargo hoy aún pienso gratamente."* El dato puramente cronológico, la fecha a secas, se acompaña así a menudo de una glosa sobre el paso de los días y su correspondiente estado de ánimo.

La constante aunque decreciente presencia de diferentes maneras de firmar los manuscritos puede quizás aportar otro elemento más para reforzar el concepto de diario de intimidad y de confesión personal que estoy aplicando a estos escritos líricos juveniles. En la gran mayoría de los casos la firma se limita al nombre de pila ("Federico" o simplemente "F."). La presencia del apellido ("García" o "García Lorca") se encuentra sobre todo en los primeros meses de la producción poética. A partir de mediados de 1918 la firma aparece mucho más raramente. Así pues vemos cómo después de un primer momento de acusada autoafirmación artística, el poeta entra paulatinamente en un modelo de expresión estética confirmada sin más necesidad de asentar explícitamente su autoría.

El aprendizaje técnico

En la obra lírica de juventud, más que en la prosa o en el teatro contemporáneos, se puede apreciar cómo los primeros escritos de Lorca fueron el terreno de sus ejercicios de pulsación técnica, el campo de aprendizaje de los cánones estilísticos y estéticos de la versificación clásica. Entre finales de 1917 y finales de 1919 el joven poeta pasará de una versificación incierta y hasta incorrecta por desconocimiento o mala aplicación de las reglas versificatorias y del cómputo silábico, a otra métricamente acertada y precisa. Después de una inicial sujeción a la norma hará incluso tentativas de liberación expresiva. Sin entrar en todos los detalles de un examen pormenorizado (que trataremos de llevar a cabo dentro de poco en otra ocasión), uno se da cabalmente cuenta de los progresos técnicos hechos por el joven artista, al comparar la versificación respectivamente de unos poemas de 1917 y otros de 1919. En algunos textos de finales de 1917 el cómputo incorrecto de cesuras, de versos oxítonos y proparoxítonos y otros fenómenos métricos lleva a un constante desajuste versal y en ciertos casos incluso a un caos métrico. Un ejemplo bastará aquí para ilustrar lo dicho. El poema *Elogio. Beethoven* (núm. 12) del 20 de diciembre de 1917 intenta presentarse con una versificación isométrica de versos dodecasílabos con cesura (6+6). El esquema se logra con bastante éxito en una primera parte del poema, versos 1-25 (con excepción de los vv. 15-16 irregulares). Cito la primera estrofa:

> Divino maëstro del ritmo y del alma,
> Sangriento profeta de la sinfonía,
> Tempestad de espíritu en vasos de oro,
> Nube gigantesca de clamor sonoro,
> Arpa acariciada por la melodía.

Empero sobre todo a partir del verso 30 el edificio métrico empieza a vacilar: se cuenta o no la cesura; los agudos no calculan su sílaba suplementaria ni ciertos proparoxítonos deducen la suya correspondiente. Apenas si se puede encontrar la métrica exacta entre versos que oscilan entre once y catorce sílabas. Véanse por ejemplo los versos 36-40:

> Que la muerte se esconda al verte llegar.
> De un bosque sagrado surja un canto triunfal.
> Que en la senda nazcan sangrientos úteros
> Donde se hundan tus pies cual falos certeros,
> Bañando tu cuerpo de púrpura inmortal...

Al contrario, en los textos de bien entrado el año 1918 y en los de 1919 resulta difícil hallar alguna imperfección métrica. Gracias al ejercicio cotidiano el joven aprendiz de poeta fue dominando toda la técnica versificatoria. Se aprecia la distancia recorrida al observar la soltura del poema *Salutación elegíaca a Rosalía de Castro* (núm. 145), de mayo de 1919, escrito en una forma métrica análoga a la del poema *Elogio. Beethoven* que acabo de citar. Todos los versos, cien en total, menos uno (v. 96), son perfectos dodecasílabos de doble hemistiquio (6+6), con total respeto del corte silábico en la cesura y con el exacto cálculo de los agudos y esdrújulos:

> El clavel resume a la Andalucía:
> Es cerebro, seno, rayo, corazón.
> El sol lo engendró en un mediodía
> Sobre el ronco treno de un viejo bordón.

Con unas muy contadas excepciones (sobre todo en versos aislados o sueltos), el tipo de verso de arte menor es mayormente el hexasílabo y el heptasílabo. Mucho más numerosos son los versos de arte mayor: se hallan todos los tipos de versos de ocho a doce sílabas y el alejandrino, sin faltar por eso en algunos poemas el tridecasílabo y el hexadecasílabo. En cuanto a la rima, si bien se produce más la vocálica, no escasea tampoco la consonántica.

Para los esquemas estróficos hay un gran número de modelos, unos muy tradicionales, otros mucho menos conocidos. Realmente excepcional es la estrofa de uno o dos versos. Se halla alguna que otra estrofa triversal, por ejemplo en el poema *Crepúsculo* (núm. 25, versos 6-29), en donde dos grupos seguidos de tres versos entran a formar cada vez una unidad superior de seis (vv. 6-11, 12-17, 18-23, 24-29). Abunda la tradicional cuarteta (octosílaba, dodecasílaba o alejandrina), ora de rima cruzada o abrazada, ora arromanzada, ora combinada en series continuas de menor o mayor extensión con rimas idénticas o variadas.

En algunos poemas Lorca usa también el esquema estrófico más libre de la silva clásica, combinando heptasílabos, eneasílabos y endecasílabos en una secuencia libre de rimas. El poema *[Yo estaba triste frente a los sembrados]* (núm. 2) inaugura tempranamente (octubre de 1917) este procedimiento estrófico. Los versos más cortos se dejan fácilmente combinar entre sí para formar bien heptasílabos (por ejemplo: vv. 6-7), bien eneasílabos (por ejemplo: vv. 31-32).

En un gran número de textos el joven aprendiz, siguiendo en esto el ejemplo de sus maestros modernistas, alterna varios tipos de estrofas, versos y rimas. *Escudos* (núm. 32), por ejemplo, de enero de 1918, ofrece estrofas de 1, 2, 4 y 5 versos. Las estrofas se conjuntan por pares en una doble secuencia paralelística: Ia (vv. 1-5), IIa (vv. 6-9), Ib (vv. 10-14), IIb (vv. 15-18), Ic (vv. 19-23), IIc (v. 24), Id (vv. 25-29), IId (vv. 30-33), más un dístico final (vv. 34-35). Los materiales métricos del nivel I (a,b, c,d) son siempre idénticos, dodecasílabos con cesura (con excepción del v. 27); los materiales del nivel II (a,b, c,d) y del dístico final son variados (heptasílabos y alejandrinos, octosílabos y decasílabos).

En el mismo poema *Escudos* encontramos además empleado un tipo de estrofa muy frecuente en el joven Lorca y apenas registrado en otros poetas de tradición castellana: una estrofa de cinco versos con el siguiente esquema de rimas: ABCCB. Se inaugura esta estrofa en octubre de 1917, en la parte central *Canto* (vv. 11-100) del poema *Canción* (núm. 4). Aparentemente se trata de un bloque estrófico compacto de noventa versos dodecasílabos (con las inevitables imperfecciones de rigor en esta inicial fase de trabajo). Al examen empero se descubren dieciocho estrofas pentaversales del tipo citado. La estrofa conocerá una boga excepcional en la joven poesía lorquiana y será constante su uso sobre todo en los primeros meses de su creatividad. Así entre octubre de 1917 y enero de 1918 (núm. 1-36), casi la mitad de los poemas presenta, sea en su totalidad sea sólo en parte, versos del modelo pentaversal. Sobre el esquema básico se injertarán luego variantes (ABBBA, ABCCD, ABCAC, ABCAB) o extensiones en forma de sextina (AABCCB, ABCCBD, ABCCCB, etc...).

El joven aprendiz de poeta se ejerce igualmente en formas poemáticas fijas tradicionales, como es el caso del soneto y del romance. Con poquísimos días de intervalo Lorca escribe cuatro sonetos (números 19, 23, 24 y 26), de tema amoroso, para luego abandonar del todo este esquema métrico en el resto de su primera producción lírica. Como se sabe el soneto volverá ocasionalmente a partir de mediados de los años veinte e impondrá otra vez su presencia en los años 1935-1936. Los cuatro sonetos juveniles son pues como las primeras flores del posteriormente proyectado *Jardín de sonetos*[5], fundamentalmente también de tema erótico. La *Canción erótica con tono de elegía lamentosa,* de fecha in-

---

[5] Ver las *Notas al texto* de la edición de los sonetos lorquianos de Miguel García-Posada, en F. García Lorca, *Obras II,* Madrid, Akal, 1982, págs. 758-761.

cierta (pero que dato hipotéticamente a finales de 1917), y *La mujer lejana. Soneto sensual*[6] se presentan en versos alejandrinos, mientras que *La prostituta. La mujer de todos* y el *Soneto [Yo la he visto pasar por mis jardines]* son de verso endecasílabo. Los dos poemas que se ofrecen como *sonetos* en su título se construyen con siete rimas diferentes, dos por cuarteta (ABBA,CDDC) y tres para los tercetos (EFG). La *Canción erótica*... ostenta un esquema de rimas más confuso, dudando entre rimas vocálicas y consonánticas, y en *La prostituta*... se da el caso único en Lorca, de un soneto estrambótico de 16 versos con el siguiente esquema de rimas (ABBA, CDDC, EFG, EFGFG).

A partir de enero de 1918 la forma lírica tradicional del romance invade la producción juvenil. Anunciado por unas premoniciones del sistema arromanzado, el primer poema que se puede considerar como mayormente escrito dentro del rigor métrico del romance tradicional es *Ensueño de romances* (núm. 29): incluye en su parte central (vv. 14-145) una secuencia de romances de rima variada, tanto vocálica como consonántica. La forma del romance se producirá hasta el final de la etapa juvenil, como se puede ver, por ejemplo, en los poemas *Paloma fatal* (núm. 144) de mayo de 1919, y *Pasional* (núm. 148) de julio de 1919, pero el período de más intensidad romancista se extiende de enero a agosto de 1918 en el que unas veinte composiciones muestran bien en su conjunto, bien en parte huellas de romance. A partir de abril de 1918 el romance octosílabo entra en competición con el romancillo heptasílabo, forma adoptada por unos diez poemas (como, por ejemplo, *Balada de las niñas en los jardines,* núm. 56, vv. 14-30, o *Aire popular del día de la Santa Cruz,* núm. 66, etc...).

---

[6] Véase Piero Menarini, *El primer soneto de García Lorca*, en las *Actas del VIII Congreso de la Asociación Internacional de Hispanistas*, Madrid, Istmo, 1986, págs. 287-294.

A veces la conciencia estética del carácter popular de las formas del romance o romancillo se manifiesta explícitamente cuando el joven poeta bien antepone (en forma de epígrafe) unos versos del cancionero tradicional a su poema, bien los va elaborando o glosando al interior mismo de su texto. Este fenómeno aparece por primera vez en *Romance* (núm. 45), de febrero o marzo de 1918, en el que la siguiente copla:

> Y aquí torito valiente,
> Y aquí torito galán.
> Yo soy el de la otra tarde.
> Acábame de matar.

caracterizada por el poeta como "popular" en el epígrafe, se adelanta al poema y se repite como un estribillo al final de los dos grandes bloques estróficos (vv. 29-32 y 43-46). En *Palomita blanca* (núm. 54 del 7 de abril de 1918), *Aria de primavera*... (núm. 62 del 30 de abril) y más todavía en *Balada de las niñas en los jardines* (núm. 56 del 13 de abril), versos de la tradición popular se entretejen en los poemas lorquianos a manera de glosa y sirven a la vez de clave de lectura.

El terreno de ensayo formal se extiende pues durante estos meses de intensa actividad lírica, tanto a los modelos tradicionales populares y cultos como a las tentativas de renovación formuladas por los poetas modernistas contemporáneos.

La fuente de la palabra

Del examen de la poesía de juventud se desprende que desde sus primeros poemas el joven aprendiz de poeta intenta afirmar un estilo propio entre resonancias de escritura romántico-modernista y escritura popular. De ahí su inicial esmero por una precisa formulación lingüística y estilística en los diferentes niveles de la expresión poética. Adelantándome a un examen pormenorizado en curso de este aspecto particular de la poesía juvenil, me limitaré aquí a señalar unos elementos.

Andrés Soria apunta acertadamente cómo el joven Lorca, para ambientar su obra de teatro juvenil *La viudita que se quería casar,* echa mano de "arcaísmos léxicos y gramaticales para reproducir el habla medieval"[7]. Algo parecido ocurre por ejemplo en *Romance de ciego* (número 85), que es una *Oración ingenua* en la que el poeta "quisiera poder cantar como Gonzalo de Berceo": la evocación del poeta religioso medieval conlleva en el texto unos arcaísmos nominales (por ejemplo: *palomba* en los vv. 5, 13), morfológicos *(mostrastes* en el v. 46) y sintácticos *("gran misericordia tennos...")*, en compañía de otras reminiscencias a su obra (como el *prado florido,* v. 7, de los *Milagros)*. En el nivel léxico se hallan términos como *por doquier (Tardes estivales,* núm. 7, v. 37), *armatoste* (*[Yo estaba triste frente a los sembrados]*, núm. 2, v. 10), etc. Expresiones populares y giros del lenguaje metafórico infantil tampoco faltan. En *Noche de verano* (núm. 28) por ejemplo aparece por primera vez (18 de enero de 1918) en su obra lírica la combinación popular *'luna lunera cascabelera'* (vv. 3, 7, 26, 28) que en la obra posterior se repetirá, bien de manera idéntica, bien variada[8], para desembocar en unas reformulaciones expresivas más personales como lo son *'noche que noche nochera'* del *Romance de la Guardia civil española,* o *'sombra que sombra y resombra'* en unos versos poco conocidos del *Romance de los cuatro bandoleros*[9].

---

[7] F. García Lorca, *Teatro inédito de juventud,* ed. de A. Soria Olmedo, Madrid, Cátedra, Letras Hispánicas 385, 1994, pág. 30.

[8] Véase *Balada triste* del *Libro de poemas,* v. 39, o *Recuerdo* de la suite *Noche,* v. 4.

[9] El texto de este romance figura en el *Apéndice 3* de mi edición crítica del *Primer romancero gitano,* Madrid, Espasa Calpe, Clásicos Castellanos 15, 1991, pág. 305. Véase también pág. 97 de esa edición.

Del vocabulario elitista modernista también hay huellas como, por ejemplo, el empleo repetido del adjetivo *criselefantino* (de oro y marfil) *(Canto de los cirios,* núm. 37, v. 35; *Sangre de los campos,* núm. 100, v. 19). Algunos neologismos como el verbo *infinitar (Melodía de invierno,* núm. 31, v. 9), o el sustantivo *collareo (Impresión,* núm. 14, v. 7), formado sobre el modelo de cascabeleo, tamboreo, guitarreo, etc.; popularismos como *chique (Mediodía,* núm. 102, vv. 42, 49, 57) y otros andalucismos, como *salona (Interior,* núm. 44, v. 50), salpican los textos juveniles.

Los manuscritos autógrafos permiten además examinar detenidamente ciertas manías gráficas del aprendiz de escritor: su regular confusión de g y j (trájico, trage, algibe, magestuoso...) o de s, c y z (mazizo, plazer, cipreces, retuerze, ferozes, sollozé, dulcor, extención...); sus errores ortográficos (imensidad, imortal, irealizable, somñolencia, exalar, exausto, bienhestar, undir, oservar, gravar...); su extraordinaria fantasía en acentos y puntuación; sus grafías arcaizantes (riyendo, reyna...); los nombres propios extranjeros maltratados (Werteher, Shumam, Kreuzer, Handel, Thanhausër...); las expresiones latinas deformadas *(ite misae ets, federis arca...),* etcétera.

En más de una ocasión la construcción sintáctica parece distorsionada (probablemente por motivos de métrica) como, por ejemplo, en estos versos alejandrinos de *Elogio de las cigüeñas blancas* (núm. 6, vv. 28-29):

> Moradoras de almenas de las reales mansiones
> Que vivieron guerreros más fieros que leones.

o en estos decasílabos de *Recuerdo* (núm. 18, vv. 9-12):

> Las moras, las uvas, las manzanas,
> Tan dulces, tan ricas, en mañanas
> Que el campo de rocío cubierto
> Teje sus brumas de paz...

Más de una vez las incoherencias morfo-sintácticas también se deben a unas sucesivas versiones autógrafas no finalizadas. Esta situación ambigua se manifiesta por ejemplo claramente en los versos 56 y ss. de *Un romance* (núm. 34), en los que una confusión sobre el sujeto, singular o plural, tiene como resultado la siguiente incongruencia:

Nos vamos desconsolados
A los palacios del rey
A contar a mi hermanita
Los agravios que me hacéis.

Algo análogo se lee en *Camino* (núm. 101, vv. 46-49):

¡Campos divinos llenos de espigas!
¡Dadme el incienso de tus mañanas!
Toma mi cuerpo para tu vida
¡Pero sostenme elevada el alma!

Algún que otro problema técnico-gramatical también surge en relación con los pronombres personales, como en estos versos de *Sombra* (núm. 141, vv. 15-16) en los que la métrica regular por alejandrinos partidos en hemistiquios impide una necesaria corrección *(les* en vez de *le):*

Y quisiera poder preguntarle a las cosas
Por las blancas escenas que para siempre huyeron.

La estilística retórica

Desde el punto de vista de la retórica el estilo primero del joven aprendiz oscila entre, por un lado, una tendencia a la intensificación por dispersión, en verso largo, repetitivo, verbal, acumulativo por conjunción o disyunción, polisíndeton, simetrías y paralelismos, y por el otro, un esfuerzo en el sentido de la intensificación por concentración, asíndeton de breves frases nominales, tipo croquis expresivo, esbozo de líneas fugaces o estilo impresionista de manchas. Abundan sobre todo los ejemplos de la tendencia a la retórica repetitiva y verbal. Una buena ilustración se halla en la siguiente cadena de definiciones anafóricas y paralelismos de construcción del poema *Canto de los cirios* del 1 de febrero de 1918 (núm. 37, vv. 45-55):

> ¡Pálidos cirios con tonalidades de vírgenes muertas!
> Pensamientos que una luz consume.
> ¡Pálidos cirios con languideces de doncellas honestas!
>
> Sois como la lluvia.
> Sois como las tardes otoñales.
> Sois como crepúsculos silentes.
> Sois azules neblinas dolientes.
> Sois la fe. Sois alma de las gentes.
> Sois los ojos de las catedrales.
>
> ¡Pálidos cirios con tonalidades de vírgenes muertas!
> Sois lirios de místicos valles...

Si estos y otros versos parecen anunciar el estilo expresivo extenso y cumulativo de *Poeta en Nueva York,* la fórmula contraria, nominal, recortada y esquemática, más propia de los *Caprichos* del *Poema del cante jondo* y de muchas *Canciones,* se ejerce por ejemplo en las siguientes líneas de *Crepúsculo* del 14 de junio de 1918 (núm. 79, vv. 1-8):

> Melancolía gris.
> Cipreses. Pinos parasoles.
> Trigales amarillos y morados.
> Arboles muertos.
>
> Rumor de plata ruda.
> Olivos. Fondos de niebla azul.
> Amarillos y opacos resplendores.
> Acequias dulces.

El lenguaje imaginativo, más que iluminación metafórica, es de tipo comparativo, como se ha podido observar en la anterior cita del *Canto de los cirios,* si bien no faltan desde los primeros poemas algunos destellos metafóricos, como por ejemplo en estos versos de *Canciones verdaderas* de octubre de 1917 (núm. 3, vv. 21-24):

Sobre la frente tengo
Desconchones de luna,
Grietas de pensamiento,
Yedras de lo fatal.

o en estos versos de *[¡Te he herido demasiado!]* (número 136, vv. 2-4, de fecha incierta entre 1918 y 1919):

Pobre alma mía silenciosa y tierna.
Te lancé al vendaval de las pasiones
Sin la coraza puesta.

Imágenes o metáforas altamente renovadoras, completamente insospechadas o chocantes, como las que empezaban a producirse por esos años en los nacientes grupos vanguardistas, apenas si asoman en esta fase de la producción lírica lorquiana. Lo que sí se manifiesta ya es esa abundancia de sinestesias que marcará gran parte de su futura producción, además de cierto estilo aforístico y sapiencial como, por ejemplo, en *Hay veces que pensamos sollozar* (núm. 137, vv. 1-4):

Hay veces que pensamos sollozar
Y se ríe sin querer el corazón.
Hay veces que pensamos ensoñar
Y se muere lejana la ilusión.

Estos versos anuncian composiciones ulteriores como *Preguntas* del *Libro de poemas,* o algún que otro poema de corte estoico como los del *Poema de la soleá* en el *Poema del cante jondo*[10].

---

[10] Véase la *Introducción* a mi edición crítica de F. García Lorca,

Como forma poemática hay que subrayar el gran número de poemas juveniles de construcción redonda (según el modelo musical ABA), con repetición final de los versos iniciales, a veces con alguna variante significativa léxica o morfosintáctica. Así en el poema *Canción* (núm. 4) la fórmula inclusiva se señala explícitamente en los títulos de las subdivisiones macroestructurales: *Ritornelo* (A) - *Canto* (B) - *Ritornelo* (A'); gracias a la variante en A/A', la cronología pasa significativamente de la aurora (v. 8) a la noche (v. 108). En *Parques en otoño* (núm. 5), la variante se halla en el paso casi imperceptible del artículo definido *"las* almas" (vv. 1-2) al adjetivo posesivo *"sus* almas" (vv. 45-46). En *Tentación* (núm. 8) la variante está en la preposición de presencia *"con* rosas... *con..."* (vv. 3-4) y la de ausencia *"sin* rosas... *sin..."* (vv. 128-130). Se trata de un verdadero molde de composición en donde identidad y sutil variabilidad deben orientar la final interpretación del poema.

Gracias precisamente a este modelo básico de construcción poemática, en el que conceptos complementarios o antagónicos como principio/fin, abrir/cerrar, mañana/crepúsculo, juventud/vejez, etc., se hallan implicados, algunos poemas juveniles se visten de un marcado aspecto teatral, dramático, dialogal. Esta cercanía con otros modelos literarios forma parte de cierta indefinición genérica que caracteriza no sólo los escritos juveniles de Lorca sino más bien toda su producción. Los siguientes versos iniciales y finales de *Crepúsculo espiritual* (núm. 39):

Desierta la escena.
Se abren los rosales.

Desierta la escena.
Se cierran los rosales.

Poema del cante jondo, Madrid, Espasa Calpe, Clásicos Castellanos 2, 1986, sobre todo las páginas 112-118.

no sólo apuntan temáticamente a unos materiales semántico-simbólicos cuya máxima manifestación será la obra teatral *Doña Rosita la soltera o el lenguaje de las flores,* sino que organizan el poema juvenil en términos evidentes de acotación teatral, con su escenificación y su paso del tiempo. Las interrogaciones y respuestas formuladas en los versos centrales del poema acaban por darle definitivamente al conjunto los rasgos de un poema dramático.

Los poemas *Julio* (núm. 84) y *Camino* (núm. 101) arrancan con unos versos iniciales con subtítulo propio *Escena. El poeta y la Primavera* (núm. 129) se compone de un largo diálogo dramático entre el yo poético triste y crepuscular y la Primavera que le invita al amor y a la alegría. Un texto como *La balada de Caperucita* (núm. 142), composición extralarga de 568 versos, tiene tanto de pieza de teatro como de poema: cinco actos, numerosos personajes, constantes diálogos, acotaciones dramáticas, indicaciones de ambiente, movimientos, vestimenta, etc...: teatro de animales y de seres fantásticos, pero en verso.

Como se ha dicho ya, la indefinición genérica no es propia de la lírica. Me limito aquí a señalar dos hechos. Entre la *Prosa inédita de juventud* de Lorca, Chr. Maurer distinguió toda una categoría de textos que llama *Baladas y otros diálogos fantásticos* y que reúne escritos en donde se meten en escena y dialogan no sólo personajes históricos, artistas, sino también elementos de la naturaleza, animales, plantas, voces secretas, coros, instrumentos musicales...[11]. R. Lozano Miralles ha demostrado que unos versos del poema juvenil *La montaña* (núm. 30) del 19 de enero de 1918, no son "sino la pues-

---

[11] Véase F. García Lorca, *Prosa inédita de juventud...,* págs. 227-282 y la *Introducción,* págs. 20-21. A. Soria, por su parte, insiste también en las correspondencias textuales y formales entre teatro y lírica juvenil (cfr. *Teatro inédito de juventud... Introducción, passim,* por ejemplo, págs. 12-13, 23 etc.

ta en verso de una serie de sintagmas y frases del capítulo *La Cartuja"* del libro en prosa *Impresiones y paisajes*[12].

MOMENTOS MUSICALES

Gran parte del contexto cultural en el que se desenvuelve la obra juvenil de Lorca proviene de una doble vertiente de educación: primero la artística musical, luego la intelectual de estudiante de derecho y letras. Casi todo cuanto apunta Chr. Maurer a este propósito en su *Introducción* a la *Prosa inédita de juventud* vale mutatis mutandis también para la producción lírica primitiva. El editor insiste en que cabe "relacionar la literatura con la música [...] en la búsqueda común de cierta idealidad más allá de lo puramente auditivo."[13] El inicial impacto de la música se observa no solamente en la abundante mención de compositores (Chopin, Beethoven, Schumann, Wagner...), de terminología técnica (acorde, clave de fa, tono mayor y menor, sonata, ópera, sinfonía, rubato, ritardando...), instrumentos (piano, arpa, clave, órgano, fagot, violonchelo, violín, sordina...), obras famosas (la sonata a Kreutzer, la Apasionata, Norma, los Puritanos...), sino que se subraya por una tentativa de aplicación de términos musicales a formas poéticas. Así aparecen títulos como *Romanza con palabras, Momento musical, Tema con variaciones..., Dúo de violonchelo y fagot, Acordes mayores,* etc. Como es el caso en un par de textos en prosa[14], algunos poemas se organizan

---

[12] F. García Lorca, *Impresiones y paisajes* (ed. Rafael Lozano Miralles), Madrid, Cátedra, Letras Hispánicas 379, 1994, págs. 30-31. La fecha del 19 de enero de 1917 que acompaña la reproducción fotográfica de parte del autógrafo en la pág. 101 debe corregirse por 1918.

[13] *Op. cit.*, pág. 17.

[14] Véase por ejemplo la *Sonata que es una fantasía (Prosa inédita de juventud...*, págs. 272-277) y el comentario del editor, pág. 19.

también según modelos musicales. Remito a lo dicho ya a propósito del esquema ABA, particularmente en el poema *Canción (Ritornelo, Canto, Ritornelo).*

La tercera estrofa del *Elogio. Beethoven* (núm. 12) es particularmente instructiva, a pesar de su imperfección métrica, para entender cómo Lorca interpretaba la figura de su maestro musical preferido y cómo nosotros, a imitación suya, tendríamos que interpretar su propia obra lírica:

> Cerebro formado de inmensas escalas
> Que fue desgranando la mano de Dios,
> Extraño viajero del reino tremendo
> Que pasó la vida su amor traduciendo
> Al lenguaje único de la muerte en pos.

El genial compositor, instrumento de una actividad divina, transpone sus sentimientos de eros-tanatos a una forma expresiva musical. La terminología empleada (traducir-lenguaje) y el binomio amor-muerte orientan inmediatamente al plano de una reinterpretación en el nivel artístico poético. Otro poema en el que se explicita la difícil misión hermenéutica de la música es *[Cielo azul lleno de tarde]* (núm. 90). Un movimiento *allegro ma non tanto* de una obra musical de Chopin, tocada en el piano, tiene como función el tratar de establecer un nexo emocional entre la naturaleza circundante y el corazón herido del poeta pianista (vv. 1-7):

> Cielo azul lleno de tarde.
> Un allegro ma non tanto
> Tiende un iris imposible
> Del crepúsculo al piano.
>
> Mi pena ya de oro viejo
> Recuerda lo que ha pasado.
>
> Es lo eterno del poeta...

Los lectores del joven poeta Lorca tenemos que intentar descifrar el imposible arco de contacto entre el poema y nuestra "alma" (v. 19). Estos y otros versos análogos ofrecen los primeros materiales para una primitiva poética lorquiana que comentaré luego brevemente.

Sobre un libro

Si el nexo temático e interpretativo entre la primera experiencia artística musical de Lorca y su obra literaria juvenil se da con más intensidad en la prosa, los lazos más íntimos entre el carácter libresco de su formación humanística y la obra juvenil parecen situarse más en el campo de la poesía. Hay, en primer lugar, la presencia muy señalada de la cultura clásica y de las grandes obras maestras de la literatura española y universal. Las huellas materiales de estas lecturas se pueden encontrar en varios libros de texto universitarios, leídos y glosados por el joven estudiante granadino, y hoy conservados en lo que queda de su biblioteca[15]. Me limitaré a entresacar dos ejemplos de este trasfondo libresco, uno de la tradición greco-latina, otro de la hispánica.

Entre los libros se halla un ejemplar firmado, con notas autógrafas y un dibujo, de la *Teogonía* del poeta griego Hesíodo, en versión original y versión castellana de Luis Segaló y Estalleda (Barcelona, 1910). De este largo poema Federico estudió por lo visto sobre todo las primeras páginas, mientras que el resto parece haberlo leído con menos intensidad. Varios poemas juveniles se valen de esta lectura clásica, muy en particular *La religión del porvenir* (núm. 27) y *Dúo de violonchelo y fagot* (núm. 36), e incidentalmente también *La mujer leja-*

---

[15] A este propósito se puede consultar la utilísima tesina de licenciatura de Manuel Fernández-Montesinos García, *Descripción de la biblioteca de F. García Lorca*. Catálogo y estudio, Madrid, Universidad Complutense, 1985.

na (núm. 24) y *El pastor* (núm. 73). *La religión del porvenir* propone una nueva y original teogonía para el mundo de hoy, a partir de los datos de la cosmogonía, de la vida y de los trabajos de los dioses, gigantes y héroes de la antigüedad. Lorca, como nuevo vate y rapsoda inspirado por las Musas, canta el himno de la humanidad contemporánea movida por una renacida religión del amor, y con profecía del próximo fin de todas las miserias que afectan todavía al hombre de hoy. Una relectura atenta de ambos textos permite establecer numerosos puentes léxicos y temáticos entre el poema antiguo y el juvenil lorquiano. Siempre dentro del campo de las fuentes clásicas habría que examinar otro caso interesante: el empleo que hace Federico del mito de Pegaso.

Para el desarrollo de la parte central de *Ensueño de romances* (núm. 29) estoy convencido de que es obligatorio referirse al primer tomo del *Romancero general o colección de romances castellanos anteriores al siglo XVIII* de Agustín Durán (Madrid, Sucesores de Hernando, 1916). El poema de Lorca se presenta explícitamente como la lectura material de un libro. Así lo sugieren los siguientes versos repartidos a lo largo del texto (vv. 1-2, 12-13, 29, 94-95, 118-120 y 151):

> El gran libro se abre silencioso.
> El romance brotó...
>
> El gran libro se abre silencioso
> Y el conde Arnaldo apareció...
>
> El libro una hoja pasó...
>
> Aparece sobre el libro
> La gran mancha del honor...
>
> El libro mana un perfume
> De luz, de sol y de rosa.
> Surge el romance de niños...
>
> Y el libro se cerró...

"El gran libro" de la colección de romances de Durán, conservado entre los volúmenes de la biblioteca de Lorca, muestra claramente las huellas de una lectura aprovechada del joven poeta. Dibujos, subrayados y apuntes en las páginas 175-177 y 181-182, por ejemplo, permiten ver qué romances tradicionales fueron los más frecuentemente visitados por el joven estudioso: son exactamente los que ofrecen algunos de los personajes y temas de su *Ensueño:* el conde Arnaldo, Gerineldo, Blanca Flor, el conde Lino, etc.

Dentro del campo de las demás fuentes literarias hispánicas se puede mencionar la presencia de unos textos o escritores mayores: Gonzalo de Berceo, Jorge Manrique, Garcilaso, San Juan de la Cruz y Santa Teresa de Ávila, Cervantes, Luis de Góngora, Larra, Bécquer, Rubén Darío. Entre los extranjeros, Shakespeare, Victor Hugo, Paul Verlaine, E. Allan Poe, Goethe y Omar-al-Kayyam. Reminiscencias artísticas no literarias, con exclusión de las musicales ya registradas, provienen mayormente de la pintura (los italianos de los siglos XIV-XVI, Rembrandt, Goya) y de la escultura (la Niké de Peonios, la Venus de Milo, Leonardo da Vinci...).

Un fenómeno que ilustra de manera excepcional el carácter libresco de la primera vocación literaria de Federico y el tema de la lectura como fuente de inspiración para la palabra poética, es el muy frecuente empleo del libro (y más ampliamente cualquier forma de expresión hablada o escrita) como metáfora de la creación artística. Unos ejemplos obvios: *[Yo estaba triste frente a los sembrados]* (núm. 2) en el que un sueño sobre la (im)posible palabra artística se formula a partir del *Sueño de una noche de verano* de Shakespeare. O el poema llamado precisamente *Sobre un libro de versos* (núm. 119) que es toda una reflexión sobre la vocación poética que acompaña la lectura de las *Poesías completas* de Antonio Machado. Pero hay también textos de configuración más metafórica como *Hora* (núm. 86), o *La víbora. Momento de inquietud* (núm. 114):

> Me aparté del sendero
> Donde estaba la víbora
> Escribiendo en el polvo arabescos enigmas...
> El ciego animalejo sobre el camino rojo
> Espirales y curvas en el polvo grabó
> Que en el suelo del alma grabadas me quedaron
> Por la daga invisible de una gran emoción.

Los movimientos enigmáticos del animal sirven de metáfora a la labor expresiva del artista: la escritura. Así se entiende cómo y por qué a su propias creaciones líricas Lorca las llama "escrituras heridas" (*Camino,* número 101, vv. 53-55).

Entre el Sí Dios y el No Dios

Más de una tercera parte de la prosa de juventud viene reunida por su editor bajo los títulos de *Místicas* y *Meditaciones,* términos tomados por lo demás de las propias composiciones de Lorca[16]. En el teatro de juventud por su parte irrumpe el tema religioso en textos como *Del amor, Cristo* y *Sombras*[17]. A un mismo concepto de meditación metafísico-religiosa corresponden también en la producción lírica varios poemas completos y un sinnúmero de fragmentos de composiciones. El tema religioso y la reflexión filosófica se manifiestan ante todo bajo dos aspectos particulares constantemente mezclados en los poemas: duda y protesta.

La duda fundamental expresada atañe a las relaciones existenciales entre el Dios creador, bondadoso y omnipotente y el destino humano sellado por la miseria

[16] *Prosa inédita de juventud...,* págs. 59-165, 195-225 y la *Introducción,* particularmente las págs. 22-32.

[17] *Teatro inédito de juventud...,* págs. 111-129, 223-318 y la *Introducción,* muy en especial las págs. 18-20, 23-27, 32-44.

cotidiana y la frustración, entre la fe esperanzada y el amor fracasado, entre la vida en vilo y la muerte segura. La pregunta sobre Dios y yo encuentra una expresión estilística apropiada en las incesantes fórmulas interrogativas, en la alternancia del sí y del no, que no sólo se lee en los mismos versos, sino igualmente en las notas marginales de los manuscritos. Así se puede ver, por ejemplo, al pie del *Salmo de mañana* (núm. 106), la siguiente nota: "No. Pero sí." Unos grandes poemas ilustran abundantemente la dolorosa tensión entre el ideal religioso colectivo o personal y el desengaño final: *Salmo de noche* (núm. 108), *Oración* (núm. 70), *La aurora del siglo XX* (núm. 121). Es éste el gran "tema con variaciones pero sin solución" como reza el título de un poema temprano (núm. 11, vv. 76-80):

Y es que el mundo no cree
Porque tiene derecho a no creer.
Esto es el reino del dolor
Y no existe el Dios de Amor
Que nos pintan.

Entre las ininterrumpidas alternancias del destino humano "del Sí Dios al No Dios" *(Salmo de noche,* v. 12) se hallan, enfrentándose con las negativas mayoritarias, unas pocas perspectivas religiosas positivas, como por ejemplo en estos versos de *[Todo se siembra]* (núm. 12, vv. 16-18):

Todo se muere
Y a la sombra marcha
Menos el hombre que descansa en Dios.

En *Grito de angustia ante la crisis espiritual del mundo* (núm. 127), el poeta apela a una actitud y una actividad artísticas desesperadamente esperanzadas frente a "la muerte de la idea de un Amor por Amar" (v. 24).

Al lado de la postura de duda existencial con sus altibajos emocionales de fe crítica y desilusión final, se manifiesta en *crescendo* la voz de la protesta. Los mayores poemas de tono profético, bíblico y hasta apocalíptico son otra vez el *Salmo de noche* (núm. 108), el *Grito de angustia...* (núm. 127), *La religión del porvenir* (número 27), y *Aurora del siglo XX* (núm. 121). El *Envío a algunos hombres,* segunda parte del mencionado *Salmo de noche,* ofrece el ejemplo más ilustrativo de una virulenta invectiva y acusación pública a los representantes de todas las instituciones oficiales, todo el *establishment* religioso y político, y se acompaña de una llamada de urgencia a una cruzada del verdadero amor[18]. Con una expresividad lírica que anuncia el estilo de varios poemas de *Poeta en Nueva York,* el poeta afirma que la humanidad, frente "al fracaso de Dios y del alma" debe lanzarse en busca de una idea suya propia, una nueva aurora para el destino del hombre, por fin liberado de toda opresión ideológica:

> Pero emprender cruzadas
> Con espadas de amor
> Contra los fariseos de tanta religión,
> Contra leyes infames de dinero y honor,...
> Contra las vanidades del oro y la belleza,
> Contra necias teorías de civilización,
> Contra la democracia que es sed de aristocracia,
> Contra la hipocresía del truhán y el bribón...

Entre los pocos personajes religiosos que se salvan en esta polémica actitud hacia la fe de una iglesia vista como institución, hay que mencionar primero al propio Jesucristo, llamado "Santo Apóstol", "rabino fantasma" y encarnación de todo el sufrimiento humano; luego los santos Francisco de Asís, Job, Elías y María Magdalena. Sobre todo San Francisco lleva una marcada connota-

---

[18] No sólo ideas comparables sino también fórmulas análogas se encuentran a menudo en la *Prosa inédita de juventud*. Véase, por ejemplo, en las págs. 89-90, 126, 150-151.

ción positiva y simpática porque con su afán por una religiosidad puramente evangélica, encarna la sencillez ingenua, el amor a la naturaleza y una entrañable mirada hacia la niñez. Aparece con insistencia a partir de junio de 1918 en varios poemas como *El pastor* (núm. 73), *Álamo inmenso* (núm. 87), *Era el tiempo divino* (número 133), etc. En *El espectro divino del de Asís* (núm. 132), Lorca vuelve a narrar a su modo el famoso discurso de San Francisco a los animales:

"En el nombre de Cristo vengo a hablaros,
¡Oh tristes alimañas!
¡Despertaos del sueño, que yo os traigo
La bienaventuranza!"...

Sé que el hombre os desprecia, os odia y os maltrata.
Sé que todos lloráis vuestras vidas humildes,
Vidas buenas que el hombre hace tan desgraciadas.

El poema más extenso de todo el volumen, *La balada de Caperucita* (núm. 142, enero-febrero de 1919, 5 partes, 568 versos), algo comparable en estilo al *Maleficio de la mariposa* y a tono con poemas como *Los encuentros de un caracol aventurero* del *Libro de poemas,* tiene como tema un viaje de Caperucita roja por el cielo. En vez de una "descente aux enfers" se trata de una iniciación en forma de "subida al cielo", en busca de la Virgen, símbolo para Caperucita de la pureza y de la inocencia total. Por eso tiene como guía y protector a San Francisco. Pero ni en el cielo existe la anhelada felicidad, ni la Virgen es la joven "rubia y bonita" soñada, ni San Francisco es capaz de dar la necesaria protección contra las amenazas del amor mortal. El viaje acaba con otro corazón herido.

El tema metafísico-religioso entre duda y protesta, fe evangélica y desesperación, si bien no va a desaparecer, ni mucho menos, en la producción literaria ulterior de Lorca, tampoco ocupará el puesto central desempeñado por el binomio amor-muerte del cual se señalará cada vez más como una faceta particular o un segmento característico. Este binomio fundamental de toda la obra lorquiana se halla ya perfectamente enunciado desde su poesía juvenil, no en el sentido de una estructura básica del conjunto (como ocurre por ejemplo en el *Poema del cante jondo)*[19], sino como una doble e incesante presencia profundamente entretejida en un modelo de mutua amenaza o incluso de radical antagonismo. El amor es un ideal imposible, la primera y definitiva desilusión, la fuente inaceptable de dolor y de llanto. La existencial insatisfacción, ya formulada en términos filosófico-religiosos, se manifiesta poderosamente en el nivel emocional y sicológico. Tanto la prosa como el teatro juvenil dicen exactamente lo mismo a este propósito. En *Estado de ánimo de la noche del 8 de enero,* por ejemplo, leemos: "Yo soy un hombre hecho para desear y no poder conseguir"[20]. Y en la *Comedieta ideal* la última réplica del coro de poetas reza: "Siempre nuestra historia ha sido la infinita aspiración de un ideal imposible, siendo como hemos sido personajes del gran drama real"[21].

Los poetas viven de manera ejemplar y en forma acerada el calvario de la humanidad entera. Gracias a sus "rimas" ofrecen claves de lectura a la existencia, saben descifrar el cotidiano *Crepúsculo del corazón* (núm. 41):

---

[19] Ver el capítulo III, *Elementos temáticos y estilísticos* de mi edición del *Poema del cante jondo,* ed. cit., págs. 100-122.

[20] *Prosa inédita de juventud...,* pág. 191.

[21] *Teatro inédito de juventud...,* pág. 90.

Corazón ilusión.
Luna laguna.
Amor dolor.
¡Ah los poetas!
Raras aves agoreras.
No se pueden rimar de otras maneras.
Corazón ilusión.
Luna laguna.
Amor dolor.

Una lectura atenta de la poesía juvenil descubre a través de la constante reiteración literal de las rimas *corazón/ilusión* y *amor/dolor* (rimas que abundan hasta el verano de 1918) también la resonancia y el eco semántico del binomio conceptual amor-muerte.

La muerte, inevitable perspectiva final del amor-dolor, se viste de llanto: el tono elegíaco nace con los primeros poemas. Ejemplos obvios son: *Canción* (núm. 4), en el que el *ritornelo* inicial y final compagina "la dolorosa estancia de nuestros amores" (v. 71) con el guayado "Ay de mi amor" (vv. 3, 5, 9, 103, 105, 109), anuncio de los numerosos llantos de amor en la obra posterior; o el ya mencionado *Un tema con variaciones pero sin solución* (núm. 11) que repite anafóricamente el verso "Qué doloroso es vivir" (vv. 1, 11, 26, 101, 111, 113) y redefine en términos de resonancia bíblica la "gran interrogación de los siglos" como "tristeza de tristezas":

Los hombres caminamos
Hasta que tropezamos
Con la Muerte.

La gran balada del vino (núm. 47) que se subtitula *Sinfonía* y que paradójicamente tiene como epígrafe *Optimismo,* es la triste balada de una madre para sus hijos muertos, primer atisbo de la muerte del *Romance de la luna, luna* o de *Bodas de sangre.* El *Salmo de mañana* (núm. 106) (con su correspondiente *Salmo de noche),* subtitulado *Poema del llanto,* inaugura una serie de textos del mismo tema en la poesía posterior (como el *Poema doble del lago Edem* en *Poeta en Nueva York* o la *Casida del llanto* en el *Diván del Tamarit)* que todos lloran "la muerte de tanto corazón" (v. 46).

La conciencia del sentimiento doloroso del vivir hace que el conjunto de la poesía juvenil se pueda considerar como "el libro de horas" *(Balada,* núm. 124, v. 69) de un poeta dolorido. Tanto los poemas de raigambre tradicional y popular, baladas y canciones (por ejemplo *Palomita blanca,* núm. 54, v. 19: "un morir en el vivir" o *Balada de las niñas en los jardines,* núm. 56, vv. 28-29 y *passim:* "A la víbora víbora,/víbora del amor"), como los más cultos de inspiración petrarquista, juegan sin parar con las parejas léxicas y semánticas de amor/dolor-vivir/morir. El sufrimiento es particularmente agudo en una serie de madrigales y otras composiciones eróticas que narran "el calvario carnal"[22] del poeta. Muy instructivo a este respecto y al mismo tiempo valioso botón de muestra de su temprana maestría lírica es el *Madrigal apasionado* (núm. 146). Sirviéndose de todo el arsenal de los tópicos de la poesía amatoria renacentista, combina un ansia de unión total, física y espiritual, con la conciencia de una final esterilidad y destrucción (vv. 26-33):

> Y yo mientras iré dentro
> De tu cuerpo dulce y débil,
> Siendo yo, mujer, tú misma,
> Y estando en ti para siempre,
> Mientras tú en vano me buscas
> Desde el Oriente a Occidente,
> Hasta que al fin nos quemará
> La llama gris de la muerte.

Tanto el cuerpo y el corazón humanos, con sus deseos de felicidad imposibles de alcanzar, como el alma y

---

[22] Tomo el término de *[¿Qué hay detrás de mí...?]* en *Prosa inédita de juventud...*, pág. 189. Ver el comentario de Chr. Maurer, páginas 32-34.

el espíritu "sufren su más allá" *(Crepúsculo espiritual,* núm. 39, v. 3). Las aspiraciones espirituales y los deseos de la carne se encuentran en el punto común de la imposibilidad: ni Dios ni amor, ni siquiera el Dios del amor, ni tampoco el amor sin Dios, parecen ideales realizables. En núcleo se formula aquí el material temático esencial de toda la obra de F. García Lorca.

UNA VISIÓN INTERIOR DEL PAISAJE

Frente a la desengañada comprobación del fracaso final de todo ideal espiritual y amoroso, el joven Lorca tantea tres vías de salvación: una relectura íntima e interiorizada del paisaje circundante, una actitud humorística a veces francamente irónica, y la aceptación de una misión artística. Tres fórmulas arraigadas en la postura fundamentalmente romántica propia de toda la producción juvenil lorquiana.

La tendencia a una visión interior del paisaje y a una paralela escenificación paisajística del mundo interior no es nada exclusiva de su labor lírica. Bastará con recordar, por ejemplo, el subtítulo y la inicial acotación dramática de su *Teatro de almas* del año 1917: "Paisajes de una vida espiritual. (La escena en el teatro maravilloso de nuestro mundo interior"[23]. La contemplación del paisaje granadino real, rural y agreste, raramente urbano, viene metatextualmente subrayada en los autógrafos por los apuntes que hemos registrado ya al hablar de los manuscritos. Las notas a pie de texto del tipo: *"frente al paisaje, frente al río, en los jardinillos, en el campo",* etc., deben interpretarse en este sentido y no son pues meros detalles de ambientación pintoresca o biográfica. Varios títulos o versos iniciales recuerdan una actitud visionaria frente al paisaje: *[Yo estaba triste frente a los*

---

[23] *Teatro inédito de juventud...*, pág. 95.

sembrados] (núm. 2), *Crepúsculo espiritual* (núm. 39), *La leyenda de las piedras* (núm. 46), *Visión* (núm. 52), *Letanía del arroyo* (núm. 65), *[Este crepúsculo torturado]* (núm. 93), *[¿Qué tiene el agua del río?]* (núm. 112), *[Los crepúsculos revelan]* (núm. 117), etc. El mundo circundante revela, descubre, es eco, emblema, espejo, voz interior, clave de lectura del propio estado de alma. La naturaleza da consejos, lecciones y enseñanzas, activa el sueño y la visión. Permite que el corazón del hombre se oculte en la tristeza generalizada del universo y saque sabiduría de la paciencia de los elementos naturales. El bosque, la montaña, el cuervo, las piedras, los árboles expresan cada uno a su modo las miserias y decepciones humanas y se transforman de este modo en "símbolo triste de nuestra vida" *(Letanía del arroyo,* núm. 65, v. 25).

En varios poemas las relaciones entre los elementos del paisaje y el yo poético son inmediatas y explícitas. En *[Álamo inmenso sobre el verde soto]* (núm. 87), por ejemplo, el poeta experimenta en su propia carne los estigmas dejados por el rayo en el árbol, cual nuevo San Francisco herido de amor: una visión del propio corazón lastimado sobre un fondo de naturaleza y un trasfondo religioso. O en *La víbora. Momento de inquietud* (núm. 114) en que la inquieta observación del reptil venenoso, trazando enigmáticas líneas en el suelo, le hace entender al joven Lorca su propia vocación artística. Más de una vez la búsqueda de la propia esencia o de la cara anhelada del amor a través del espejo de la naturaleza, lleva a un lenguaje que se acerca curiosamente a los moldes expresivos de los místicos, como se ve en estos versos del poema *Sombra* (núm. 141, vv. 13-16):

> Como Juan de la Cruz quisiera sobre el agua
> Contemplar la visión de sus ojos serenos
> Y quisiera poder preguntarle a las cosas
> Por las blancas escenas que para siempre huyeron.

El resultado final de la lectura en clave de la naturaleza es otro desengaño: en vez de hallar por fin la unión y la felicidad, el poeta sólo se enfrenta con su propio misterio (vv. 27-28):

> Y el espejo retrata los dos ojos marchitos
> De mi esfinge que mira el camino desierto.

EL GUSANO HUMORISTA

Tanto Chr. Maurer como A. Soria han comentado la presencia del humor, de la ironía y de la autocrítica como armas esgrimidas por el joven Lorca en su lucha por objetivar y dominar la aguda conciencia de la desazón existencial[24]. El gusano "humorista" tampoco falta en la obra lírica juvenil, aunque sólo aparezca con fuerza a partir de los días de carnaval en febrero del año 1918. El "carnaval perpetuo en mi corazón" es efectivamente el tema de un grupo compacto de poemas (números 39 a 43): *Crepúsculo espiritual, Angelus, Crepúsculo del corazón, Carnaval. Visión interior* y *Los cipreses.* Aquí se descubre y se enuncia la otra cara del binomio amor-muerte: la franca risa, la burla, el circo, la máscara, con sus personajes carnavalescos y sus representantes de la commedia dell'arte. La ambivalencia fundamental y el engaño final de toda cara alegre (tan típicos de la representación sevillana en el *Poema del cante jondo, Canciones* y el *Romancero gitano)* se leen, por ejemplo, en este verso (v. 25) del *Crepúsculo espiritual:* "Llora el Pierrot de nuestra alegría." La fiesta, la farsa, los gritos alegres, las sonrisas son "las máscaras preciosas" del carnaval del joven poeta *(Carnaval,* núm. 42, vv. 49-50).

En esta serie de poemas de carnaval se enfatiza sobre todo la figura ambivalente de Pierrot y no es extraño

---

[24] *Prosa inédita...*, pág. 15; *Teatro inédito...*, pág. 44.

pues que el poeta haya intercalado en su *Pierrot. Poema íntimo,* que es fundamentalmente un texto en prosa, largos fragmentos de unos poemas juveniles: *Nostalgia* (núm. 16), *Crepúsculo del corazón* (núm. 41), *Angelus* (núm. 40), y *Vaguedades* (núm. 38): "¡Pobre Pierrot! Pobre máscara de mi corazón..."[25].

Aparte este lado agridulce de comedia y mascarada carnavalesca, el gusano burleso y humorístico ataca sobre todo, primero gentilmente, luego ácidamente, a fenómenos culturales clásicos y consagrados, a mitologías y religión, a escritores canonizados. La vena mitológica irónica se manifiesta, por ejemplo, en el *Salmo recordatorio* (núm. 76) de junio de 1918, que es una jocosa reescritura (en endecasílabos arromanzados), a veces casi textual, de unas estrofas de la *Fábula de Polifemo y Galatea*. Tanto Polifemo, quien

> Con la luna en su frente, está soñando
> La querella fatal por Galatea...

como la misma Galatea

> Galatea desnuda, Rosa inmensa,
> Rayo blanco de luz, nácar cuajado...

y el pastor Acis:

> Azabache y carmín, fiera mirada

parecen salir sin más de la fábula gongorina. El desarrollo mimético, sin embargo, conoce una brusca ruptura cuando el poeta en persona irrumpe en la escena:

> Y en vez de Polifemo se aparece
> El propio Luis de Góngora que estaba
> Escuchando sutil entre malezas.

---

[25] *Pierrot. Poema íntimo,* en *Prosa inédita de juventud...*, páginas 416-425.

La parte final del poema (vv. 27 y ss.) vuelve muy acusadamente al estilo paródico inicial. Pero lo más llamativo es por cierto esa muy personal transformación de una fuente literaria clásica, gracias a un sentido profundo del humor, y la concomitante apropiación de una coyuntura cultural específica por la que el aprendiz de poeta intenta escenificarse a sí mismo a través de la máscara gongorista. Este poema anuncia los juegos metafóricos ulteriores sobre personajes mitológicos (por ejemplo: *Adivinanza de la guitarra, Chumbera* y *Pita* del *Poema del cante jondo,* o los *Tres retratos con sombra* de *Canciones),* la *Soledad insegura,* en preparación de las fiestas del tercer centenario de la muerte de Góngora (casi diez años antes del 1927), y una serie de poemas burlescos, propios y ajenos, como la *Burla de Don Pedro a caballo,* el *Romance (apócrifo) de Don Luis a caballo*[26] y los demás textos apócrifos alrededor del poeta inventado Capdepón.

El gusano de la ironía y del humor también ataca el campo filosófico y religioso. Como dice un personaje de *[La comedia de la Carbonerita]:* "Nuestra misión es trascendental, ahora que en vez de tomarlo en serio lo tomamos un poquito a broma..."[27]. La perspectiva religiosa infantil, la historia bíblica, la visión del más allá, el cielo y sus santos se someten al ojo crítico de la desacralización burlesca. Si bien hay algún que otro caso suelto en los primeros poemas juveniles, es sobre todo a partir de mediados de 1918 cuando la tendencia a la irreverencia humorística religiosa ocupa una zona importante de la producción lírica lorquiana. En *Salmo de noche* (número 108) se narra una farsa a San Francisco y *[Era el tiempo divino]* (núm. 133) también se relaciona con el mismo santo. *Poema* (núm. 134) es una parodia de la historia

---

[26] El texto de este romance de Gerardo Diego, falsamente atribuido a F. García Lorca, se puede hallar en mi edición del *Primer romancero gitano, op. cit.,* págs. 303-304.

[27] *Teatro inédito de juventud...,* pág. 366.

de la creación y de las aventuras de Adán y Eva, mientras que en las partes III y IV de *La balada de Caperucita* (núm. 142) la leyenda para niños se transforma paulatinamente en una franca burla del mundo celeste.

Al amparo del espíritu carnavalesco e irónico se instala a veces una actitud de desengañado escepticismo y de frío desencanto. Así, por ejemplo, al hablar de los payasos musicales en *Música de circo* (núm. 81, vv. 13-16), el poeta comenta:

> ¡Oh!, música del circo tan vieja y tan tristona.
> Hay un desdén caído en tu lento sentir
> Y una filosofía de desprecio supremo
> En tristes melodías que nunca tienen fin...

Y en uno de los poemas más tardíos de la colección, *[Esta tarde en el río]* (núm. 152, vv. 15-19), se profesa el siguiente 'verde pensamiento' en una conversación faustiana del yo con el diablo:

> Sobre el verde jugoso, si tú quieres,
> Charlaremos un rato.
> Te advierto que ahora tengo el corazón
> Fuerte, galvanizado
> Y lleno.

Esencia de poeta

A través de la lírica juvenil se van perfilando poco a poco los primeros contornos indefinidos más que definitivos, de una teoría poética. Si bien no faltan algunos elementos originales acerca del papel del artista en los textos juveniles de teatro, es empero sobre todo en los primeros escritos en prosa y en verso donde las reflexiones sobre la misión del poeta se manifiestan con más insistencia.

Quien más que nadie experimenta y siente en su propia carne y alma la duda metafísica, la tensión aguda entre amor y muerte, la visión interior del paisaje y la tentación de la ironía y del escepticismo, es precisamente el artista. Chopin, Beethoven, Schumann, los pintores primitivos italianos, los grandes escritores españoles y extranjeros, se presentan como modelos de la expresión artística del universal y personalísimo sentimiento de insatisfacción por el ideal irrealizado e irrealizable y por el desengaño existencial. En su *Elogio. Beethoven* (número 12, de diciembre de 1917) Lorca formula de la siguiente manera la esencia de la labor del músico, "canto doloroso de amor imposible" (v. 7, 14-15):

> ... pasó la vida su amor traduciendo
> Al lenguaje único de la muerte...

Como lo he dicho antes a propósito de la importancia del elemento musical, la terminología aplicada aquí a la música proviene del ámbito artístico literario: traducir, lenguaje. El arte de los pintores también consiste en reproducir en *Tablas* (núm. 67, vv. 41-44) sus visiones interiores frente al paisaje:

> Vosotros meditabais mirando los crepúsculos,
> A los claros colores les cortabais las alas
> Y luego los volcabais en las tablas ansiosas
> De recibir tan grande y tan solemne gracia.

El poeta también es intérprete, traductor, lector, también vuelca en sus versos sus meditaciones. He insistido ya en el aspecto libresco-literario de la obra juvenil. Dentro de una misma línea interpretativa hay que entender pues esa abundancia de referencias y ecos culturales. El poeta debe primero descifrar "la grave esfinge del arte" *(Poema balada,* núm. 55, v. 37), y luego cantar "el trágico poema de nuestro corazón" *(Unos versos pobres y doloridos,* núm. 61, v. 2).

Así se formula pues la condición del arte poético: nace exclusivamente del sufrimiento, de la conciencia dolorida del amor imposible y del ideal fracasado. El poeta tiene como vocación y tarea vivir de manera privilegiada esa lucha desigual y desesperada para luego dejar constancia de ella en sus escritos. En unos poemas juveniles Lorca expresa con vehemencia la radical oposición entre las fórmulas poéticas superficiales y la verdadera poesía, marcada por el sino oscuro, por el desgarramiento. La única canción posible es la *Canción desolada* (núm. 15, vv. 11-12), en radical contraste con los múltiples y falsos cantos de belleza:

> Cantos de poetas siempre bellos
> Y casi ninguno desgarrador.

Esta visión lorquiana del poeta auténtico es esencialmente funeral. En *Escudos* (núm. 32, de enero de 1918) el joven artista explica cómo en campo de claveles el poeta suspira y canta, en campo de azucenas, desgrana su propio corazón, en el de laureles "aún asoma el poeta su cabeza hermosa" (v. 24), pero en campo de guerra, en medio de la destrucción y de la muerte (vv. 32-33):

> El antes poeta hermoso
> Enseña su calavera...

Estamos frente a las primeras formulaciones de una posterior teoría estética que exigirá la presencia de la muerte para lograr su exacta expresión artística.

Algunos poemas ilustran explícitamente esta misión abnegada y crística[28] del poeta. Hay que leer, por ejemplo, *Oración* (núm. 70). El objetivo final debe ser el hacer "versos que no sean versos" (v. 3), versos que sobrepasen toda forma de belleza, únicamente alimentados por el "sufrimiento de un amor de eternidad" (vv. 77-78)

---

[28] Para un examen sugestivo, aunque a veces algo forzado, de la "identificación Cristo-poeta" en los escritos de juventud, véase Eutimio Martín, *Federico García Lorca, heterodoxo y mártir. Análisis y proyección de la obra juvenil inédita,* Madrid, Siglo XXI, 1986.

imposible. La corona ansiada no es la clásica de los laureles, ofrecida por Apolón, sino la de espinas:

> Una angustia tremenda que no puedo expresar
> Me ahoga el equilibrio sereno del rimar [...]
>
> ¿Coronas de rosas en mi frente?
> No. Coronas de amor.[...]
>
> ¿Coronas de laurel en mi frente?
> No. Coronas de un arte imposible.
>
> Ninguna corona.
> Sólo una de espinas como Cristo.

Todo el anhelo estético-literario de un joven de veinte años cristaliza así en un deseo de inmenso sufrimiento crístico. La misma imagen vuelve a encontrarse explicitada en *Salutación elegíaca a Rosalía de Castro* (núm. 145, vv. 95-96) de finales de mayo de 1919:

> Pues vamos cargados con cruz de poesía
> Y nadie que lleva esta cruz descansó.

La fuente de todo arte reside pues en la conciencia del desajuste vital entre anhelo espiritual, humano, sentimental y su imposible cumplimiento.

En sus poesías juveniles de 1917-1918, verdadero diario de intimidad, Federico García Lorca se da a conocer como un aprendiz de la técnica métrica, de la expresión lingüística y estilística, como original reformulador de fuentes estéticas y lecturas clásicas. Se manifiestan las primeras tentativas de una estética basada en un concepto doloroso y desengañado del vivir. En una entrevista Karl Boehm afirmó que en el movimiento lento de la primera sinfonía de Mozart, escrita con apenas nueve años de edad, se pueden oír los sonidos negros de su *Requiem*.

CHRISTIAN DE PAEPE

Nota a esta edición

La presente primera edición de la poesía juvenil inédita de Federico García Lorca exige unas palabras de explicación. Comentaré brevemente dos puntos: el orden de presentación de los poemas y las normas de edición.

1. La cronología como principio de ordenación

En el momento de ordenar para su primera publicación 160 manuscritos autógrafos de 155 poemas de juventud (1917-1919), de los que 5 figuran en doble versión (MsA/MsB), el orden cronológico de su redacción se me ha impuesto como el principio más lógico. Bien sé que en ninguno de sus libros de poesía publicados, el poeta siguió este criterio. No es el caso ni siquiera en el *Libro de poemas,* la colección más cercana a la poesía juvenil y único libro lorquiano sin la menor subdivisión ni organización interior aparente. En sus *Palabras de justificación* Lorca tildaba a su *Libro de poemas* incluso de "páginas desordenadas" (LP, pág. 15).

Tengo fundamentalmente tres motivos para justificar el orden cronológico. El primero es de simple conveniencia práctica: la gran mayoría de los manuscritos autógrafos juveniles llevan o bien una detallada datación (año, mes, día), o bien suficientes datos parciales para una clasificación cronológica más o menos segura.

En 127 poemas (más del 80 por ciento) ha sido posible fijar una fecha entre cierta y muy probable. Un grupo de 13 manuscritos (8 por ciento) sin fecha presenta características materiales idénticas; gracias a elementos de crítica interna, este conjunto pudo localizarse en los meses de Junio-Julio-Agosto de 1918 y más precisamente entre las dos fechas extremas del 3 de Junio y del 7 de Agosto. Sólo para un reducido grupo de unos 15 poemas (10 por ciento) resulta imposible avanzar una fecha más segura que la de algún año hipotético (¿1917?, ¿1918?, ¿1919?, ¿1918-1919?). La cronología ofrecía pues una base suficientemente documentada para ordenar el conjunto.

Mi segundo motivo para organizar y publicar los autógrafos juveniles según un orden cronológico es que de esta manera no hago más que reanudar y continuar una anterior tentativa de ordenación por parte del propio poeta en colaboración con su hermano Francisco: "Debió ser en el año 1918 cuando mi hermano y yo decidimos ordenar los poemas escritos. Estaban en su mayor parte fechados y fue fácil numerarlos por orden cronológico" (FrGL, pág. 162). En mi *Introducción* al segundo volumen del *Catálogo general de los fondos documentales de la Fundación Federico García Lorca* (1993: *Obra poética juvenil,* págs. 9-10), he reseñado y comentado la doble numeración (por números romanos y arábigos) de un centenar de poemas juveniles por los hermanos Lorca. Remito al lector tanto al mencionado catálogo como al doble índice por fechas y por numeración incluido entre los apéndices de la presente edición, para una más amplia información sobre esta característica de los manuscritos. Aquí voy a resumir simplemente esa anterior tentativa de organización.

A los poemas escritos entre el 29 de Junio de 1917 y mediados de Marzo de 1918, los dos hermanos aplican una doble numeración (números arábigos 1-42 por Federico, números romanos I-XLII por Francisco). Sólo 5 poemas quedan fuera de la selección. Todos los escritos entre mediados de Marzo de 1918 y el 30 de Abril del mismo año, también van con doble numeración (43-56, XLIII-LVI) pero de la mano exclusiva de Francisco. Parece como si Federico hubiera cedido la labor de catalogar sus poemas a su hermano menor. Trabajo exclusivo de Francisco es también la simple numeración en cifras arábigas (57-100 bis) de los poemas de principios de Mayo de 1918 hasta finales de 1918. Aquí hubo más selección: se cuentan como 25 manuscritos (fechados o no) que no fueron seleccionados. Finalmente, los poemas compuestos a partir de finales de Noviembre de 1918 hasta Noviembre de 1919 no llevan ninguna traza de selección ni de numeración. El proyecto de selección definitiva y de publicación no llegó a concretarse.

Cuando Lorca publica su *Libro de poemas* en 1921, los textos líricos más tempranos incluidos son de Abril y Mayo de 1918. De los 100 poemas juveniles inicialmente seleccionados (de Junio de 1917 a Noviembre de 1918) ninguno fue integrado en su primer libro lírico publicado. En unos pocos casos (por ejemplo *¡Cigarra!, Mañana, Nido (de ruiseñores), Aire de nocturno)* se puede ver como otros materiales de la poesía juvenil inédita entraron, a menudo en versiones reformadas o abreviadas, a formar parte del *Libro de poemas.*

Pero lo que importaba ahora era poner énfasis en el hecho de que la única tentativa de organización de los autógrafos juveniles que hubo antes de la presente edición, se hizo a partir de criterios cronológicos y con escasa eliminación de textos. Esta primera edición respetará pues el orden cronológico pero incluirá todos los manuscritos conservados, tanto los seleccionados y numerados como los eliminados y los no numerados. En el caso de los poemas sólo parcialmente conservados en la criba selectiva de los hermanos Lorca, editamos el texto completo, pero señalamos los fragmentos seleccionados gracias a una doble numeración versal.

He optado por publicar todos los materiales líricos juveniles conservados, sin tener en cuenta la voluntad selectiva del poeta, porque el propósito de esta edición es efectivamente llegar por fin a un conocimiento cabal de toda la producción lírica lorquiana, sea cual sea su estatuto redaccional o editorial. Y es éste el tercer motivo para una presentación cronológica de esta nueva documentación autógrafa: permitir al lector tener una perspectiva genética, orgánica y completa sobre los primeros años de la actividad poética de Lorca, desde sus primerísimos pasos hasta la época del *Libro de poemas*. En las *Palabras de justificación* a este libro leemos: "Ruindad fuera el menospreciar esta obra que tan enlazada está a mi propia vida" (LP, pág. 15). Estas mismas palabras se pueden aplicar al conjunto de composiciones juveniles que hoy ve la luz. Con la presente edición se puede decir que, salvo unos muy contados textos, repertoriados en el primer volumen de nuestro *Catálogo general* (1992: *Obra poética de madurez*), la totalidad de la obra lírica de Federico García Lorca está hoy a la disposición del público interesado.

2. Características generales de esta primera edición

Las normas de edición aplicadas a los manuscritos juveniles inéditos han sido algo diferentes de las que he usado en anteriores ediciones de la obra poética de Lorca (más particularmente en mis ediciones críticas del *Poema del cante jondo* y del *Primer Romancero gitano,* en la nueva serie de *Clásicos castellanos,* Madrid, Espasa-Calpe, 1986 y 1991). Para este enfoque diferente quiero invocar motivos de doble índole, externa e interna. La razón más importante de carácter externo es que he querido adaptarme a las tradicionales líneas editoriales de la serie de Letras Hispánicas en la que aparece este volumen. Una razón de índole más interna y más fundamental tiene que ver directamente con las características propias del material presentado aquí. Como se trata de textos nunca editados —y esto vale incluso para los veinte y tantos poemas ya publicados anteriormente, pero no por García Lorca—, lo que hacía falta era una verdadera *editio princeps* y esto única y exclusivamente a partir de datos manuscritos autógrafos. La situación editorial era, pues, del todo diversa de una edición crítica basada en una edición príncipe existente, acompañada o no de versiones autógrafas o de versiones pre-originales en revistas, cartas o publicaciones sueltas, o incluso de reediciones posteriores a la príncipe. Aquí se imponía una versión fiel a los autógrafos originales, pero críticamente depurada, con una solución razonable y razonada de los problemas textuales, con eliminación de erratas y dudas, y con normalización y modernización tanto de la grafía como de la puntuación.

Acompañan, pues, al texto revisado de esta *editio princeps*, dos bloques de información crítica. *El primer bloque* ofrece:

1. Toda la información disponible sobre la fecha (y/o lugar) de composición del poema.

2. La simple (números arábigos) o doble (números romanos y arábigos) numeración de los poemas dada por los hermanos García Lorca.

3. En el caso de haberse editado ya el poema (en su totalidad o sólo en parte), la(s) referencia(s) bibliográfica(s) bajo forma de sigla; esta sigla se explicita en la lista de las fuentes bibliográficas. Cuando es oportuno, también se señala aquí cualquier referencia útil a otros poemas lorquianos, o se hace algún comentario crítico sobre el texto.

El segundo bloque, por su parte, reúne un aparato crítico-textual bastante amplio, sin llegar a ser exhaustivo. En él se han registrado, verso por verso, no sólo todas las diferencias textuales del autógrafo respecto a la versión editada, sino igualmente todos sus titubeos, correcciones, supresiones, adiciones, dobles versiones y demás datos manuscritos. Cuando he tenido que intervenir en el texto a causa de erratas, correcciones, o lecturas inciertas, o cuando la versión dada es hipotética, lo normal es que se señale. Como regla general el aparato crítico sólo hace caso omiso de los cambios introducidos en la puntuación o en el uso de mayúsculas y minúsculas. Es exlusivamente en este campo secundario en el que el aparato no es estrictamente crítico. Se entiende que para los poemas ya editados con anterioridad, he añadido todas las variantes de lectura, con excepción de las de puntuación.

Entre los materiales críticos doy también breves notas explicativas de texto: referencias a personajes, lugares, obras de arte, dedicatorias, algún que otro elemento de versificación o de morfo-sintaxis. Aquí la norma ha sido más bien restrictiva para no alargar demasiado las notas. Por otra parte, para facilitar la consulta, he mezclado los dos tipos de notas, las crítico-textuales y las explicativas, según la costumbre de la colección.

Tres índices completan esta primera edición de la poesía juvenil de Lorca:

1. Índice *cronológico y por numeración* de todos los poemas editados.
2. Índice de los *poemas seleccionados* por los hermanos García Lorca.
3. Índice de *primeros versos.*

Espero que estos materiales podrán facilitar la consulta del volumen.

Christian De Paepe

Agradecimientos

Quisiera dar las gracias a la Fundación Federico García Lorca, a su Presidenta, Dª Isabel García Lorca, a su Director, D. Manuel Fernández-Montesinos García, por haberme ofrecido el reto de esta edición, y a su equipo, Rosa María Illán de Haro, Sonia González García y Araceli Gassó Gregori, por su constante ayuda y toda la labor preparatoria.

A Marie Laffranque, por su grata colaboración y su Prefacio.

A Rosa Sanz Hermida, por su minuciosa corrección de mis transcripciones y sus acertadas críticas al aparato crítico y a las notas explicativas.

A Sophie Decoene, por su paciente, rápido y eficiente trabajo técnico de copia y tratamiento de texto, y a Josiane De Meester-Croene por su amable asistencia.

A la Editorial Cátedra, su director y equipo, por su ayuda y su trabajo esmerado.

Si esta edición tuviera algunas cualidades, se las debería a todas estas personas y a algunas más que no se mencionan. Las muchas, consabidas y a menudo inevitables imperfecciones empero corren únicamente a mi cargo.

Signos convencionales del aparato crítico

t	título
d	dedicatoria
1	los números se refieren a los versos
1-2	los versos 1 a 2
1/2	entre los versos 1 y 2
/1	antes del verso 1
1/	después del verso 1
/	señala el paso a otro verso
//	señala el paso a otra estrofa
φ	señala la ausencia de un elemento
(?)	señala una lectura conjetural o dudosa
cursiva	señala una versión tachada
⟶	indica que la misma estrofa continúa en la página siguiente.

Referencias bibliográficas

ABCD — Fernández-Montesinos García, Manuel, "Madrigal apasionado", *Los Domingos de ABC,* 17 de agosto de 1986, pág. 9.

AC — García Lorca, Federico, *Antología comentada I: Poesía,* selección, introducción y notas de Eutimio Martín, Madrid, Ediciones de la Torre, 1988, 306 páginas.

ACT — Menarini, Piero, *El primer soneto de García Lorca,* Actas del VIII Congreso de la Asociación Internacional de Hispanistas, Madrid, Istmo, 1986, páginas 287-294.

AL — García Lorca, Federico, "Romanza lírica", *Alora, la bien cercada,* núm. 2, julio 1991, págs. 7-11.

AP — García Lorca, Federico, *Antologia Poética,* selección, presentación y notas de Andrew A. Anderson, Granada, Edición del Cincuentenario, 1986, 243 páginas.

BOL — García Lorca, Federico, "Tres poemas juveniles, 1918", *FGL,* Boletín de la Fundación F. García Lorca, núm.1, junio 1987, págs. 17-28.

CAT1/2 — De Paepe, Christian (ed.), *Catálogo general de los fondos documentales de la Fundación F. García Lorca,* Madrid, Ministerio de Cultura-Fundación

F. García Lorca; vol. 1, 1992: *Manuscritos de la obra poética de madurez;* vol. 2, 1993: *Manuscritos de la obra poética juvenil (1917-1919),* vol. 3, 1995: *Manuscritos de la obra en prosa.*

CPI — GARCÍA LORCA, Federico, *Cuatro poemas inéditos,* Málaga, Plaza de la Marina, núm.10, 1988, 28 págs.

DIB — HERNÁNDEZ, Mario, *Libro de los dibujos de Federico García Lorca,* Madrid, Tabapress-Fundación Federico García Lorca, 1990, 273 págs.

FrGL — GARCÍA LORCA, Francisco, *Federico y su mundo,* edición y prólogo de Mario Hernández, 2ª ed., Madrid, Alianza, 1981, XXXVII, 520 págs.

HM — MARTÍN, Eutimio, *Federico Garía Lorca, heterodoxo y mártir. Análisis y proyección de la obra juvenil inédita,* Madrid, Siglo XXI, 1986, 455 págs.

IDE — FERNÁNDEZ-MONTESINOS GARCÍA, Manuel, "Lorca y Unamuno, nuevos datos", *Ideal, suplemento extraordinario,* 29 de mayo de 1986, pág.11.

IG — GIBSON, Ian, *Federico García Lorca. 1. De Fuente Vaqueros a Nueva York (1898-1929),* 2ª ed., Barcelona, Grijalbo, 1985, págs. 197-228.

INS — MARTÍN, Eutimio, *Una leyenda de Victor Hugo en la obra de García Lorca,* Ínsula, vol. XXXVII, número 427, junio 1982, págs. 1-10.

IP — GARCÍA LORCA, Federico, *Impresiones y paisajes,* edición de Rafael Lozano Miralles, Madrid, Cátedra, 1994, 301 págs.

LP — GARCÍA LORCA, Federico, *Libro de Poemas,* edición crítica de Ian Gibson, Barcelona, Ariel, 1982, 217 págs.

OAK2 — GARCÍA LORCA, Federico, *Obras II: Poesía 2,* edición de Miguel García-Posada, Madrid, Akal, 1982, 814 págs.

OC GARCÍA LORCA, Federico, *Obras completas I: Verso,* recopilación, cronología, bibliografía y notas de Arturo del Hoyo, 2ª ed., Madrid, Aguilar, 1986, 1.196 págs.

PI GARCÍA LORCA, Federico, *Poesie inedite (1917-1925),* estudio crítico, traducción y notas de Piero Menarini, Milán, Garzanti, 1988, 275 págs.

POL GARCÍA LORCA, Federico, "Las manos de la noche, six poèmes inédits", *Polyphonies,* París, 11-12 (1990-1991), págs. 8-23.

PRG GARCÍA LORCA, Federico, *Primer romancero gitano,* edición crítica de Christian De Paepe, Madrid, Espasa Calpe, 1991, 315 págs.

PrJ GARCÍA LORCA, Federico, *Prosa inédita de juventud,* edición de Christopher Maurer, Madrid, Cátedra, 1994, 520 págs.

PUB GARCÍA LORCA, Federico, *El público,* edición de María Clementa Millán, Madrid, Cátedra, 1987, 189 págs.

SP MACRI, Oreste, *Federico García Lorca*. "Origini e continuitá dell' amor oscuro", *Sudpuglia,* vol. XIV, núm.2, junio 1988, págs, 98-115.

TeJ GARCÍA LORCA, Federico, *Teatro inédito de juventud,* edición de Andrés Soria Olmedo, Madrid, Cátedra, 1994, 414 págs.

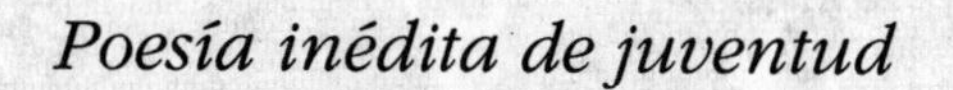

Poesía inédita de juventud

Lorca en las montañas de La Alpujarra, en 1918. Al dorso anotación autógrafa: "Segura ha querido fotografiarme con sombrero plano y escopeta. Naranjo situado a 2.000 metros de altura. Veo desde aquí Soportujar, Laujar, Vallacas, Cáñar. Y oigo el canto de cuatro ríos que bajan dando tumbos a los olivos de la vega de Orgiva."

Publicada en *El País-Babelia,* 11-IV-92

1
CANCIÓN
Ensueño y confusión

1 Fue una noche plena de lujuria.
Noche de oro en Oriente ancestral,
Noche de besos, de luz y caricias,
Noche encarnada de tul pasional.

5 Sobre tu cuerpo había penas y rosas,
Tus ojos eran la muerte y el mar.
¡Tu boca! Tus labios, tu nuca, tu cuello...
Yo como la sombra de un antiguo Omar...

El sueño de las telas de Argel y Damasco
10 Perfumaba lánguido nuestro corazón.
Tus trenzas decían una melodía
Sobre las estrellas de tu gran pasión.

29-VI-1917
I 1
edic: AC, págs.59-62; FrGL (fragmentos), págs. 161-162

---

2 Ms: ancentral
6 AC: eran la pena y el mar.
7 Ms: *espalda* nuca
8 Ms: *Y* yo como la sombra
Omar: antes que designar algún personaje particular, el nombre genérico evoca el mundo oriental (cfr. vv. 2 y 9).
9 AC: Damás

Después, el mordisco, el beso incoloro,
El roce apretado de carne en olor,
15 Una sombra vaga de vago consuelo...
Y las almas locas en rojo sopor...

Antonio sublime lloraba en el cielo.
Martino cantaba cantos con dulzor.
Las nubes se iban tristonas con duelo
20 Y las almas lúbricas miraban al NO.

Toda la locura de los días dulces
Se llora en las noches del estío feroz.
Se llora por ansias de amor que no llega.
Se sufre por carne vista a lo Berlioz.

25 Y llega la noche negruzca y callada,
Y llega la carne con fe y esplendor,
Y llega el placer con el dulce extravío.
Mas, ¡ay!, que la muerte llegó y el dolor.

---

14 Ms: *Y* el roce

17 Ms: lloraba en cielo

Antonio sublime: San Antonio, abad, padre de los anacoretas, famoso por las tentaciones que le adscriben tanto la hagiografía como la iconografía. En la *Leyenda áurea* (cap. XXI, 2) se lee: "Antonius in sublime tollitur", probable origen del epíteto tópico del santo ermitaño.

18 Martino: probablemente San Martín de Tours, en su forma latinizada. Su *vita* contiene varios y muy conocidos ejemplos de dulzura y misericordia.

19 Ms: *Las almas* Las nubes AC: Las almas

21 Ms: *sexos* tachado y cambiado por *dias,* en lápiz y por mano ajena (?).

24 FrGL: Se llora por carne

a lo Berlioz: vaga evocación del más puro sentimiento romántico a través de la vida y obra del compositor francés H. Berlioz. Lo mismo vale para las menciones de Werther y Larra en los vv. 29 y 31.

28 AC: Mas

Werther huye trágico por la negra senda.
30 Nerón ríe sangriento sobre vil león.
Larra está callado con luna en los ojos.
Isabel se esfuma sobre alado son...

Mahoma reposa sobre carnes blancas.
Luis Gonzaga aspira la infinita flor.
35 Barbarroja besa al odio en su alma.
Rubén el magnífico merodea en Lugsor.

Y sombras y sombras y luz y silencio.
Y besos y manos y nieve en fulgor.
Y risas y llantos y carnes en aguas.
40 Y Venus y Carmen y ojos de Almanzor.

---

29 Ms: Werteher

29-31: Werther y Larra, héroes románticos por excelencia y ambos suicidas. Nerón, además de ser prototipo de crueldad también fue suicida.

31 Nótese un primer atisbo del simbolismo mortal de la luna en la poesía de Lorca.

32 Isabel: sin duda Isabel de Segura, heroína de la leyenda histórica y de la obra dramática de Hartzenbusch *Los amantes de Teruel*. Isabel cae muerta ("se esfuma") sobre el túmulo de su amante Diego Marsilla. Isabel de Segura reaparece en otro poema juvenil de Lorca: *Elegía a Doña Juana la Loca* (diciembre 1918), v. 14.

34 Luis Gonzaga: santo patrón de la castidad juvenil ("infinita flor").

36 AC: Luxor

Rubén: el poema abunda en reminiscencias rubenianas. Además de esta explícita alusión hay, por ejemplo, la imitación de versos conocidos de Darío como "la libélula vaga de una vaga ilusión" *(Sonatina,* v. 12) del que el verso 15 parece ser una réplica (ver igualmente el v. 55).

Lugsor: variante gráfica de Luksor o Luxor, población del antiguo Egipto, conocida sobre todo por su gran templo. Simboliza aquí el afán de exotismo de la poesía modernista.

40 Carmen: heroína de la narración novelesca de Prosper Mérimée, fuente literaria de la ópera de Bizet. Símbolo de la mujer sensual y provocativa.

Almanzor: el caudillo musulmán está tomado aquí como prototipo de dominación y fogosidad.

Las almas ardientes se besan cansadas.
Las telas se llenan de vida y sudor.
Un hálito acre de tierra mojada...
Y más abrazarse, y más. Luego el sol.

45 Y el sueño se acaba entre ramerías
De hojas de parra y un sufrir sereno.
Las caras muy pálidas, los ojos cerrados,
Reposada el ánima y horror a Galeno.

El mundo imponente sigue su carrera.
50 Los hombres son en él incidente banal.
Los sueños son la vida de sabios y de amantes.
El que sueña se adueña de la luz fantasmal.

Y aquel que recorra la enorme llanura
Sin soñar, pensando en el más allá,
55 Que se quede blanco sobre blanca albura
O que un cuervo horrible lo trague voraz.

---

45 Ms: se *ababa* acaba

46 Ms: de *ojos* hojas de parra y *hojas de almendro* un sufrir *risueño* sereno

48 horror a Galeno: Más que al propio personaje histórico, el horror aquí manifestado debe entenderse a los médicos en general y a la ciencia medicinal que prescriben actitudes y regímenes de vida contrarios a las enfermedades y extravagancias amorosas evocadas.

52/53 Ms: F. Garcia. junio.29.1917

2
[YO ESTABA TRISTE FRENTE A LOS SEMBRADOS]

Yo estaba triste frente a los sembrados.
Era una tarde clara.
Dormido entre las hojas de un librote
Shakespeare me acompañaba...
5 "El sueño de una noche de verano"
Era el librote.
Estaban
Descansando en la tierra los arados.
Y esa tristeza humana,
10 La tristeza de aquellos armatostes

⟶

23-X-1917
Se trata de un manuscrito apógrafo de mano ajena, con corrección, tachadura y datación autógrafas de Federico García Lorca.
edic: CPI s.p.; POL, págs. 14-19; PUB, págs. 39-41

t Ms: *Poemas tristísimos*
1 Ms: *arroyos* sembrados
5 *El sueño de una noche de verano:* varios elementos del poema de Lorca hacen explícita o implícitamente referencia al tema o a personajes de la obra de William Shakespeare (vv. 4,19,48,79), como por ejemplo, el filtro de amor (v.20: "ponzoña"), el hada (v. 22), el amor hacia la primera persona vista al despertar (vv.23-24), el bosque encantado (vv. 78-79).
6/7 CPI: blanco

Dormidos junto al agua.
¡Qué hermosas son las nubes del otoño!
Lejos los perros ladran.
Y por los olivares lejanos aparecen
15 Las manos de la noche.
Mi distancia
Interior se hace turbia.
Tiene mi corazón telas de araña...
¡El demonio de Shakespeare
20 Qué ponzoña me ha vertido en el alma!
¡Casualidad temible es el amor!
Nos dormimos y un hada
Hace que al despertarnos adoremos
Al primero que pasa.
25 ¡Qué tragedia tan honda!, ¿y Dios qué piensa?
¿Se le han roto las alas?
¿O acaso inventa otro aparato extraño
Para llenarlo de alma?
¿Será Dios un artista medio loco?
30 ¡Dame, San Agustín, tus manos pálidas
Y tus ojos de sombra
Y tu llama!...

Estas flores tranquilas de la acequia,
¿Son como mis palabras
35 Frutas para los dientes de los aires,
Y después para nada?
¡Y esa encina que casi tiene boca
Y brazos y mirada!
Dejará la yedra de su espíritu
40 Para hundirse sin alma.
Y luego el corazón, ¿de qué nos sirve?
Para dejarlo en una senda larga

⟶

15/16 CPI: blanco
21 PUB: ¡Casualidad terrible
32 tu llama: el corazón en llamas es una característica iconográfica de San Agustín.

Colgado en otro pecho.
¡O enterrarlo bajo la nieve blanca
45 Cuando sentimos sobre nuestra frente
El frío de las canas!

....

¡Qué lejos está el monte!
¡Amigo William!
¿Me escuchas? ¿Sí?
50 (Las ramas
Secas de los árboles
Suspiran en silencio sobre el agua.)

* **

¡Cuánta sombra! ¡Dios mío!
Ya me acuerdo de ti... Ya la esperanza
55 Como una flor echa su polen de oro
Sobre mi frente mala.
¡Gracias Señor!

Dos sombras silenciosas
Por el camino pasan.
60 Una es el geniecillo de Descartes.
La otra sombra es la Muerte...
Yo siento sus miradas
Como besos de plomo sobre mi piel.
¡Se han callado las ranas!
65 ¡Ya se alejan! ¡Ay!, ¿cuál es el camino
Que conduce a mi casa?
¿Es éste?, ¿es aquél?, ¿o esa vereda?
¡Qué confusión!...

---

60 el geniecillo de Descartes: alusión al "malin génie", hipotético ser maligno cartesiano, cuyo papel sería engañar al hombre para que llegue al conocimiento gracias a la duda y la interrogación (cfr. vv. 65-68).

¡Las ranas
70 Empiezan muy piano sus canciones
Todas desconcertadas!
Y ya donde se cruzan los caminos
Veo sobre la montaña
Una caricatura de la esfinge.
75 ¡Riendo a carcajadas!

* * *

Luego pensé en mi habitación a solas
Y al calor de mi lámpara.
Todos vivimos en el bosque negro
Que Shakespeare se inventara.
80 Hay quien se siembra lirios en el pecho
Y le nacen ortigas.
Hay quien canta
Creyendo que es alondra matutina,
Y está muda su flauta.
85 ¿Pero, Señor, el corazón es cosa
Tan frágil y tan falsa?
Pienso serenamente en mi tristeza.
Es ya la madrugada,
Y veo en cada silla de mi cuarto
90 Sentado un gran fantasma.

81/82 CPI: blanco
90/ Ms: 23 Octubre 1917

3

CANCIONES VERDADERAS

Siento que toda el alma
Se me cuaja en Otoño.
Mi juventud se torna
Tristeza matinal.
5 La nieve del ensueño
Ha tapizado el noble
Jardín donde brotaba
Mi fuente pasional.

Tu figura de oro
10 Aún la guardo en el pecho.
Tenías el aroma
Del cielo sobre el mar.
Al mirarme dejabas

⟶

24-X-1917
De este ms existe un apógrafo de mano de Francisco García Lorca. Indicamos las variantes de transcripción (APO).

t Ms: la Canciones verdaderas
2 APO: en Otoño
5-6 Ms: un solo verso
6 Ms: el nob(?) —APO: el nobe(?)— Nuestra lectura es hipotética.
11-12 Ms: un solo verso
13 Ms: dejabas *sobre m*

Sobre mi carne estrellas
15 Y fábulas de aromas
Que inician un besar.

¡Te fuiste para siempre!
Se clava tu figura
Sobre mi pecho débil
20 Como un dulce puñal.
Sobre la frente tengo
Desconchones de luna,
Grietas de pensamiento,
Yedras de lo fatal.
25 Soy un Apolo viejo,
Húmedo y carcomido
Blanco donde Cupido
Agotó su carcaj.
....

Mi templo está lejano
30 Y mi rosa marchita.
La carabela negra
De la sensualidad
Va sin velas ni remos
Con Venus Afrodita
35 Hacia el reino sin nombre
De la esterilidad.

¡Que se cortan las rosas!
Navegante, no sigas,

---

18 Ms: *Tu figura se clava* Se clava tu figura
19 Ms: *neg* pecho
25 Ms: *a*Apolo
31 Ms: (La carabela
31-32 Ms: un solo verso
33 Ms: *alas* velas
34 Venus Afrodita: reduplicación (en sus versiones clásicas latina y griega) de la diosa del amor, igualmente diosa del mar y de los navegantes (cfr. vv. 31-33, 38, 44, 61, 67-72).

Que es la voz de la Muerte
40 Ese vago cantar.
Estás dormido y mudo.
A la sombra no miras
Y es un corazón viejo
Toda estrella polar.
....

45 Las palomas llegaron
Blancas y silenciosas.
Por un momento toda
Mi alma fue un palomar.
Y en vez de blanda pluma
50 Y cálices de rosas
Encontraron tristezas
Y espinas de zarzal.

Mi campana les dijo
Que yo era sombra negra,
55 Nube llena de tarde,
Pena de catedral.
Y se fueron diciendo:
Somos la Primavera,
El grito de la Aurora,
60 La alegría inmortal.
- - - - - - - - - - - -

Navegante, no sigas
Por el mal de tu noche.

⟶

---

37 Ms: *tronchan* cortan (?) APO: tronchan(?) —La grafía es dudosa pero nos inclinamos por esta solución ya que vuelve a reiterarse con escritura clara en el v. 65.

42 Ms: *Y a* A la

43 Ms: *Que* Y es un*o* APO: corazón vivo

48 APO: fue palomar

51-52 Ms: un solo verso.

52 Ms: za*l*rzal

55 Ms: llena tarde APO llena [de] tarde —Adoptamos esta corrección.

58/59 Ms: Alegrias de

Que la yedra ha cegado
Mi fuente pasional.
65 ¡Que se cortan las rosas!
¡Que no siento las voces
Del Amor! ¡Oh barquero
Medroso y fantasmal!
- - - - - - - - - - - -
Y el barquero: Te llevo
70 Hacia la luz del cielo.
Y el alma: Navegante,
Llévame hacia la paz.
- - - - - - - - - - - -
¡Qué tristeza tan honda!
Tengo el alma perdida.
75 Mi juventud se torna
Tristeza matinal.
¡Ay de mí si a la tarde
No tengo rosas vivas!
¡Ay de mí si la yedra
80 Cubre mi manantial!

---

70 Ms: *A* Hacia

72 Ms: L*ll* llevama *a ha* hacia

74 Ms: alma *de Otoño* perdida

78 APO: No tengo (   ) vivas. El APO comenta: "(ilegible, porque roto)". Nuestra lectura *rosas vivas* es hipotética.

79 Ms: la yedra *cubre*

80/ Ms: 24 de Octubre

4
CANCIÓN

Ritornelo

Al sonar la aurora,
¡Ay de mi amor!
Al llegar la noche,
5 ¡Ay de mi amor!
Esto a solas canto
Llorando al color.
Al sonar la aurora,
¡Ay de mi amor!

10 Canto

Dolorosos días de llanto y de muerte.
Inquietud con forma, con ritmo y olor.
Las adelfas blancas de mi fantasía

29-X-1917
II 2

---

6 Ms: a*l* solas
7 Ms: *Besando mi flor*. Llorando al color.
11 Ms: de *muerte* llanto y *pasion* de muerte.

Derraman amargas toda su ironía
15 Sobre la azucena de mi corazón.
Dolorosos tiempos de la gran sonata
Que canta el piano de nuestra ilusión.
Tonos azulados, en gris y escarlata,
Que bañan las carnes con su vaga plata
20 De lejanos ojos, de luz y oración.
Dolorosas quejas de nuestros destinos
Caminando tristes por la inmensidad.
Cálices de noche en donde se escancian
Las torturas fuertes de nuestra importancia
25 En la bruma opaca del No y del Allá.
Dolorosas penas las de nuestros cuerpos,
Hechos con la tierra del gran arenal.
Flores infinitas con alma sangrienta.
Parques nebulosos donde Pan se asienta.
30 Enramadas vagas de eterno panal.
Mármoles con vida deshechos y rotos
Por el aire fresco del "no se sabrá".
Pesadumbre ignota sobre luz y sombra
Que la muerte barre con su negra tromba
35 Al son de las horas que vienen y van.
Dolorosas penas de nuestros sentidos
Cuyos ideales nunca poseerán.
Perfumes. Mujeres. Colores. Sonidos.
Son místicos fuegos que están escondidos.
40 Mariposas rojas a nuestra ansiedad.
En la noche obscura se encienden las llamas.

⟶

14 Ms: *Escansian* Derraman
16 Ms: son*l*nata
21 Ms: *senderos* destinos
22 Ms: imensidad
27 Ms: la*s*
28 Ms: Fr*o*lores (?)
30 Ms: Enrramadas
31 Ms: desechos
32 Ms: fersco
35 Ms: que *horas* vienen
36 Ms: *las de los sen* de nuestros sentidos

La Morada entona su fría canción.
Los senderos abren las rosas del sueño.
Los poetas montan sobre el Clavileño
45 Llorando angustiados por tener razón.
Las divinas brujas de nuestras conciencias
Vuelan por los aires con suave clamor.
Las ocultas voces de los soñadores
Vibran en lo obscuro dando resplandores
50 Que son las verdades de Vida y de Amor.
Cristo mira dulce a Buda y Mahoma.
Satanás sonríe al beso de Dios.
El odio se esconde por miedo a la luna.
Los hombres sin fuerzas sumidos en bruma
55 Meditan callados hasta hora de sol.
Dolorosas penas las de nuestros cuerpos.
Interrogaciones que no tienen fin.
Templos solitarios con un peregrino
Que duerme encantado por extraño vino
60 Hasta que traspase el perdido confín.
Dolorosa ave nuestro pensamiento,
Con alas enormes para divagar,
Pero que no puede y vuelve aterrada
Al ver el eterno jardín de la nada,
65 Tumbas de existencias, de espíritu mar.
Caminata horrible la de nuestras vidas
Sobre lagos trágicos de azul y coral.
Nuestra alma suspira a todas las mujeres
Porque ellas poseen el licor de Citeres,
70 Unica dulzura de este ronco erial.
Dolorosa estancia de nuestros amores.
Inefable estado de angustia y temor.

⟶

---

44 Clavileño: caballo montado por Don Quijote y Sancho en un fantástico viaje por el aire *(Don Quijote,* II/41).

49 Ms: *lanzan* dando

51 Ms: *besa* mira dulce a Buhda

64 Ms: *Mirar* Al ver *al im* el eterno jardin *ignorado* de la nada

69 el licor de Citeres: doble sinécdoque perifrástica para aludir al amor (Venus).

Sueños melancólicos de felicidad.
Crepúsculos de ámbar sobre soledad.
75 Flautas de silencio con ronco tambor.
Ojos colosales dentro de uno mismo.
Carnes hechas podre y cielo y dolor,
Almas con mil luces de piedras preciosas.
Fuego convertido por Venus en rosas.
80 Estrellas errantes en mares de olor.
Las campanas suenan. La alborada luce.
El cisne fantástico de la vaguedad
Va dejando penas, va dejando flores
Que aspiran los hombres llenos de temblores,
85 Mientras los abismos cantan la impiedad.
Dolorosos días, dolorosas noches.
Dolorosas horas de la eternidad.
Dolorosas vidas las de las personas.
Trágicos rosales, fúnebres coronas,
90 Millones de eterno, ansias de Unidad.
Dolorosas lunas, dolorosas calmas,
Dolorosas almas que desean al sol.
Nardos gigantescos en pozos de anhelo.
Sombras asustadas que vagan con duelo.
95 Doloroso mundo sin luz ni arrebol.

¿Cuándo detendremos nuestra cabalgata?
¿Cuándo del inmenso surgirá la voz?
Dolorosos días, dolorosas horas.
Dolorosas vidas las de las personas
100 Que aguardan dolientes la terrible hoz.

---

73 Ms: *de* melancolicos
80 Ms: *lagos* mares
85 Ms: *en* los
91 Ms: *almas* calmas
92 Ms: *con* que
97 Ms: imenso
96-100 Ms: versos escritos al margen de los vv.101- 103.

Ritornelo

Al sonar la aurora,
¡Ay de mi amor!
Al llegar la noche,
105 ¡Ay de mi amor!
Esto a solas canto
Llorando al color.
Al llegar la noche,
¡Ay de mi amor!

109/ Ms: Federico Garcia
29 de Octubre 1917

5
PARQUES EN OTOÑO
Romanza con palabras

Por el parque en otoño, las almas han pasado.
Las almas de otros siglos que esperan renacer.
Las umbrías lloraron sus nieves funerales.
Las rosas de la muerte volcaron sus panales
5 Sobre la paganía de aquel atardecer.
Las hojas modularon las danzas dolorosas.
Un Apolo de mármol a una rosa miró.
El violín de los sueños entonó hacia Poniente
La imposible canción de una vida inconsciente.
10 Torre de azul romántico que nadie consiguió.
Los parques en otoño son jardines de almas,
Que al pasar operaron genial transformación.
Dieron a la floresta el tinte amarillento
Que en las tardes murmura monótono memento

⟶

29-XI-1917
III 3

1 Ms: pasad*a*o
4 Ms: s*ur*us
5 Ms: *Sobre la epoca dulce de imenso atardecer.* Sobre la pagania de aquel atardecer.
13 Ms: *transfo* el tinte
14 Ms: *el musical* monotono

15 Por los hombres que sufren la enorme sinrazón.
Las desnudas estatuas se tiñeron de grana.
Las fuentes fueron ámbar de rosa encantador.
El corazón brumoso de un amor escondido
Se aposentó en el parque como mago perdido
20 Que busca el relicario del gris y del dolor.
El otoño es lo vago, lo lejano, la bruma.
Es como una invisible romanza de color
Que la orquesta vibrante de la tarde muriente
Desgrana suplicante al aire lentamente,
25 Mientras la luz se borra con pausado temblor.
En las frondas de oro se adivinan las carnes
De mujeres de siglos en que el amor triunfó.
Tras las ramas rojizas el poeta suspira
Por María, por Celia, por Luisa, por Elvira...
30 Cuyos bustos suaves un camafeo copió.
El otoño es el alma de enorme clavicordio
Que lo pulsa Mozart con tres siglos de edad.
El otoño es tragedia borrosa que se irisa.
El otoño es un llanto luminoso y la risa
35 Que nos envían las Musas momificadas ya.
El otoño es el fuego del gigante incensario
Que perfuma a las almas que desean la luz.
El otoño es la copa de una miel dolorida
Donde liban las almas cansadas de la vida.

⟶

15 Ms: sufren *por* la *gran* enorme
16 Ms: *rosa* grana
17 Ms: *un* [1]gris [2]rosa encantador.

Lorca parece haber dudado entre las dos soluciones. Optamos por la segunda, no sólo por ser la última, sino también porque motivó el cambio en el v. 16 de *rosa* a *grana*.

18 Ms: *Mi* El
20 Ms: re*e*licario
22 Ms: E*l*s como una romanza invisible de color

Tanto las indicaciones del ms como la versificación justifican la lectura ofrecida.

29 Ms: *c*Elia (?) - *Celia* es una lectura hipotética.
30/31 Ms: *El Otoño son llantos luminosos y risas*
que nos envían las Musas momoficadas ya
34 Ms: *son* es

40 En su seno descargan los enfermos su cruz.
Los parques otoñales suenan a clavicordio.
Toda la maravilla de la edad que pasó
Desfila silenciosa por entre la floresta.
Caballeros y damas que van a la gran fiesta
45 Con rosas del rosal que jamás floreció.
Por el parque en otoño sus almas han pasado.
Sus almas de otros siglos que esperan renacer.
Las umbrías lloraron sus nieves funerales.
Las rosas de la muerte volcaron sus panales
50 Sobre la paganía de aquel atardecer.

50/ Ms: Federico Garcia Lorca
29
Noche

6
ELOGIO A LAS CIGÜEÑAS BLANCAS

Inmaculados pájaros que encierran un enigma.
Veletas de las ruinas plenas de sol y yedra.
Esfinges inquietantes de ritmo seco y duro.
Fantasmas siempre fríos en la cresta del muro
5 Cuyas almas ha tiempo que tragóse la piedra.
Enamoradas fieles de la eterna pereza.
Durmientes adivinas de gran felicidad.
Cálices blanquecinos llenos de indiferencia
Que no sienten la muerte, ni el amor, ni la ausencia.
10 Negras serpientes trágicas que muerden sin piedad.
Solitarias que miran a una luz infinita
Con la extraña cabeza echada sobre el seno

→

30-XI-1917
IV 4
edic: FrGL, págs. 163-164 (fragmento); OC, págs. 981-982 (fragmento)

---

t Ms: *Las cigueñas* Elogio a las cigueñas blancas
1 Ms: *Immaculados pajaros de blancuras* Immaculados pajaros que encierran un enigma
2 Ms: *llenas* plenas de *yedra y sol* sol y yedra
4 Ms,FrGL,OC: frías
6 FrGL,OC: pureza
9 Ms: *sentís* sienten
10 Ms: *Gre* Negras

Y las alas plegadas ante las horas mudas.
Amando de igual suerte a Cristo que al vil Judas,
15 Apreciando lo mismo a la rosa que al trueno.
Raras aves extrañas que vivís en la nada.
Ejemplos sapientísimos para la humanidad.
Maestras del olvido, que buscáis en las torres
Las cercanías del cielo y los grandes acordes
20 Que claman las campanas mensajeras de paz.
Severas aristócratas con el gesto de mármol.
Místicas del ensueño, amantes del pasado.
Artistas que posáis con perfiles románicos,
Haciendo en los picachos equilibrios satánicos
25 Con una zanca al aire y los ojos cerrados.
Evocaciones pálidas de lejanos Orientes,
Hermanas del dios Ibis que el Egipto adoró.
Moradoras de almenas de las reales mansiones
Que vivieron guerreros más fieros que leones.
30 Aves de rosa y blanco que nadie comprendió.
Inmaculados pájaros que encierran un enigma.
Actitudes plomizas sobre un fondo de olor,
Sois interrogaciones de la naturaleza.
¡Ah! pájaros derviches llenos de gentileza,
35 ¡Ah! pájaros divinos sin gracia y sin amor.
Cigüeñas musicales amantes de campanas.
¡Oh! ¡Qué pena tan grande que no podáis cantar!

⟶

---

15 Ms: a *una* la rosa que *a un* al trueno.
16-20 FrGL, OC: ϕ
22 Ms: *de lo antiguo* del pasado.
23 Ms: *con un aire* con perfiles
24 Ms: equil*bros*ibrios
27 el dios Ibis: los antiguos egipcios le atribuían al ibis, ave zancuda parecida a la cigüeña, carácter sagrado (cfr. también v. 42).
29 FrGL, OC: más fuertes que leones.
A causa de la métrica (hemistiquio heptasilábico) mantenemos la versión a pesar de una incoherencia sintáctica: "reales mansiones (en) que vivieron..."
31 Ms: Imaculados
34 pájaros derviches: comparación con los monjes musulmanes ascetas, basada en una analogía de postura y de rigidez.

Vuestro canto sería un grito dulce y fuerte
Que llenara a la vida y llenara a la muerte.
40 ¡Oh! ¡Qué pena tan grande que no podáis cantar!
Yo os amo con dulzura porque os veo paradas
Con el alma de Egipto en vuestros corazones.
Yo os amo porque os miro serenas y seguras
Lo mismo en las llanadas que en las grandes alturas
45 Sin que os barra el impulso del río de las pasiones.
Inmaculados pájaros que encierran un enigma.
Actitudes plomizas sobre fondo de olor,
Sois interrogaciones de la naturaleza.
¡Ah, pájaros derviches llenos de gentileza!
50 ¡Ah, pájaros divinos sin gracia y sin amor!

---

46 Ms: Imaculados
47 OC: sobre un fondo de olor,
50/ Ms: 30 amanecer
Noviembre. 1917

7
TARDES ESTIVALES

Tardes estivales. Sol en las honduras.
Los pueblos como faros de nieve sobre un mar.
Nubes de gris y rojo como pechos de aves.
Vibraciones ardientes sobre cielos suaves.
5 Aguas estancadas... Inmenso dormitar...

Tardes estivales. Soledad dorada.
Caminos silenciosos, cintas de claridad.
Alamedas verdosas en fondos pasionales.
Acordes de oro vivo parecen los trigales.
10 Inquietante quietud. Raro tono de fa.

4-XII-1917
V 5

---

t Ms: *Vision* Tardes estivales
4 Ms: *Colores imposibles sobre Tonalidad vibrante sobre un cielo suave*
Vibraciones ardientes sobre cielos suaves.
5 Ms: Imenso
7 Ms: *Nadie cruza por los caminos por temor a morir*
Caminos silenciosos cintas de claridad.
8 Ms: *azules* verdosas
9 Ms: *semejan* parecen

Tardes estivales. Triunfo de la carne.
El amor ya canoso cruza el campo veloz.
En el fondo sangriento y de oros deslumbrantes
Se abrazan Pan y Venus cercados de bacantes.
15 Llantos y cantares. Sonido de la hoz.

Tardes estivales. Beso de Morfeo.
La queda sonó lenta con ritmo aplanador.
En el aire se notan temblores como olas.
La luz canta vibrante con tono de amapolas.
20 Guitarras dolientes. Cópula de dolor.

Tardes estivales. Romanza de trompas.
Las almas abrumadas se sumen en sopor.
Los recuerdos se agolpan en las pálidas frentes
Y los hombres llorosos clamorean vehementes.
25 Mujeres lejanas... Ensueños de amor.

Tardes estivales. Cantos de imposibles.
La Templanza se duerme y reina la Pasión.
Se diría que nadie piensa en la blanca luna
Ni en Chopin amoroso ni en Schumann que se
[esfuma
30 Como luz en sombras ... Roja desolación ...

Tardes estivales. Carne, carne y carne.
Las estrellas fuertes de los grandes deseos

→

---

13 Ms: *de ra* sangriento

15 Ms: hay dos versiones del segundo hemistiquio: [1] Son de guadaña y hoz./ [2] Sonido de la hoz. Hemos optado por la última por ser posterior.

15/16 Ms: se lee en el lateral derecho: Lejanias de alma

16 Morfeo: dios de los sueños cuyo beso anuncia la hora nocturna.

18 Ms: olos

19 Ms: cant*ó*a vibrante *con en* con tono

24 Ms: y l*a*os... (?) hombres

27 Ms: *t*Templanza / *p*Pasion.

29 Ms: Shumam

Iluminan gloriosas, llenas de somnolencia,
A los dulces mancebos, heraldos de Impotencia,
35 Que ríen eternos... hermosos y feos...

Tardes estivales. Rosal amarillo.
Los campos silenciosos. La muerte por doquier.
Corazones amantes en rutas dolorosas.
Angustioso desfile de las horas penosas.
40 Atroz cabalgata del Hoy y del Ayer.

¡Tardes estivales! ¡Tardes estivales!
La lujuria se esconde sobre vuestra calma.
El ánfora grandiosa de vuestras inquietudes
Al derramarse mata las azules virtudes.
45 ¡Calurosas tardes!...naufragios del alma...

---

33 Ms: somñolencia,
36 Ms: Rosal de granates.
37 Ms: *sin agua* silenciosos *l*La
40 Ms: *h*Hoy
44 Ms: *pali* azules
45 Ms: naufrafios
45/ Ms: 4. Diciembre. 1917

8

TENTACIÓN

Por una senda blanca caminaba el Apóstol
De los bucles dorados y los ojos de azul,
Con rosas de cien hojas en sus manos divinas,
Con la frente de nácar coronada de espinas,
5 Cercado por la sombra de vaguísimo tul.
A su lado marchaba la madre dolorosa
Sollozante de pena, medio loca de amor.
En las brumas del fondo Jerusalén se hundía
Sobre el mar de colores de tenue lejanía

→

7-XII-1917
VI 6

1 el Apóstol: por la presencia de la Virgen María, llamada Madre (cfr. vv. 6, 42 etc.), por la descripción física tópica (vv. 2-4), por la localización de la escena en Jerusalén (v. 8) y por la primera versión del v. 7 debe tratarse de Jesucristo, visto como peregrino-apóstol, camino del cielo, después de la crucifixión. En otro poema juvenil contemporáneo, *Un tema con variaciones pero sin solución,* a Cristo se le llama igualmente "Gran Apóstol" (v. 60).

2 Ms: *Con* De

6 Ms: *m*lado

7 Ms: hay dos versiones para el segundo hemistiquio:

1. por tener hijo Dios/ 2. medio loca de amor. Hemos preferido la segunda, por ser posterior, e igualmente a causa de la rima amor/ negror.

8 Ms: Jeruselem

10 Que la noche llenaba de irisado negror.
El camino se pierde en colores sangrientos
Y en nubes de tormenta con rumores de mar.
El peregrino dulce que dio luz a la vida
Va dejando la senda de flores revestida
15 Que brotan de sus alas a su divino andar.
La madre silenciosa con la luna en sus ojos
Va cubierta con mantos que la noche tejió.
Su mirada se posa sobre el mártir cansado
Que camina sereno, solo y abandonado
20 A llamar a las puertas de la eterna mansión.
En las nubes asoman mil vírgenes de oro,
Pensativas y rubias como Lippi soñó.
Coronas de azucenas aprisionan los cirios
Que encienden los guerreros que les dieron
[martirio
25 Atados con cadenas que Satanás bruñó.
La visión de los cielos se borró de repente,
La sombra inmensa y fuerte el paisaje perdió.
El viajero divino dejó caer las rosas.
Levantó su cabeza llena de luz gloriosa
30 Y con voz de mañana, pausado preguntó:
"Ya he bebido mi cáliz de amargura infinita.
Ya derramé mi sangre por supremo ideal.
¿Por qué, tremendas sombras, me cerráis el
[sendero
Que recorro angustiado en busca del lucero
35 Donde pone mi alma toda la eternidad?
Ya he bebido mi cáliz de amargura infinita.

⟶

13 Ms: *palido* dulce *le* que
15 Ms: *olorosas* de sus alas (?)
17 Ms: *que tejió el corazon* que la noche tejió.
22 Lippi: fra Filippo Lippi, pintor florentino del siglo XV, conocido por sus cuadros de tema religioso.
25 Ms: *a un abismo de horror* que satanas bruñió.
27 Ms: imensa
28 Ms: viajer*e*oo
30 Ms: *Luz blanca* mañana
33 Ms: Porque

¡Dejadme, obscuridades, que vaya a mi mansión!
¿Hacia dónde marcháis con trágicas negruras?
Si el Porvenir se queda limpio de llanto y dudas,
40 ¿Hacia dónde marcháis con la desolacion?
Ya he bebido mi cáliz de amargura infinita.
¡Madre!, ¡madre!, ¡besadme con vuestro corazón!
Ya he bebido mi cáliz de infinita amargura."
Las sombras se deshacen y la luz brilla pura.
45 El Apóstol suspira: "Madre, la tentación."
Sobre un fondo de seda y de conchas de nácar,
En un carro de plata y con ruedas de coral,
Avanza una matrona con alas de luz verde,
Dejando vaga estela que en el fondo se pierde
50 Y llena a los abismos de extraña claridad.
La rodean mujeres desnudas y suaves
Mordiéndose en los senos con ardiente furor.
Sobre la escena llueven encendidos claveles
Que arrojan los pecados riyendo en sus vergeles
55 Mientras la gran matrona sonríe con dulzor.
El Apóstol rezando tendióse sobre el suelo,
La madre con su manto de noche lo cubrió.
Pero la diosa hermosa saltó sobre el viajero,
Quitóle su corona con un ademán fiero
60 Y limpiando la sangre amante lo besó.
Los claveles de ascua se tornaron en rosas.
Al notar a la madre con los ojos de sol,
El Apóstol divino alzó al azul los brazos.
La diosa iba prendiendo sus invisibles lazos
65 Y lo arrastró hacia el carro teñido de arrebol.
Las mujeres aullaron con gritos de lujuria.
Enormes pavos reales rompieron el zenit.

⟶

---

43 Ms: infita
52 Ms: *Las bocas* los senos
54 riyendo: mantenemos la grafía arcaica por ser recurrente en la primera poesía lorquiana y por motivos de versificación.
55 Ms: dulzur.
61 Ms: *sangre* ascua
65 Ms: la / arreb*l*ol.

Medusas colosales brotaron de los cielos.
Enanillos de grana tocaban violonchelos.
70 De los fondos nacía un constante reír.
Serpientes de arco iris arco triunfal formaron.
Caudillos resonaron sus cuernos de marfil.
Grecia, Francia y la Italia danzaban como locas,
Mostrando los divinos perfumes de sus bocas.
75 El Arte sonreía en luminoso fin.
Una mano invisible dirigía la danza.
En un rayo de sol dormitaba Atenea.
La Niké de Peonios bailaba bajo un tilo
Y cantaba potente la gran Venus de Milo
80 A la cabalgata de las panateneas.
La enigmática Osiris va rimando su danza
Al conjuro de escribas que tañen un tambor.
Por lagos de diamantes cruzan toros alados
Montados por quimeras hijas de los pecados.
85 En el fondo relincha el potro de Nemrod.
Por los cuatro horizontes hay un caos de figuras,
Víctimas espectrales de las religiones.
Al Apóstol divino lo invade gran espanto

→

---

72 Ms: *a*cuernos
77 Ms: A*th*tenea.
Atenea: la Minerva helénica, deidad que entre sus numerosas y diversas atribuciones cuenta la de ser dueña del sol y del rayo.
78 Niké de Peonios: estatua de la Victoria, esculpida por Peonio de Menda en el siglo V a.C.
80 las panateneas: solemnes fiestas celebradas anualmente en Atenas en honor de Atenea (cfr. v. 77). Parte de los juegos que acompañaban las fiestas era un concurso hípico.
81 Osiris: divinidad masculina de Egipto con un sinnúmero de funciones y atribuciones.
83 Ms: *En* Por
85 Ms: Nemrord.
Nemrod: mítico cazador bíblico y babilónico.
86 un caos de figuras: a lo largo del poema el poeta ha efectivamente introducido una serie de personajes y seres mitológicos y fabulosos. Para la casi totalidad de las alusiones y referencias mitológicas y más ampliamente culturales en la poesía juvenil lorquiana, se pueden hallar huellas en la producción modernista contemporánea.

Y clama dolorido con angustioso llanto
90 Ante la confusión de las crueles visiones.
El santo de los santos echóse atrás la túnica,
Miró la sinfonía y huirse pretendió,
Pero mil brazos tibios le hicieron una cuna.
Y el Apóstol perdido se convirtió en espuma
95 Que al caer en el suelo la tierra se tragó.
Un aullido de ira resonó en el ambiente.
Mil labios se posaron donde el agua cayó.
Muy cerca de la diosa que fascinó al viajero
Los cuerpos a montones como horrible
[hormiguero
100 Se alzan como pirámides de carne y terror.
Las sombras ocultaron la bacanal tremenda.
De una adelfa topacio el Apóstol brotó.
Por su frente de mármol pasaron tristemente
El calvario de fuego con la terrible gente
105 Y golpeándose el pecho silencioso rezó.
La madre misteriosa le dio dos azucenas.
El Apóstol llorando las manos le besó.
En las sombras sonaba un murmullo de orgía
Que no cesará nunca de noche ni de día.
110 El viajero clamaba: "Madre, la tentación".
En las sombras de hierro una voz musitaba:
"Nunca penetrarán los hombres el misterio.

⟶

---

89 Ms: dolor*oso*ido
90 Ms: *Ante el barrullo* Ante la confusion
92 Ms: *Miró la sinfonia de placer y quiso huir*
Miró la sinfonia y pretender huyó
Nuestra version es hipotética.
95 Ms: *la* se
97 Ms: *bocas* labios
99 Ms: *en* como
100 Ms: piiramedes
103 Ms: tris*tes*temente
104 Ms: *De* El
105 Ms: Y *besando en el aire* golpeandose el pecho
107 Ms: Apostosl
108 Ms: *De* En

La humanidad ansiosa de saber su destino
No comprende la vida con su corto camino
115 Que conduce fatal al viejo cementerio."
El pálido viajero de los bucles dorados
Penetró en las tinieblas en busca de la luz.
La madre va llorando sus penas dolorosas.
A su paso renacen tulipanes y rosas.
120 En las grandes tinieblas se señala la cruz.
Él va hacia el infinito que es tumba de delicias
A gozar incoloro su gran desilusión.
Ella vuelve pausada por la senda florida.
Es madre y vuelve santa a dar vida en la vida.
125 Es madre y vuelve santa a llorar su pasión.

Por la senda de nubes caminaba el Apóstol
De los bucles dorados y los ojos de azul,
Sin rosas de cien hojas en sus manos divinas,
Con la frente de nácar sin corona de espinas,
130 Cercado por la sombra de vaguísimo tul.

---

114 Ms: *Tiene* No
115 Ms: *triste* viejo
116 Ms: *que dio luz a la vida* de los bucles dorados
124 Ms: *por la senda* a dar vida en la vida.
128 Ms: *Con* Sin
130/ Ms: Federico Luis
Diciembre 7
1917

9
LA NOCHE

Nada turba el silencio en las noches.
Las sombras tienen miedo del blanco amanecer.
Sonata en re menor con sordina.
Las sombras tienen miedo a la luz diamantina.
5 Horas de bacanal y de placer.
Nada turba el silencio en las noches.
La quietud Haendeliana va apagando los ruidos,
Y aunque los ecos ansíen cantar,
Las penumbras lejanas impiden modular
10 Los cromatismos de sus sonidos.
Nada turba el silencio en las noches.
Las leyendas de muertos despiertan horribles.
La lechuza bebe en sus lámparas.
El miedo y los sueños derraman sus ánforas
15 Sobre tristes rutas de imposibles.
Nada turba el silencio en las noches.

⟶

11-XII-1917
VII 7

2 Ms: *al* del blanco am*e*anecer.
10 Ms: *El* Los
13 Ms: b*l*ebe en su lamparas.
15 Ms: *En la tragedia de lo imposi*
En las Sobre

Teatros sangrientos de escenas diabólicas
Con protagonistas celestinas,
Burladoras geniales de cosas divinas.
20 Luz de mujeres melancólicas.
¡Nada turba el silencio en las noches!
Leprosas alcahuetas con ojos vacíos,
Con bocas sin dientes y fumando,
Recorren las sucias callejas blasfemando
25 Entre canciones y desafíos.
A veces las arrastran del pelo
Comitivas feroces de amor y perversión,
Dejándolas sobre muladares,
Y ellas se revuelcan al son de los cantares
30 En la podredumbre de su pasión.
Vuelven a sus casas y perdonan
Porque saben muy ciertas lo inútil del odiar.
Graves mujeres cuya idealidad
La base de la vida destrozó sin piedad.
35 Mujeres que el amor hizo penar,
Hambrientas de placer y de besos.
Juventudes ardientes que el oro fascinó,
Mamadoras del macho cabrío,
Flores que murieron en el vergel sombrío,

→

---

18 Ms: protago*t*nistas
19/20 Ms: En el verso de la hoja 1 se lee el siguiente texto:

La verdadera mansión.

Todos los dias se oye decir que no debemos preocu
Nada como pensar para perdonar. El que medita sobre nuestra existencia y llega a los bordes del lago *del* insondanble *(sic)* del mas allá siempre sabe perdonar porque comprende con toda intensidad la gran desgracia de los hombres.

21 Ms: *Ama* Nada
22 Ms: alcahu*l*etas
27 Ms: ferozes
30/31 Ms: *La noche es la eterna celestina*
38 Ms: ma*n*cho

40 Sexos sabios que el amor traicionó.
¡Salve celestinas aplanadas!,
Antiguas gozadoras del licor infernal.
¡Salve viejas comadres de Satán!
¡Salve! despojos de bárbaro y cruento huracán.
45 Vestales en la hora vesperal.
¡Salve celestinas angustiadas!
Sacerdotisas fieras de extraños momentos,
Pastoras de rebaños trágicos,
Eunucas y abogadas con artes mágicos,
50 Formidable terror de conventos.
¡Salve celestinas despreciadas!
Almas valerosas en mundo de mentiras,
Enemigas de la hipocresía.

⟶

40/41 Ms: En el verso de la hoja 2 se leen cuatro estrofas tetraversales que tanto por la métrica como por la grafía parecen ser de otro poema, aunque de tema análogo.

1 ¿Por qué estarán llamando sobre mi corazón
Todas las ilusiones con ansia de llegar?
Si las sangrientas rosas que huelen a mujer
Ya secas se quedaron
Se marchitaron místicas *con* al doliente cantar.

5 Mi vida será siempre un ronco tremolar
De tristezas, de penas, de músicas, de flores,
En que unos ojos verdes desgranen a Chopín
Bajo la llama lánguida de dudas y dolores.

Por la alborada inmensa de *rosas* verdes y de granas,
10 Coronados de nardos y transcendiendo a *luz* sol,
Asoman los pecados sus cuerpos nacarados,
Ungidos por las nubes bañadas de arrebol.

Por la senda infinita que termina en la nada
Avanzan los luceros de la depravación,
15 Mientras que por los fondos de negror insondable
Mil brujas medioevales entonan su canción.

42 Ms: del *un amor* licor
45 Ms: la*s*
52 Ms: mundo*s*
53 Ms: Enimigas

Estrellas de luz velarán vuestra agonía
55 Para libraros de eternas iras.
Intérpretes de dramas de carne
En profundos tugurios con luces de Rembrandt.
Sabedoras de grandes misterios
Y filtros que fabrican en los cementerios.
60 Cuerpos que Goya miró con afán.
Hermanas de brujas medioevales,
Apañadoras de los viejos hechiceros
Que buscan la piedra filosofal.
Comerciantas del semen en su ruta fatal,
65 Almacenes de flechas de Eros.
¡Salve comadronas de mil partos!
En las noches tremendas de viles festines
Las sombras de sangre se purpuran.
Las voces clamorean y espantosas juran
70 Y viejas llevan negros mastines.
La noche es la eterna celestina,
En su seno se forja toda la humanidad.
La noche es la gran encubridora,
En su seno brota la idea tentadora
75 Que crece dolorosa en soledad.
Nada turba el silencio en las noches.
Azul silencio profundo, sin profanación.
Los niños sueñan cuentos de hadas,
El ambiente es helado como en las nevadas,
80 Doloroso silencio sin canción.

→

---

56 Ms: *Personajes* Interpretes
62 Ms: hech*e*iceros
67 Ms: En *L* las
tremendos viles
69 Ms: espantosas *y* juran
73 Ms: noche*s*
74 Ms: ten*d*tadora
77/78 Ms: *Doloroso silencio sin cancion*
El Los ambiente es helado con en las nevadas
Los ninos sue
78 Ms: c*a*uentos

Nada turba el silencio en las noches.
Las voces y gritos de lejana bacanal
No rasgan las potentes negruras
Donde danzan las prostitutas más impuras
85 Sumidas en rojizo cenagal.
Nada turba el silencio en las noches.
Terciopelos de luna con alma colosal
Ocultan nuestras almas divinas.
En las calles sin luz ofician celestinas
90 Y suspira mi corazón fatal.
Nada turba el silencio en las noches.
Las sombras tienen miedo del blanco amanecer.
Sonata en re menor con sordina
Pronuncia la mañana hundida en neblina.
95 Horas de bacanal y de placer.

Ritornelo (en clave de fa)

Todo pasa menos el corazón.
Silencio y dulzura.
¡Ay! mi cándida y dulce ilusión.
100 Mujer de azul cristal,
Nunca llegaré a mirar sus ojos.
Bruma y agua nácar,
Soles y mis únicos espejos.
Nada turba el silencio, religiosidad astral.
105 Corazón sin amor,
Senderos sin rosales. Música funeral...
Todo pasa menos el corazón.
Vive eternamente.
¡Ay! mi cándida y perdida ilusión.
110 Tono gris eterno.

⟶

83/84 Ms: Donde Onan se oculta con mujeres impuras / y los curas.
Este texto es una doble variante del verso 84.
85 Ms: Sum*u*idas
104 Ms: silencio*s en las noches*

¡Ay! las novias de la imaginación,
Paisajes ocultos.
La copa enorme de miel y pasión
Se esfumó en las flores.
115 ¡Ay! mi lejana y prístina ilusión.
Dorada paloma...
Todo pasa menos el corazón.

117/ Ms: Federico Garcia
11 de Diciembre de 1917
Amanecer

10
BRUMA DEL CORAZÓN

Un día se abrió la historia cruel en mi alma.
Fue en una triste tarde otoñal
Cuando a la copa de mi ideal
Llenaste triste de azul fatal.
5 Mi triste corazón entró en su parque en calma.
Mis días transcurrieron pálidos y fríos.
La rubia mujer huyó de mí
Entre tenues celajes rubí.
Desde entonces ya jamás la vi.
10 Su corazón se oculta en pianos sombríos.
Cuando en los paisajes borrosos de neblina,
Blancos tonos de soñolencia,
Medito callado mi ausencia,
Sin resistencia ni clemencia,
15 Mi cuerpo se adormece y mi alma camina.
Un día se abrió la historia cruel en mi alma.
Corazón, corazón, corazón,
Cárcel sangrienta de la ilusión,

⟶

12-XII-1917
VIII 8

5 Ms: *Un dia mi* Mi triste
10 Ms: *alma* corazon / en *los* pianos

Plenilunio de única pasión,
20 Solo y yerto en las ramas de su parque en calma.
Sufro al pisar la tierra como Omar-al-Kayam.
Hay en ella espectros de ayer
Siempre sufriendo por la mujer
Que jamás pudieron poseer.
25 Escritos de poeta que borran al Korám.
Un día se abrió la historia cruel en mi alma.
Mi corazón sufrirá eterno,
Lejos del clamor de infierno
De la sociedad. Está enfermo
30 Y se va a dormitar en sus parques en calma.
El día se fue lento y las rosas cayeron
Sobre mi alma dolorida,
Flores benditas de mi vida,
De sus olores revestida.
35 Divinas rosas que en mi alma aparecieron.
La muerte llega con sus mantos desolados.
Corazón, ¡corazón herido!,
Escárchate con el olvido,
¡Muere en tus parques escondidos!
40 La muerte pasará por tus parques nevados...
....
Un día se abrió la historia cruel en mi alma.
¡Corazón! ¡Corazón! ¡Corazón!
Solloza en tus parques en calma.

---

21 Omar-al-Kayam: poeta, filósofo y matemático persa (siglos XI-XII), autor de los *Rubaiyat,* breves composiciones sapienciales y populares que le hicieron famoso en el mundo occidental, sobre todo a partir de la segunda mitad del siglo pasado.

25 al Korám: mantenemos esta forma arabizada del Corán, también a causa de la rima con el v. 21.

36 Ms: muerte*s*

43 Ms: Federico. 12 de Diciembre.
1917

11
UN TEMA CON VARIACIONES PERO SIN SOLUCIÓN

¡Qué doloroso es vivir!
La eterna madre llora el porvenir
De los hijos sin guía
Por la senda sombría
5 De la vida.
Penas que no tienen fin
Encenderán sus cirios dolientes
En el fatal camino
Que dibujó el Destino
10 Inflexible.
¡Qué doloroso es vivir!
La madre suspira por sus hijos
Hoy cubiertos con linos
De los sueños divinos
15 Juveniles.
¡Tristeza de tristezas!
El cielo azul, pero sin solución.
Los hombres caminamos
Hasta que tropezamos

→

19-XII-1917
IX 9

3 Ms: *rumbo* guia

20 Con la Muerte.
Todo desaparece.
En la interrogación de los siglos,
Gris inflexibilidad,
Inmutable eternidad,
25 Espantosa.
¡Qué doloroso es vivir!
Todas las madres ven el más allá
Llenas de desconsuelo,
Porque aman más que al cielo
30 A sus hijos...
¡Horrible pesadilla!
La noche de nuestro pensamiento
Con tantas opiniones
De tantos corazones
35 Amargados.
Jardines interiores
Los de nuestra agonía cerebral.
El gran genio del Amor
Nos derramó su amargor
40 En el alma.
¡Y no podemos luchar
Con el eterno y cruel enemigo,
Director de la tierra,
Que a los dioses aterra
45 Con su fuerza!
Todos desconsolados.
¡Dichosos los que piensen con Mahoma!
El divino Cristo huyó
Y la vida que ensayó
50 Cayó en sombra.
¡Todos sufriendo, todos!
Nadie tiene seguro lo eterno
Porque hoy son las creencias
Fatales conveniencias

⟶

36 Ms: Jardines interiores *los de nu*
48/49 Ms: *Fue una sombra que p*

55 De los hombres.
¡Desventurado Cristo!
Maravilla de amor, Dios tú mismo,
Hoy cubierto de llantos.
¡Oh! ¡Santo de los Santos!
60 Gran Apóstol,
Gran caballero errante,
Sermoneador de la inmortalidad,
Puente sobre la muerte,
Gran peregrino fuerte
65 De dulzura.
Diste los Evangelios,
Esparcidos por aquellos hombres
Que un día miró Durero
En extraño sendero
70 Y los copió.
Derramaron su sangre
Místicas figuras por tu causa.
Hoy ya nadie te ama,
Nadie a tus puertas llama.
75 Muy solo estás...
Y es que el mundo no cree
Porque tiene derecho a no creer.
Esto es reino del dolor
Y no existe el Dios de Amor
80 Que nos pintan.
Contemplando los cielos
Se adivina el imposible de Dios,
Dios que es eterno mudo,
Dios inconsciente, rudo,
85 El abismo.

⟶

61 Ms: erranta
62 Ms: immortalidad
68 Durero: alusión a los retratos de Apóstoles y Evangelistas, como Juan, Pedro, Marcos y Pablo, obras del último período de creación del pintor alemán (†1528).
75 Ms: *in*Muy
83 Ms: que*s*

El Dios que dice el Cristo
Que habita en los cielos, es injusto.
Truena sobre los buenos,
Truena sobre los malos,
90 Inclemente.
Constantemente creeré
En un Dios de bondad que se oculta,
Que se esconde lejano,
Despreciando lo humano.
95 Es la verdad.
¡Todos sufriendo! ¡Todos!
La pasión de la carne y el alma.
Sangre en el amanecer,
Sangre en el anochecer,
100 Siempre siempre...
¡Qué doloroso es vivir!
Por eso tanto lloran las madres
Cuando nos van a dejar,
Porque vamos a penar
105 Siempre siempre.
¡Qué será de nosotros
Cuando la Pálida nos envuelva!
Imposible razonar,
Sino llorar y llorar
110 Siempre siempre...
Qué doloroso es vivir.
La Naturaleza atroz sonríe...
Qué doloroso es vivir,
Y pensar en el morir...
115 Y sufrir sufrir... siempre.

---

93 Ms: lejano *a*
100 Ms: *Constan la*
106 Ms: nosotros *cu*
107 la Pálida: metonimia clásica de la muerte personificada.
115/ Ms: Federico
Diciembre 19. 1917

12
ELOGIO

Beethoven

Divino maestro del ritmo y del alma,
Sangriento profeta de la sinfonía,
Tempestad de espíritu en vasos de oro,
Nube gigantesca de clamor sonoro,
5 Arpa acariciada por la melodía.

Sendero de luna, de fuego, y de nieve,
Canto doloroso de amor imposible,
Esfumado efluvio del gran violonchelo
Que pulsa la virgen Cecilia en el cielo.
10 Crepúsculo grana de luz intangible.

Cerebro formado de inmensas escalas
Que fue desgranando la mano de Dios,

⟶

20-XII-1917
X 10

2 Ms: *melodia* sinfonia
5/6 Ms: *Es tu corazon*
7 Ms: *Reino* Canto
9 Cecilia: en la tradición, santa patrona de la música y de los músicos.
10/11 Ms: *Son tus*
11 Ms: imensas

Extraño viajero del reino tremendo
Que pasó la vida su amor traduciendo
15 Al lenguaje único de la muerte en pos.

Fatal evangelista de su corazón,
Arquitecto sabio de templos eternos
En los desiertos de los tonos silentes
Para calma de corazones ardientes,
20 Juglar de los cielos y de los infiernos.

Caverna de la castidad lujuriosa,
Formidable estatua de los sufrimientos,
Himno melancólico en la muda orquesta
De un alma angustiada, vibrante y honesta
25 Bebiendo en las copas de crueles tormentos.

Anacoreta de las grandes pasiones,
Ensoñador de jardines sensuales,
Caballero errante que va modulando
Sublimes sonatas que escribe llorando,
30 Alma de vagas y negras catedrales.

Si estás reposando en la gris eternidad,
No es premio a tu ansia el silencio, maestro.
Tú debes volver a tu cuerpo espantoso
Y que al revivir apareciera hermoso
35 Ante un oloroso camino siniestro.

Que la muerte se esconda al verte llegar.
De un bosque sagrado surja un canto triunfal.

⟶

---

19 Ms: artientes,
22 Ms: *Espantosa* Formidable
23 Ms: *Patetico himno* Himno melancolico
24 Ms: *siniestra* honesta
25 Ms: Bebiento
29 Ms: *esb* escribe
32 Ms: tu*s*
37 Ms: surgja

Que en la senda nazcan sangrientos úteros
Donde se hundan tus pies cual falos certeros,
40 Bañando tu cuerpo de púrpura inmortal...

Que blancas nubes formen un pentagrama
En que las notas sean cuerpos de mujer.
Que Haendel y Mozart salgan de la bruma
Y callados te sostengan la gran pluma
45 Con la que tú grabes la sonata Kreutzer...

Que blancos senos derramen blanca leche,
Que la recojan copas de niebla y pasión,
Que una diosa invisible bese tu boca,
Mientras que pálida y lejana te invoca
50 La noche enmarañada de tu corazón.

Que lloren todas las mujeres del mundo
Por tus ojos profundos de grave encanto.
Que sus lágrimas formen un mar de dolor
Donde se purifique tu imposible amor
55 A la par que entones misterioso canto.

Que unos sones gloriosos cieguen tus ojos,
Que una orquesta dulce toque en tono menor,
Que te pierdas en la noche lentamente,
Que se esfume tu silueta suavemente
60 Y que se oculte en el reinado del sopor...
....

---

39 Ms: *con* cual
40 Ms: immortal...
43 Ms: Handel
45 Ms: Kreuzer...
sonata (a) Kreutzer: sonata para violín y piano de Beethoven (op. 47), dedicada al violonista y compositor francés Rodolfo Kreutzer (1766-1831).
49 Ms: *suave* palida
55 Ms: enton*a*es
58 Ms: *suavemente* lentamente,

Divino maestro del ritmo y del alma,
Sangriento profeta de la sinfonía,
Que la paz inmensa siempre te acompañe
Al son de elegías que una lira tañe
65 En profundas sombras de melancolía.

---

63 Ms: imensa
65/ Ms: Federico Garcia Lorca
Diciembre. 20. 1917.

13
VIEJO SÁTIRO

Hombrecillo encorvado de cabellos de plata
Con los ojos hundidos en ensueño fatal,
Peregrino sediento de labios imposibles
Que recorres las calles entre insultos horribles,
5 Suspirando tranquilo un perdido ideal.
Hombrecillo siniestro con un gabán roñoso,
Siempre solo y deprisa, caminando al azar,
Campo en que la Lujuria ya no tiene horizonte,
Compadre apasionado del viejo Anacreonte,
10 Borracho de una virgen que no puede gozar.
Teólogo inconsciente de la carne divina,
Apologista mudo de la eterna verdad,
Ensoñador oculto de brillantes paisajes
Con mujeres desnudas envueltas en celajes,
15 Mostrando sus encantos a tu rendida edad.
Maestro de maestros en locuras del sexo,

⟶

25-XII-1917
XI 11

---

1 Ms: en*o*corvado

9 Anacreonte: poeta lírico griego (siglo VI a. X), prototipo clásico de una poesía cuyos temas principales son el amor, el placer, el vino y la buena compañía.

10 Ms: *carne* virgen que no *pudo* puede

Baboso enamorado de la pubertad,
Náufrago melancólico en los mares sangrientos
Donde mueren las almas con crueles sufrimientos,
20 Corazón ardoroso en gris inmensidad.
Amable compañero de los vinos alegres,
Exótico jardín de rosas pasionales,
Embrujado arlequín de comedia satánica
En que baila azuzado por gente tiránica
25 Al son de burlescas sonrisas infernales.
Viejecillo perverso de torcida mirada,
Cuerpo desmedrado con posturas grotescas,
Colmena rebosante de las mieles sagradas
Que los faunos antiguos dejaron olvidadas,
30 Celoso amparador de escenas picarescas.
¡Gloria a ti, viejo sátiro del gabán raído,
Con los ojos hundidos en ensueño fatal!
¡Gloria a ti, viejo sátiro en las sombras sumido!
Gloria a ti, viejo fauno que caerás en olvido
35 Al cerrarse tus ojos en desierto hospital.
Hombrecillo encorvado de cabellos de plata,
Caminando doliente bajo un peso mortal,
Peregrino sediento de labios imposibles
Que recorres las calles entre insultos horribles,
40 Con los ojos hundidos en ensueño fatal.

---

20 Ms: imensidad.
21 Ms: Amable*s* compañero*s*
22 Ms: Exotico*s* *huertos* jardin
25 Ms: *sangri* burlescas
26 Ms: tor*z*cida
32 Ms: ensueno
36/37 Ms: *La sociedad escupe sobre tu rostro sereno*
37 Ms: doliento *con* bajo un peso *fa* mortal,
37/38 Ms: *Tu sufres amargado con gran resignacion*
40/ Ms: Federico 25 de Diciembre. 1917.

14
IMPRESIÓN

Tarde de Julio. Carretera polvorienta.
Un pueblo quieto. La queda se oyó muy lenta.
El viento hace nubes con paja triturada.
En el gran esmalte de la mies con fulgores
5 De oro intenso, los aplanados segadores
Quejumbrosos lloran una triste tonada.
Suenan collareos y cantares lejanos.
Un niño lloriquea. Los aires serranos
Levantan vago incienso dorado en las eras.
10 Una madre entona su nana acariciante.
Los caballos relinchan con aire triunfante.
Unos hombres de piedra duermen sobre esteras.
Las avispas zumban. La chicharra está loca.

⟶

30-XII-1917
XII 12

---

t/1 Ms: *Carretera polvorienta Tarde de Julio*
1 Ms: Carreterra
2 Ms: *sonó* se oyó
3 Ms: con *la* paja
4 Ms: *imenso* gran
7 collareos: palabra formada por el poeta sobre el modelo de, por ejemplo, tamboreo, clamoreo, guitarreo, etc.
13 Ms: a*p*bispas

Maravillosa hora del beso en la boca.
15 La noria suena clara. La tarde declina.
El viejo señor cura da su paseo diario
Con la roja sombrilla, leyendo el breviario.
Los niños en la escuela cantan la doctrina.
Carros que van y vienen con aire muy lento.
20 Un vejete apagado marcha soñoliento.
Las flores del saúco estallan en el seto.
Pesado y plomizo ambiente. Allá en la hondura
Balan las ovejas en la verde frescura...
Tarde brumosa de Julio. Un pueblo quieto.

---

17 Ms: rosja
18 Ms: *de la es* en la escuela
la doctrina: el catecismo
24/ Ms: 30 de Diciembre. 1917

15
CANCIÓN DESOLADA

¡Raros infinitos del corazón!
¡Ah! los poetas de falsa lira...
¿Qué sabéis de Amor cuando cantáis
Fuertes escenas que os figuráis,
5 Alejados del mar de la vida...?
¡Ah! ¡La luna, la envenenadora!
¡Ah!, las rosas, las aguas, las nieblas,
Los quietos lagos de enormes lotos,
Los palacios en sitios ignotos,
10 Pero el corazón siempre en tinieblas.
Cantos de poetas siempre bellos
Y casi ninguno desgarrador.
Los felices, seguid caminando
Y dejad a los tristes llorando
15 El solo gigantesco de su amor...
La vibrante dulzura del alma
No se puede, no se puede cantar.
El silencio no canta y se siente,

⟶

30-XII-1917
XIII 13

---

13 Ms: *Seguid* los
16 Ms: dul*c*zura

El corazón no habla con la frente,
20 Inmenso amor no se puede expresar.
Cuando amamos no se puede pensar.
Sólo una gran idea formidable
Nos envuelve en sus brillantes gasas.
Sufriendo somos mente de brasas,
25 Luz de luna en el estado amable.
Un gran amor no se puede cantar.
El corazón es arpa y no suena.
Noche obscura y eterna de estrellas
Con camino imposible hacia ellas.
30 El alma es un desierto de arena...
Y hay lunas y hay soles y hay rosales
Y hay en la senda besos de mujer,
Pero nuestro beso está perdido
En lejanos labios del olvido
35 Donde jamás tendrá su amanecer.
Rosas, anémonas, azucenas,
Nardos sangrientos, flores de pasión,
Callada orquesta del color triste,
Ropaje con que el alma se viste
40 Al ser sangre de nuestro corazón.

Los sueños de amor son copas rebosantes de
No soñéis, no soñéis. [acíbar.
La luna dice una sonatina dulce de Rameau.
Sufriréis, sufriréis.
45 Aparece la rubia mujer. No hay luna. Se esfumó...
....

19/20 Ms: *Amor no lo podemos expresar.*
20 Ms: Imenso
22 Ms: *la* una
23 Ms: evuelve
31 Ms: soloes
35 Ms: *un* su
39 Ms: con el alma
43 Rameau: Jean-Philippe Rameau, compositor francés del siglo XVIII.
45 Ms: *l* rubia

Raros infinitos de las almas,
Soñad, pero no soñéis.
Trágicas borrascas bajo calmas,
Emociones vagas para llorar,
50 Angustiosos deseos de abrazar.
Soñad, pero no soñéis...

El amor no se puede contar,
No se puede contar,
No se puede contar.
55 Muy lejos está la dulzura,
Escondida en un mar,
En eterno vagar.
Muy cercana está la amargura.

Mi corazón va por un sendero
60 De rosales.
Mi sufrido corazón sangriento
Cruel camina.
Muy lejos brilla el santo madero.
Tarde triste.
65 Llueve sobre mi alma muy lento
Rara pasión.
Se apaga el corazón con el viento
Del pecado.
La vida se escapa en un momento.
70 Nunca nacer.
Y este mi Amor no será lucero.
Nunca. Nunca.
Pero vive siempre el sufrimiento.
Es la muerte...
75 Mi corazón va por un sendero.
Mi corazón va por un sendero.

---

49 Ms: *dulces* vagas
51 Ms: pero no *no* soñeis...
57 Ms: *De* En
63 el santo madero: sinécdoque perifrástica para la cruz.
76/ Ms: Federico Garcia Lorca
30 de Diciembre de 1917.

16
NOSTALGIA

Divina noche en que Amor me besó.
Los senderos eran de claveles.
Campo de luna era tono menor.
Yo era tímida oveja del Señor
5 En blanco camino de Laureles.
Llegó el Amor con su rubio aliento
Y el jardín de mi alma floreció
Con rosas del beso y del ensueño,
Tristes magas del país marfileño
10 Que mi brujo piano desgranó.
Llegó la Ausencia con su amargura.
El Alma penetró en el corazón.
De pasionarias fue mi sendero
Sembrado con flechas del arquero
15 Que posee la dulzura y la ilusión.
En los crepúsculos sin colores
En que derramo mi pensamiento,

⟶

30-XII-1917
XIV 14
edic: IG, págs. 219-220

11 Ms: su *su* amargura

Surge la tenue figura que amé
Y mi dolor ya sin forma la ve.
20 Tanto sufro que no la presiento.

---

19 Ms: *Que* Y mi dolor IG: Mi dolor
20/ Ms: Federico Garcia. 30 de Di 1917.

XV

Lluvia

Tarde de Diciembre.

Tarde lluviosa en gris cansado
Los arboles de otoño semejan enormes tocados
De oro macizo en cabezas de mujeres gigantes
Adormeciendose dulces en brumas de la vega, vibrantes
De secos sonidos pausados.
Dulce lluvia melancolica
Dulce lluvia sobre la ciudad. Extraña sinfonia
De acordes metalicos de laton y tenvero crujir
De las grandes gotas que forman fuegos fatuos al morir
Cantando su agonia
Las caras parecen fontanas
En los tejados arrojan el agua los mascarones
Sobre las calles solas habita un silencio perenne
La ciudad duerme a la sombra de su catedral solemne
Cerrados estan los balcones.---------

Y llover y llover -- y llover-----

De cuando en cuando pasos secos resuenan en las calles
En las casas clamorean los pianos desafinados
Martires de la musica q. jamas fueron amados
Grises silencios colorales!

Y llover y llover--- y llover.
Corazon enigma sagrado.---
Tiendete en la noche desolado.
y llover---y llover----y llover-- - -

Tarde. de Diciembre.

17
LLUVIA

Tarde de Diciembre

Tarde lluviosa en gris cansado.
Los árboles de otoño semejan enormes tocados
De oro macizo en cabezas de mujeres gigantes,
Moviéndose dulces en brumas de la vega,
[vibrantes
5 De secos sonidos pausados.
Dulce lluvia melancólica.
Dulce lluvia sobre la ciudad. Extraña sinfonía
De acordes metálicos de latón y terroso crujir
De las grandes gotas que forman fuegos fatuos
[al morir
10 Cantando su agonía.
Las casas parecen fontanas.
En los tejados arrojan las aguas los mascarones.
Sobre las calles solas habita un silencio perenne.

⟶

Diciembre 1917
XV 15

---

3 Ms: mazizo en cab*a*ezas
4 Ms: *Meba* (?) Moviendose
12 Ms: *el* las
13 Ms: peremne.

La ciudad duerme a la sombra de su catedral
[solemne.
15 Cerrados están los balcones...
Y llover y llover...y llover...
De cuando en cuando pasos secos resuenan en
[las calles.
En las casas clamorean los pianos desafinados,
Mártires de la música que jamás fueron amados.
20 Grises silencios colosales.
Y llover y llover... y llover.
Corazón, enigma sagrado...
Escóndete en la noche desolado.
Y llover... y llover... y llover...

---

14 Ms: *se* duerme
18 Ms: *se oyen* clamorean
19 Ms: ja*n*mas
20 Ms: s*e*ilencios
24/ Ms: Tarde de Diciembre

18
RECUERDO

Horas soñadoras de mi infancia
Bajo parras en ambientes tibios,
A la vera del río riente
Que se mueve como una serpiente
5 Escamada de algas y lirios
Azulados y blancos.
Toda mi ilusión era la fruta
Que daban los árboles del huerto,
Las moras, las uvas, las manzanas,
10 Tan dulces, tan ricas, en mañanas
Que el campo de rocío cubierto
Teje sus brumas de paz.
La casa muy blanca con palomas
Que se arrullan en alto granero.
15 A la sombra del nogal los viejos
Del pueblo cuentan hechos muy lejos

→

Diciembre 1917
XVI 16

---

2 Ms: *y rosales en flor* en ambientes tibios,
7 Ms: era*n* las*s* fruta*s*
10-12 mantenemos la incoherencia sintáctica: *en mañanas (en) que el campo...* a causa del verso decasílabo.
14 Ms: *La* Que
16 lejos: por "lejanos"

Que a ellos les narró cierto viajero
Que no volvieron a ver.
Sobre las tapias los pavos reales
20 Enseñaban su magnífico azul.
En su corral canta el gallo sultán.
Muy lejos suena el agua del batán.
Los días dejaban caer su tul
De Amor sobre la cara.
25 Un rosal de té era celosía
Que bajaba de la verde parra
A mirarse en la acequia bordada
Con cálices. El ama sentada
Entonaba nanas de su tierra
30 Al mamoncillo rubio.
Se oían cascabeleos dulces
De los aderezos de los mulos.
Los ricos olores de los campos
Llegan tenues, tibios y santos,
35 Derramando en los sitios impuros
Su gracia saludable.
A la noche todos los gañanes
Sentados en la puerta comían
Bajo la blanca luna en estíos.
40 Y cuando las nieves y los fríos,
A la luz de los troncos que ardían
En la amplia cocina,
Levantaban los vasos del vino
Como si fueran gentes de rango.

⟶

---

17 Ms: Que *narró* a ellos les narró
20 Ms: *Mostraban* Enseñaban *su magnifico* su magnifico
34 Ms: *dulces* tenues
37 Ms: gananes
42 Ms: *enorme* amplia
42/43 Ms: *Horas soñadoras de mi infancia*
Visión de lejanas serenatas
En que las guitarras ensoñaban
Una trama de amor que cantaban
Mientras decia vagas sonatas
Mi piano de mesa.

45 Masticaban los quesos a granel
Mojándolos en tazones con miel,
Y después bailaban el fandango
Con unción religiosa.
Las guitarras lloraban su ritmo
50 Calladas o con ardientes trenos.
Las mozas pisan sobre las capas,
Los brazos al aire, fuertes, guapas,
Con flores que tiemblan en sus senos,
Llenas de sensualidad.
55 Visión de lo que no se recuerda,
Ensueños de marfil con los magos,
Visión de mozas amortajadas
Con rosas en sus manos cruzadas,
Visión de penas, visión de halagos
60 Del dorado porvenir.
Horas soñadoras de mi infancia,
Recuerdos de mi huerto y del campo,
Recuerdos de viejos que murieron,
Recuerdos de días que se fueron
65 Para jamás soñar, como el campo
De una nieve olvidada...

---

50 Ms: *Mimosas* Calladas
53 Ms: *temblando* que tiemblan
56 Ms: *rosa* de marfil
65 Ms: sonar
66/ Ms: Federico
Diciembre, 1917

Debajo de la firma y fecha sigue una estrofa sin tachar que bien podría considerarse como una variante para los últimos cinco versos del poema:

Horas soñadoras de mi infancia
Recuerdos amables del que nació
Horas olorosas de mi infancia
Horas lejanas de mi edad rancia
Nieblas y brumas ya todo pasó

19
CANCION ERÓTICA CON TONO DE ELEGÍA LAMENTOSA

Toda la obscuridad de las noches sin luna
Ha cuajado en mi alma una flor lamentable.
En su cáliz de acero hay esencias de Nuncas
Y sus pétalos tienen color de irrealizable.

5 Tu boca firme y roja no sentirá el contacto
De mis labios cansados de besar en el aire.
Ni mis manos sedientas en el dorado acto
Te dejarán violetas hendidas en tu carne.

Sobre el zarzal florido quedóse mi agonía
10 Desconchada y herida de Chopin y piano, ⟶

1917 (?)
edic.: SP, págs. 98-99

---

t Ms: Cancion erotica. *y* con tono de elegia lament*a*osa.
SP: Canción erótica y con tono
2 Ms: Ha*n*
4 Ms: ireali*dz*able (?)
5 Ms: n*u*o
9 Ms: zar*l*zal
10 Ms: *que* de *pia* Chopen

Iniciada en un ritmo sexual y sereno.
Y a lo lejos la diosa de la Melancolía
Troncha mi flor amarga con su cálida mano
Nevando mi cabeza con rosas de recuerdo.

11/12 SP: blanco
11 Ms: (?) Iniciada
12 Ms: lejos a diosa

20
EL CARTUJO

Flor blanca y dolorosa de un jardín silencioso.
Miserere hecho carne y dulzura.
Pausados rimadores de la muerte.
Profundos pensadores de genial amargura.

1917 (?)

---

1 Ms: dolor*a*osa
Al dorso se lee la siguiente versión del v. 1:
Flor blanca y dolorosa en el jardin del silencio
3/4 Ms: *Encendidas antorchas de piadosa hermosura*
Deslumbradora antorcha de piadosa hermosura
4 Ms: Profundo

21
[MI CORAZÓN SE QUIERE ABRIR]

Mi corazón se quiere abrir
Bajo la cueva de la noche.

El alma estaba sola en el inmenso llano.
Sólo ella era luz.
5 Clepsidra de perfume entre rosas eternas,
Languidecía vaga sin tener un hermano,
Unos ojos de alma consoladora y tierna.

Y sollozaba de soñolencia, de melodía,
De claridad.
10 Pero en el llano desierto y rojo
Sólo la muerte languidecía
Ya de esperar.

1917 (?)

---

3 Ms: imemeso
5 clepsidra: reloj de agua
6 Ms: languedeicía
11 Ms: languidecia *ya*

XVII

Romántica

¡Románticas, estancias las de los conventos!
Con perfumes de vargueños
Con perfumes de mantos
Con perfumes de ensueños
de los santos.

Sitios donde la ira no penetró jamás
Sitios de melancolía.
Altares de amargo dulzor
de las monjitas que piensan
Siempre de noche y de día
En el amor.

Corazones de piedra cuya sangre se ha helado
Con simientes que esperan brotar en un jardín
lleno de maravillas que nunca tendrán fin. — — —
¡Oh! ¡qué pena! ¡qué pena! un convento cerrado — — — —
Románticas estancias las de los conventos

F. 3. Enero 1918.

22
ROMÁNTICA

¡Románticas estancias las de los conventos!
Con perfumes de vargueños,
Con perfumes de mantos,
Con perfumes de ensueños
5 De los santos.

Sitios donde la risa no penetró jamás,
Sitios de melancolía.
Altares de amargo dulzor
De las monjitas que piensan
10 Siempre de noche y de día
En el amor.

Corazones de piedra cuya sangre se ha helado
Con simientes que esperan brotar en un jardín
Lleno de maravillas que nunca tendrán fin...
15 ¡Oh!, qué pena ¡qué pena!, un convento cerrado...

Románticas estancias las de los conventos.

3-I-1918
XVII 17

---

1 Ms: las d*e*e
8 Ms: dulcor
12 Ms: *S*Corazones-helad*ado*o
13 Ms: Con *Simientes* simientes que esperan *nac*brotar
16/ Ms: F 3. Enero 1918.

23
LA PROSTITUTA
La mujer de todos

Blanca mujer de cabellos dorados,
Con la mirada de nácar caliente,
Con el aliento de luz del Poniente,
Imponente visión de los pecados.

5 Prostituta de ritmo chopinesco,
Con las manos de reina de retrato,
Sentada al sol, acariciando a un gato,
Halagada por un coro goyesco.

Triste mujer, tibio pan de pasiones,
10 Admirable despego al sufrimiento,
Oveja descarriada por la vida.

Melancólico goce en corazones,
Cerebro con un solo pensamiento,

⟶

9-I-1918
XVIII 18

/t Ms: encima del título, pero hacia el margen derecho de la hoja: "La mujer de todos" que damos como subtítulo.
2 Ms: de nacar *de nacar* caliente,
8 Ms: *A*Halagada

Torre de fuego en las sombras sumida.
15 Venus te canta con su dulce acento
La canción de tu historia dolorida.

16 Ms: *alma* historia
16/ Ms: 9 de Enero 1918.

24
LA MUJER LEJANA
Soneto sensual

Todas las mil fragancias que manan de tu boca
Son perfumadas nubes que matan de dulzura.
Mi cuerpo es como un ánfora hecha de noche
[oscura
Que derrama su esencia en ti, ¡divina loca!

5 Tus miradas se pierden en los dulces senderos.
Por ti la Noche y Erebo se vuelven a la nada.
Febe se apaga lánguida ante ti, humillada,
Y se escarcha de flores la cabeza de Eros.

9-I-1918
XIX 19
edic: FrGL, págs. 164-165; ACT, págs. 287-288; AC, págs. 62-63; OC, pág. 927.

---

t Ms: el actual subtítulo "Soneto sensual" parece ser el primer título del poema.
1 Ms: *matan* manan FrGL, OC: emanan
3 AC: una ánfora
5 Ms: *en luces brumosas* en los dulces senderos.
6 AC: Por ti Noche
la Noche y Erebo: hermanos, hijos de Caos, y esposos, principios femenino y masculino de las tinieblas.
7 Febe: nombre mitológico de la Luna, virgen, diosa de la castidad.

En una noche azul y en el jardín silente
10 Que tú estés ensoñando con regiones brumosas
Y el piano marchite la canción del olvido,

La estrella de mi beso se posará en tu frente,
La fuente de mi alma te inundará de rosas
Y cantará el piano vibrante de sonido.

---

9 Ms: *En Una noche azul en que mi alma sea la luna*
E En una noche azul y en el jardin silente
OC: noche azul, en el jardín

11 *la canción del olvido:* según P. Menarini (ACT, págs. 289 y 291) probable alusión al título y a la canción principal de una célebre zarzuela del maestro J. Serrano.

14/ Ms: 9 de Enero 1918.

25
CREPÚSCULO

Los vagos colores del crepúsculo
Nos dan visión de lejanos ensueños.
En nuestro pecho brota la flor mortal.
El deseo se desata fatal.
5 La boca muerde labios marfileños.

Y pasa la vida y la muerte y la filosofía.
Estalla de pasión
El corazón.

Cronos devora a sus hijos. Siempre niebla fría.
10 El rescoldo rojizo
Es plomizo.

Venus se muere y Eros se va marchitando.
Sombras silenciosas
En las cosas.

10-I-1918
XX 20

---

9 Cronos: el dios Saturno de los griegos, dios del tiempo, tradicionalmente representado como devorando a sus propios hijos, por ejemplo en los famosos cuadros de P. P. Rubens y de Goya.

15 Ya no renacerá este color. Siempre llorando
Cruzaremos desiertos
De los muertos.

El crepúsculo es espejo de gris melancolía.
Entona el firmamento
20 Un memento.

Pronto llega la noche de nuestro último día.
Lloran los campanarios
Los rosarios.

Con un negro tronar la lujuria renace.
25 Carne hecha miserere
Triste muere.

En el fondo murmuran *Requiescat in pace.*
La misericordia insulta.
Está oculta.

---

18 Ms: Es*l*
20/21 Ms: *Despues la noche llega la lujuria renace*
22 Ms: camparios *l*
25 Ms: *e*hecha
27 Ms: Requies*tacat*cat im (¿un?) pace.
29/ Ms: 10 de Enero. 1918. Tarde.

26
SONETO

Yo la he visto pasar por mis jardines
Cuando mi alma era luz de la luna.
Yo la he visto mirar hacia la cuna
Donde Lujuria se muerde las crines.

5 Yo la he visto rezar en la penumbra
En el altar de los sacros martirios,
Azul y pálida como los lirios,
Con la luz de mi pecho que le alumbra.

Nunca más la veré pues ya mi alma
10 Entró en el reino del placer sombrío,
Jardín sin luna, sin pasión, sin flores.

Marchitose la flor y quedó en calma
Mi ilusión. Ya lejano el vocerío,
El corazón penetró en los dolores.

10-I-1918
XXI 21

---

7 Ms: *morada* palida
8 Ms: *alma* pecho
10 Ms: plazer
11 Ms: *plazer* pasion
13 Ms: *ya lejos del* Ya lejano el
14/ Ms: 10. Enero 1918.

27

LA RELIGIÓN DEL PORVENIR

Profunda idea genial de profunda harmonía
Del pagano cerebro brotó.
La gran Musa increada esparció su tesoro
Derramando su sexo con estruendo sonoro
5 Y la cálida Grecia nació.

En el rojo jardín del cerebro de Hesiodo
Relumbró la celeste visión.
Las musas Helicónides se acercaron a él,
Ungiéndolo de gracia con ramas de Laurel,
10 Escanciando en su lira pasión.

16-I-1918
XXII 22

1 ss. Lorca relata a su manera elementos de la *Teogonía* (v.19) de Hesíodo (vv. 2,6) y otros muchos datos de la mitología clásica sobre el origen del mundo antiguo, sus dioses, hombres y cultura, para luego introducir, en oposición con esta "religión del pasado", su propia visión de 'la religión del Porvenir'. Entre los libros de la biblioteca de Fed.García Lorca figura un ejemplar (con dibujo, firma y notas autógrafos) de la *Teogonía* con el texto original y una versión por Luis Segaló y Estalleda (Barcelona, 1910). Sin pretender ninguna exhaustividad, indicamos algunas referencias al poema clásico.

2 Ms: pa*no*gano

8-9 Helicónides: nombre dado a las Musas por tener su morada en el monte Helicón (vv. 15,67). *(Teogonía,* v. 1).

10 Ms: *Derramando* Escanciando

¡Gloria!, ¡gloria!, ¡gloria inmortal!
A tan celeste religión,
Hoy de niebla cubierta.
Entre la noche muerta
15 Se derrumbó el Helicón.

En nuestros vagos caminos dolorosos
La Noche no fecunda al Día
Como en aquellos tiempos amorosos
De la Teogonía.

20 El Caos fue y el Caos será
La fuente omnipotente del dolor.
Permeso, Hipocrene y Olmío
Juntan sus aguas al gran río
Que engendrará con la Fe nuevo Amor.

25 Y aunque la Muerte, la Noche, el Destino
Estén viviendo, estén viviendo,
Un redentor hablará en el camino
Luz esparciendo. Luz esparciendo.

Y el Olimpo nevado y glorioso
30 Resurgirá con blanca claridad.
Y el dios Zeus ya cansado y canoso
Viril cantará. Viril cantará.

---

11 Ms: immortal
14 Ms: *mu*noche
16 Ms: *Por* En
20 Caos fue: *Teogonía,* v. 116.
22 Ms: Parmeso
Permeso, Hipocrene, Olmio: ríos y fuentes de Beocia, próximos al Helicón y que lo bañan *(Teogonía,* vv. 5-6).
23 Ms: *Dan* Juntan
24 Ms: engrendará con la Fe *un* nuevo Amor.
25 Ms: la *nNoche, el Destino y la Muerte* Muerte, la Noche, el Destino

Las estatuas de nuestros jardines
Vida tendrán.
35 Los Apolos entre los jazmines
Suspirarán.

En los parques dulces y brumosos,
Sensualidad
Pondrá en los labios de los esposos
40 Diafanidad.

Colmenas de mieles gigantescas
Que guarda Pan
El licor de la almas faunescas
Derramarán.
45 Eros y Erato dulces lucharán
Con Euribia.

Y su gran corazón ablandarán
Con melodía.
El espantoso Caos su luz tendrá.
50 Iris rendida
Dulce el agua de Estix derramará
Sobre la Vida.

Las Furias, Hadas y Perséfone
Y las Harpías
55 Rasgarán la tela de Penélope
De nuestros días.

---

34 Ms: *S*Vida

45 Ms: *fu* dulces

Eros y Erato: Erato es la Musa que preside a la poesía amatoria (erótica) *(Teogonía,* vv. 120, 201, 78, 246).

46-47 Euribia: hija del Océano y de la Tierra, corazón de acero, temida por su fuerza *(Teogonía,* v. 239).

49 Ms: El *Caos* espantoso Caos

50 Iris: en la *Teogonía* (vv. 780 ss.) Iris presenta el agua del Estigia (cfr. v. 51) a los dioses para sus juramentos.

51 Estix: forma griega de la diosa, del río y de la laguna Estigia, cuya etimología remite a la noción de horror, y que suele referir a las aguas de la muerte.

53 Furias, Hadas, Perséfone, Harpías: personajes mitológicos fe-

Vampiro Cronos caerá en olvido.
La humanidad
Con espíritu de Amor henchido
60 Caminará.

Y el desengaño y la Miseria
Y los Hambrientos
Y los fracasos y las sonrisas con decepción
Caerán rodando atropellados
65 Por dulces vientos
Que mandan fuertes trompeterías
Del Helicón.

Antes una luz pura roja brillará
En el sendero
70 De Amor de Vida, de prepotencia
De la Pasión.
El alma nuestra pura y hermosa
Será un venero
Por donde mane blanca dulzura
75 Del corazón.

---

meninos de signo siniestro, bien como reina de los infiernos (Perséfone o Proserpina en su equivalente latino), bien como divinidades del castigo de los culpables (Furias), dueñas de poderes mágicos de hechizo (Hadas), bien como monstruos maléficos proveedores del infierno (Harpías) *(Teogonía,* vv. 267, 768 etc.).

57 Cronos: ver *Teogonía,* passim y *Crepúsculo* del 10.1.1918, v. 9.

64 Ms: atropellados *por*

66 trompeterías: Helicón (v. 67) no es solamente la montaña sagrada de las Musas (cfr. vv. 3-10), sino también un instrumento metálico de viento (v. 65). Bisemia y burla.

70 Ms: de *a*Amor - de pre*f*potencia

72 Ms: El alma nuestra *sera un venero* pura y hermosa

75/ Ms: Enero. 16. 1918.

F.

28
NOCHE DE VERANO

La luna sobre el pueblo derrama su tristeza.
Pronto los gallos cantarán...

Luna lunera cascabelera
Dicen los niños en su cantar.
5 ¡Ay qué lunica! dicen las viejas
Con dulce tono de murmurar.
Luna lunera cascabelera...
Las gentes salen a respirar.
¡Ah, qué dulzura sobre las eras!,
10 Plenas de trigo sin desgranar.
En la plazuela casta y desierta
La fuente rima su sollozar.
Acacias blancas su miel derraman.
Dicen las norias su palpitar.
15 Gran misticismo de luz y llanto.

→

18-I-1918
XXIII 23

---

12 Ms: sollo*s*zar.
13/14 Ms: *Lejos las norias*
14 Ms: p*la*alpitar.
15 Ms: l*e*lanto.

Silencio santo. Melancolía.
La muda orquesta de la penumbra
Preludia grave su melodía.
¡Luna en los pueblos de Andalucía!
20 Lluvia de nardos en corazón.
Lirios azules brotan del suelo.
Sobre los campos una canción
Toma la forma de una guitarra.
Las eras duermen al gris del cielo.
25 Brotan las flores de la pasión.

Luna lunera cascabelera.
¡Ay qué dolor! ¡Ay qué dolor!
Luna lunera cascabelera...
Pasando dulce por las estrellas
30 Llena de ritmo, de miel, de olor.

La luna sobre el pueblo derrama su tristeza.
Pronto los gallos cantarán.

---

16 Ms: *m*Melancolía.
17 Ms: La *p* muda
24 Ms: del *air*cielo.
29 Ms: *La luna cruza* Pasando dulce
32/ Ms: 18 de Enero 1198

29
ENSUEÑO DE ROMANCES

El gran libro se abre silencioso.
El romance brotó
Con un perfume antiguo y religioso.
Impregnado de acento doloroso,
5 Un rabel desgranó
La canción del lejano Nemoroso.

¡Ah! ¡Qué lejos está el divino Apolo!
Suena un ronco tambor.
Rotas las liras y rotas las arpas
10 Suena el laúd en castillo de oro
Una canción de amor.

18-I-1918
XXIV 24

---

t Ensueño de romances: todo el poema es una extensa meditación literaria en la que desfilan numerosos personajes del romancero tradicional, quizás a partir de la lectura de la colección de romances publicada por Agustín Durán, *Romancero general, colección de romances castellanos* (Madrid, Sucesores de Hernando, dos tomos, 1916/1921). Nos limitamos a esta referencia global sin entrar en los detalles de cada alusión.

1 Ms: si*bu*lencioso.
4 Ms: doloro*roso*so,
6 Nemoroso: referencia al personaje de la *Égloga I* de Garcilaso.
10/11 Ms: *y se escucha*

El gran libro se abre silencioso
Y el conde Arnaldo apareció,
Era de plata su espada,
15 Era su traje una flor,
Y el manto que lo cubría
Era raso del mejor.
Lleva en sus manos de nácar
A su propio corazón,
20 Perfumado con estrellas,
Con labios, con ilusión.
¡Qué desventura y ventura!
¡Qué amor y qué desamor!
Oros, palacios, encajes,
25 Llantos, guerras y clamor.
Detrás del gran conde Arnaldo
Gerineldo se asomó
Pálido como una rosa.
El libro una hoja pasó.
30 En su jardín entre nardos
Linda borda Blanca Flor
Con las perlas de sus lágrimas
Un pañuelo de color.
Nácar, rosa, ruecas, hadas,
35 Furias, pegasos, coral,
Mil castillos de alabastro
En un paraje infernal.
Por un sendero desierto
Llora la flor virginal
40 Que va buscando a su amante
Que está encantado en el mar.
Más allá corre un caballo
Sin freno hacia el Ideal.

→

25 Ms: gueras
26 Ms: conde *de* Arnaldo
38 Ms: *En* Por
42 Ms: cab*l*allo
43 Ms: iIdeal.

Una princesa en la luna
45 Se mata con un puñal.
Dragones verdes y rojos
Lanzan al aire su horror.
Mil quimeras se destetan
En el reino del Temor.
50 Cadenas, serpientes, fuego,
Cavernas, lagos, pasión,
Estruendo, gritos, espadas,
Horcas, campanas sin son ...
La mora cautiva llora
55 En celosía de cristal.
El conde Lino y su amada,
El ermita y ella altar,
Esparcen por todo el valle
Agua de su manantial.
60 La virgen con luz de luna
Se detiene ante un mesón,
Implorando una limosna
A gente sin compasión.
La niña del rey se muere.
65 Los hechiceros no dan
Con la enfermedad que tiene.
Sólo el príncipe galán
La podrá salvar si quiere
Dando de su sangre el pan.
70 Pajes rubios, doncellitas,
Mil caminantes, manzanas,
Rayos verdes, humos negros.
Perlas, sendas, gnomos, ranas...
El peregrino de Roma

→

---

47 Ms: Lanza
48 Ms: quimer*eas en* se destetan
49/50 Ms: *La virgen* ...
52 Ms: *Pajes* Estruendo
68 Ms: salvar*la*

75 Y la peregrinita
Van caminando abrazados
Con su niña chiquita...
El eterno romántico
Triste llora su cantar.
80 A su novia la mozuela
Ya la llevan a enterrar.
En el ataúd reposa
Como un lirio de nieve.
A sus ojos entreabiertos
85 Nadie a mirar se atreve.
¡Campanita, campanita!,
Derrama rosas de olor,
¡Campanita, campanita!,
Para calmar su dolor.
90 Claustros, monjes, sol opaco,
Torres, cipreses, rezos,
Palomas, camposanto,
Cirios, jardines, besos.
Aparece sobre el libro
95 La gran mancha del honor,
Adulterios, rejas, Cristos,
Melancolía, sopor.
La risa desaparece.
Lo rubio ya se murió.
100 Un órgano en una iglesia
Su plegaria musitó.
Sangre, tapadas, intrigas,
Capas, plumas, ronca voz,
Hospicios, Semanas Santas,
105 Lechuzas con miedo en pos.

⟶

75 Ms: peregrin*a*ita
83 Ms: *En*Como
89 Ms: ca*r*lmar
91 Ms: cipreces
94 Ms: Apare
102 Ms: *i*Intrigas,

Sale el romance de invierno.
Con fantasmas familiares,
Vientos que cuentan canciones
A niños en sus hogares.
110 Diablillos que se disfrazan
De santos para engañar,
Bandoleros generosos
Incapaces de matar.
Almas en pena que vagan
115 Por los campos sollozando.
Pasan tristes los ensueños
Sus dolores derramando...
El libro mana un perfume
De luz, de sol y de rosa.
120 Surge el romance de niños,
Azul aurora gloriosa.
Canta la Carbonerita
Con un ritmo singular,
Y suspira la viudita
125 Que se quería casar,
La estrella linda del prado,
La flor de Mayo y Abril,
La que suspiraba amores
En oloroso pensil...
130 En un campo de azucenas
Pasea el conde Laurel,

→

---

107 Ms: *en la noche* familiares,
115 Ms: *llorando* sollozando.
117 Ms: *En penas* Sus dolores
117/118 Ms: *Del libro*
118 Ms: perfum*a*e
121 Ms: *Con* Azul
122 la Carbonerita: cfr. TeJ, págs. 345 y ss.
123 Ms: singlurar
124 la viudita: cfr. TeJ, págs. 131 y ss.
126 Ms: p*l*rado,
127 Ms: fror
flor de mayo y abril: cfr. PrJ, pág. 243 e IP, págs. 134 y 275.

Vestido de plata y oro
Jugando con su lebrel.
La llorosa Delgadina
135 Derrama por los suelos
Las joyas de sus lágrimas
Que seca con sus pelos.
Niñas suspirando amores,
La bruja que adivina
140 Tardes, lanzas y pañuelos,
Marqueses y golondrinas,
Fuentes, venenos, crueldades,
Amargos desamores,
Encierros, blancas diademas...
145 Preguntas, ruiseñores...

El inmenso rosal de la poesía
Sus rosas entornó.
La enorme cabeza inclinó Tragedia
Al doliente pasar de la Edad Media.
150 Cerró su flor la noche, la abrió el día.
Y el libro se cerró ...

Flores, nubes, campos, niños,
Llorad, llorad, llorad.
Por camino brumoso
155 Triste se fue el Juglar.

---

135 Ms: *en el suelo* por los suelos
137 Ms: *el* sus
141 Ms: *Moros, Reyes* Marqueses y
145/146 Ms: *El valiente*
Caigan rosas sobre el Romance
El
146 Ms: imenso
148 Ms: *Su* la
150 Ms: *Abrio* Cerró su flor la noche, *y* la *cerró* abrió el dia.
151 Ms: debajo de "cerró" se lee "esfumó"
153 Ms: Lolorad, llorad *n*llorad,

Caigan rosas sobre el romance,
Reliquia de oro inmortal.
Hagásmosle piadosos
Su funeral, su funeral.

160 Flores, nubes, campos, niños,
Llorad, llorad, llorad.

---

157 Ms: imortal.
159 Ms: *rfe*uneral.
161/ Ms: 18 de Enero 1918.

30
LA MONTAÑA

Palacios de piedra en los campos serenos,
Acordes macizos de son tenebroso,
Solemnes montañas, parajes de drama
Donde el dios del viento su rabia derrama,
5 Trágicos teatros de lo misterioso.

Los árboles lejanos y los cipresales
Parecen negras torres sobre un mar esfumadas.
Procesiones de pinos con sus tallos morados
Descienden al abismo casi desdibujados
10 Por las nieblas profundas que están petrificadas.

Escalas formidables del grave color gris,
Rudas escalinatas a sitios imposibles,
Cárdenas hondonadas rebosantes de umbría,

⟶

19-I-1918
XXV 25

2 Ms: mazizos
3 Ms: *l*parajes
5 Ms: Trajicos
8 Ms: proce*c*siones
11 Ms: *triste* grave
13 Ms: *de*rebosantes

Perfiles gigantescos de rigidez sombría,
15 Verdinegras retamas retorciéndose horribles.

Ensueños medioevales en murallas de oro,
Olores melancólicos de nieve y frescura,
Naranjados, granates, azules, amarillos,
Enebros, encinares, alcaparras, tomillos,
20 Cascadas hechas mármol sobre la roca oscura.

Raros alfabetos grabados en el suelo,
Fúnebres calaveras de plateados destellos,
Lápidas adornadas con vagos arabescos,
Dramáticos fondos de cubos ramayanescos,
25 Medusas esfumadas con aguas por cabellos.

Y la Sombra y la Noche
Viven esta mansión.
El alma encuentra su desprecio
Para el linaje humano necio.
30 Allí suspira el corazón.

Y la Sombra y la Noche
Viven esta mansión.

---

17 Ms: f*u*rescura,

20 Ms: osbcura.

22 Ms: plaados. Nuestra lectura es hipotética.

24 ramayanesco: adjetivo formado sobre *Ramayana*, nombre del poema épico sánscrito de los Hindúes en que se cantan la vida y las hazañas de Rama, héroe nacional.

25 Ms: *ramas* aguas

32/ Ms: 19. Enero.

Antes lo otro. F

Melodía de invierno XXVI

Mañana de invierno. Silencio Neblina
La vega aplanada exala luz divina
a todos los jardines bellos
Cielo azul. Fuentes heladas
Mustias rosas escarchadas
Blancos y turbios destellos

Una madre andrajosa cruza el jardín
Viene el sol in crescendo
Suaves nubes infinitan el confín
Su infinito esparciendo

La madre suspira - - -
El niño se mueve inquieto
dibujando a través de los paños
La forma de su esqueleto - - - -

Dolorosa dulzura en el ambiente
soleada tibieza
Cielo azul. Mustias rosas
Tranquila grandeza.

Mañana de invierno.
Gargola de perera

En los jardinillos. 23 de Enero

31
MELODÍA DE INVIERNO

Mañana de invierno. Silencio. Neblina.
La vega aplanada exhala luz divina.
Mudos los jardines bellos.
Cielo azul. Fuentes heladas.
5 Mustias rosas escarchadas.
Blancos y turbios destellos.

Una madre andrajosa cruza el jardín.
Tiene el sol un crescendo.
Suaves nubes infinitan el confín
10 Su infinito esparciendo.

La madre suspira...
El niño se mueve inquieto
Dibujando a través de los paños
La forma de su esqueleto.

23-I-1918
XXVI 26

---

2 Ms: exala

15 Dolorosa dulzura en el ambiente.
Soleada tibieza.
Cielo azul. Mustias rosas.
Tranquila grandeza.

Mañana de invierno
20 Cargada de pereza.

20 Ms: *G*Cargada
20/ Ms: En los jardinillos. 23 de Enero

32

ESCUDOS

Campo de claveles. Bramido de toros.
Niño en las aguas. Lujuria, arreboles.
Gloriosas parejas de gloria nimbadas.
Rojos pavos reales sobre mil cascadas
5 Hechas con las luces de infinitos soles.

Por las nubes asoma su cabeza el poeta.
Pereza se levanta.
Por su alma sangrienta pasa una sombra inquieta
Pero suspira y canta.

10 Campo de azucenas. Arpas y aderezos.
Azules intensos. Nieblas de mañana.
Dulce clavicordio. Vago violonchelo.
Angélico pinta su trozo de cielo.
La luna se mira en la eterna fontana.

24-I-1918
XXVII 27

---

4 Ms: *Pavos reales volando sobre cascadas* Rojos pavos reales sobre mil cascadas

13 Ms: *Fray* Angelico pinta *un* su trozo

15 El poeta desgrana en su lira
Su propio corazón.
De las nubes brotó la mentira,
Madre de la ilusión.

Campo de laureles. Las musas sonríen.
20 Pasan los artistas deshojando rosas.
Las aguas son vinos. Acordes de orquesta.
Solloza Beethoven en negra floresta.
Habla don Quijote con paganas diosas.

Aún asoma el poeta su cabeza hermosa...
....

25 Campo de la guerra. Incestos. Volcanes.
Voces de la muerte. Tronar de cañones.
Hay enamorados que llorarán su ausencia.
Se abate y se yergue el árbol de la ciencia.
Mueren las virtudes. Fieros aquilones.

30 Hay un tronar angustioso.
Por una nube severa
El antes poeta hermoso
Enseña su calavera...

¿Campo del más allá?...
35 Dichoso quien lo espera.

---

22 Ms: *Aun solloza Beethoven en la floresta* Solloza Beethoven en *grave* negra floresta.

26 Ms: *Tronar de cañones. Voces de la muerte.* Voces de la muerte. Tronar de cañones.

31 Ms: *Entre las* Por una nube *serena* severa

33 Ms: *A*Ensena

35/ Ms: 24 de Enero. 1*19*918. F

33
EL BOSQUE

El bosque surge en los campos serenos
Como acorde profundo de azul profundidad...

El bosque tiene algo de mística tragedia,
Tiene melancolía de dulce terciopelo,
5 Es noche sin estrellas con un alma brumosa,
Es el perfume grave de alguna inmortal rosa
Cuyo cáliz enorme reposara en el cielo.

El bosque es una piedra preciosa con vida
Que oculta melodías de infinito cristal.
10 Tiene acento de luna su divina maleza,
Tienen sus troncos tonos de una épica grandeza.
Encierran sus encantos un silencio mortal.

Por la noche su orquesta canta en clave de fa.
Sus naves escarchadas de amargura y de pena

→

30-I-1918
XXVIII 28

---

6 Ms: immortal
11 Ms: tron*q*cos
12 Ms: Encienrran

15 Las cruzan silenciosas almas enamoradas
Que vivieron dolientes las antiguas baladas,
Almas locas, sagradas, de aquella edad serena.

El bosque es lo romántico de la naturaleza:
Ideales figuras desfilaron por él.
20 Shakespeare glorioso y triste a Hamlet vio pasar
Un día que entró en su negra verdura a meditar.
El bosque es relicario de silenciosa miel.

El alma de los bosques es creación medioeval.
No lo supieron ver los antiguos paganos.
25 De raros personajes, de animales divinos,
De cruces, de fantasmas, de santos peregrinos
Los poblaron aquellos romancescos cristianos.

El bosque surge en los campos serenos
Como acorde profundo de azul profundidad.

---

17 Ms: Almas locas, sagradas/De aquella edad serena.
20 Ms: Shequespeare
22 Ms: *Tiene monotonia de flauta y de rabel*
El bosque es relicario de silenciosa miel.
27 Ms: *poetas* romancescos
29/ Ms: 30 de Enero
1918
F.

34
UN ROMANCE

La noche muestra su terciopelo.
Sueñan las estrellas...

Las niñas pobres del pueblo
Dulces dicen su cantar.
5 La viejas tristes las miran
Con su apagado mirar.
Niñas: andar con cuidado,
No vayáis a resbalar.
La campana de la iglesia
10 Bronca clama su rezar,
Musitando melodías
De imposible descifrar.
En los campos rumorosos
Sólo se oye el palpitar
15 De los cantos de las ranas
Y grillos con su sonar.

→

Enero 1918
XXIX 29

---

10 Ms: reszar,

“Hilito hilito de oro
De las niñas del marqués.
Que me ha dicho una señora:
20 ¿Cuántas hijas tiene Usted?”
Un coro se mueve lánguido.
Son las niñas del marqués.
¡Oh qué aire de marquesitas!
¡Oh qué supremo desdén!
25 “Hilito hilito de oro
De las niñas del marqués.”
Una rubita divina,
De preciosa tez tostada,
Suspiraba dolorosa
30 Ya triste y ya resignada.
Otras cubiertas de harapos,
Rojizas como amapolas,
Hacen muy bien sus papeles
Recogiéndose la cola.
35 Una se finge vestida
Con maravilloso arnés.
“Hilito hilito de oro
De las niñas del marqués.
Que me ha dicho una señora:
40 ¿Cuántas hijas tiene Usted?”
Los galanes se pasean
Llenos de orgullo y merced.
Del palacio les contestan:
“Tenga yo las que yo tenga,

→

---

17 Ms: hil*o*ito

Hilito hilito de oro...: Lorca había empleado ya estos versos de raigambre popular en *Historia vulgar,* composición juvenil (inédita) en prosa, de enero de 1917.

20 Ms: *u*Usted?”

23 Ms: *de aire* de marquesitas!

25 Ms: de oro *de las niñas*

28 Ms: De *linda* preciosa *y* tez tostada *tez*

32 Ms: *Rojas* Rojizas

35 Ms: vestida *con*

45 Nada que le importa a Usted.
Que del pan que yo comiese
Ellas comerán también".
Los femeninos galanes
Pasan cogidos del brazo,
50 Simulando victoriosos
Que llevan traje de raso.
Al escuchar la respuesta
Con voz llorosa claman.
Las flores de sus lágrimas
55 Dolorosos derraman.
"Nos vamos desconsolados
A los palacios del rey
A contar a mi hermanita,
Los agravios que me hacéis".
60 "!Ah! Son los hijos del rey",
Exclaman las marquesitas.
Y primorosas se peinan
Las preciosas rubitas.
"Ven acá, lucero mío,
65 No te hartes de correr.
Que de las hijas que tengo
La mejor os donaré",
Clama la marquesa madre
Que fortuna iba a perder.
70 "A María, a Rosa, a Blanca,

⟶

---

51 Ms: tragje

56 Ms: "*Me voy muy* Nos vamos"

58-59 a mi hermanita / me hacéis: no hemos intervenido en estos versos a pesar de la incoherencia sintáctica: "nos... a mi... me...". La versión primitiva del v. 56 explica la incongruencia actual: "Me voy muy desconsolado..." Una posible relectura más coherente sería:

A contar a la hermanita,
Los agravios que hacéis.

59 Ms: Loes

60-61 Ms: ¡Ah! *Dicen las marquesitas* Son los hijos del rey
Son los hijos del rey Dicen Exclaman las marquesitas.

64 Ms: *Las cabezas* Las preciosas

70 Ms: A a Maria

Yo os las presento a escoger.
Ven acá, lucero mío,
No te hartes de correr.
Todas mis hijas son tuyas,
75 De ellas puedes disponer.
Y me donas un palacio
Con luces de amanecer."
Al principito menor
Ya le ha tocado escoger.
80 Y escoge a la más humilde
Y más fea al parecer,
A la cenicienta eterna,
Al alma toda mujer,
A la siempre despreciada
85 Por demasiado saber.
"Ven acá, lucero mío",
Le dice el príncipe real,
Princesita azul y plata
Con sus labios de coral.
90 "Ven acá, lucero mío,
Rosa temprana, clavel,
Pájaro, fontana, río,
Luna, azucena, vergel.
Te he escogido por hermosa,
95 Por tu mirada de miel,
Pájaro, fontana, río,
Luna, azucena, clavel.
Cuando te bese en la boca
He de formar con mi arnés
100 Una corona preciosa."

→

72 Ms: *ca*acá,
80 Ms: humilme
83 Ms: Al el alma
87 Ms: *Le*La
88 Ms: Princ*i*esita
93 Ms: *clavel* vergel
96 Ms: font*el*ana
98 Ms: Cuan*t*do

"Hilito hilito de oro
De las niñas del marqués"...

El ensueño se deshace.
Los coros se marchan ya.
105 Muy lejos ladran los perros
A la azul inmensidad.
La luna en menguante sale.
Las niñas van a acostar
Y las viejas encorvadas
110 Cesan en su murmurar.
Las puertas se van cerrando.
Ranas dejan de croar.
Sólo el romance de amores
Va y viene en su sollozar.
115 Toda la ficción poética
La sintieron los niños.
Se vieron duques y reyes
Con grandes mantos de armiño...

Canta en su lira el silencio.
120 Sólo el romance de amor
Cruza el aire soñoliento
Manando rosas de olor.
"Ven acá, lucero mío,
No te hartes de correr.
125 Hilito hilito de oro
De las niñas del marqués."
La noche muestra su terciopelo.
Sueñan las estrellas.

---

101 Ms: de oro *de*
103 Ms: desa*z*ce.
110 Ms: mu*n*rmurar.
117 Ms: y duques y reyes
123 Ms: *ca*acá lucero mio *no te har*
128/ Ms: Enero. 1918
F.

35
EL CUERVO

La noche en los campos. El cuervo salió.
Raro pajarraco de negro plumaje.
Fúnebre piltrafa que el cielo cruzó.

Vaso en que reposan almas de gusanos
5 Que moraron antes en los hombres muertos.
Litúrgica enseña del Miedo y la Muerte.
Fatal enemigo de la buena suerte.
Rondador perverso de los miembros yertos.

Símbolo que expresa desgracia y ruina.
10 Paje de la muerte, del terror trompeta.
Agorero pájaro de la ingratitud.
Horroroso abismo falto de virtud.
Blanco de anatemas de eterno poeta.

Enero 1918
XXX 30

2/3 Ms: *De mirada fija, de grito salvaje*
3 Ms: *que se apasionó* que el cielo cruzó.
10 Ms: *D*del
11 Ms: *Pajaro agorero* Agorero pajaro
12 Ms: Horroro a*p*bismo

Fúnebre fantasma goloso de roña.
15 Refinador profundo ante el olor del mal.
Extraño lujurioso de verde frialdad.
Enviado solemne de la Inmortalidad.
Convidado por Dios a negra bacanal.

Los Parsis te llaman Dios de la Pureza.
20 Ahura-Mazda te crea para devorar.
Tú para ellos eres animal sagrado
Que viene de un reino ideal y encantado,
Atroz, devorando podre, abandonado,
Quitando impureza para perdonar.

25 Eres como una noche de tormenta.
Infundes pavor.
Tú sugieres pregunta violenta
De extremado horror.

¿Habrás un alma acaso robado?
30 ¿Eres pureza?
¿O eres cuerpo de furia impregnado
Y de fiereza?

Eres extirpador de incensarios malignos.
Eres sereno y vetusto.
35 Eres solemne y adusto.
Eres el alma de cabalísticos signos.

---

14 Ms: g*l*oloso de *podre* roña.

15 Ms: Profundo refinador (con una flecha que indica la inversión)

17 Ms: Solemne enviado (con una flecha que indica la inversión) de la Immortalidad.

19-20 Parsis-Ahura-Mazda: los Parsis son los discípulos de Zoroastro, adoradores de Ahura-Mazda, creador de todo bien y de todo lo puro. En sus ritos funerarios los Parsis exponen los cadáveres (impuros) para que las aves de rapiña los devoren (vv. 23-24).

20 Ms: Ahuna-Mazda

26 Ms: *Me* infundes

29 Ms: ¿Habrás *robado acaso algun alma?* un alma acaso robado?

Trazan sobre el cielo enigmas tus bandadas.
Bajo los soles eres wagneriano.
Bajo la azul noche eres gregoriano.
40 Eres un aborto de las malas hadas.

Muestras gesto de poca inteligencia.
Enseñas volando tu serena dignidad.
Con el cóndor y el buitre tienes afinidad,
Pero posees entre ellos la eminencia.

45 De Marte eres ahijado.
Cuando estalla la guerra
Y retiembla la tierra
Tú comes reposado.

Tú sabes que el alma en los ojos se encierra
50 Y por eso los comes goloso
En tremendo banquete angustioso
Que a valerosos corazones aterra.

Eres el corazón de la sombra y la Nada.
Ante ti la cruz plantaremos
55 Y un himno de amor cantaremos,
Con el alma tranquila de flores nevada.

Ante ti no son nada virtudes ni pecados.
Eres frío infernal.
Tu ritmo es siempre igual.
60 ¡Cuántas veces sorbiste ojos de los ahorcados!

Eres la fatalidad.
Eres Padre del murciélago.
Eres un inmenso piélago
De terrible obscuridad.

---

41 Ms: *Tienes* Muestras
48 Ms: reporasado.
53 Ms: *n*Nada.
60 Ms: *b* sorbiste*s*
63 Ms: immenso pi*a*élag*a*o

65 Suenan tus alas como enormes remos
Que bogaran en un profundo mar.
Tu grito es rara seña que tememos
Nos despierte del rápido ensoñar.
....

La noche sobre los campos. El cuervo salió.

---

66 Ms: bogararan
67 Ms: *Que* Tu
69/ Ms: Enero 1918
F

36

DÚO DE VIOLONCHELO Y FAGOT

Negra sombra sobre el corazón.
Se retuerce el imposible.
Muere entre llamas la divina Sión.
Venus aparece horrible.

5 Pero el corazón no se desata.
Existe la mujer y el tono menor.
Aún vive Equidna con su negro horror.
Suena el andante de la Apasionata.

Enero 1918
XXXI 31

---

t Ms: *Solo* Duo
2 Ms: retuerze
3 Ms: entre entre llamas
la divina Sión: la ciudad santa de Jerusalén, situada sobre el monte Sión, representada aquí como figura antropomórfica y apocalíptica (cfr. Apoc. XXI).
7 Equidna: monstruo fabuloso, mitad hermosa mujer, mitad cola de serpiente, cuya misión era la de torturar a los humanos condenados.
8 Ms: *l*La Apasionata
la Appassionata: sonata op. 57 para piano de Beethoven.

Nuestros ojos no saben mirar.
10 ¡Es tan pequeño el mundo!...
El alma sufre el más allá
Con encanto profundo.

Nada nos salvará. Llega la Muerte.
La Sombra mata al Hechizo.
15 ¿La quietud del convento? No. No.
Formidable acorde gris plomizo.

En el fin... ¡Bah!, ¿quién habla del fin?
El fin es el sexo del Caos
Con perfume de esplín.

20 La sociedad es alma de Cotto, Briareo y Gías.
El bien es la manzana del mal,
Pérfida y oculta en los días.

Todo tiene sanción para las gentes
Y nada existe, nada existe.
25 El perorar es cosa de imprudentes
Y nada existe, nada existe.

Muy lejos el corazón
Con la pasión se viste.
Todo tiene sanción
30 Y nada existe, nada existe.

---

9 Ms: sabe*m*

12 Ms: *dolor* encanto

13 Ms: *l*/Llega

20 Cotto, Briareo y Gías: nombres gráficamente grecizados (por ejemplo Cotto) de tres gigantes de la mitología griega (cfr. la *Teogonía* de Hesíodo, vv. 149, 617-618, 714, 734, 817 etc. y el poema juvenil núm. 27 de Lorca: *La religión del Porvenir,* passim), prototipos de violencia y orgullo.

27 Ms: el corazón *con*

30/ Ms: Enero 1918
F

37
CANTO DE LOS CIRIOS

Sobre el negro terciopelo de la sombra
Brillan los cirios.

Pálidos cirios con tonalidades de vírgenes muertas.
Blandas modulaciones de un marfil.
5 Columnas en palacios de los sueños.
Divinos torturados marfileños.
Guardianes de las eternas puertas.

Hijos del incienso y las abejas.
Dulces muertos cuya sangre fue la miel.
10 Mártires consumidos por la luz.
Fieles amigos de Cristo en la cruz.
Tímidos como monjas ante Luzbel.

1-II-1918
XXXII 32

---

3 Ms: *F* Palidos
5 Ms: *de* en palacios
7 eternas puertas: sinécdoque perifrástica para referirse al sagrario.
10 Ms: *Santo* Martires cosumidos
12 Ms: conmo monjas ante Lu*lz*bel.
Luzbel: nombre propio del demonio, Lucifer.

Vuestros chisporroteos son piar de palomas.
Alientos moribundos, aletazos rosados.
15 Lloráis como las madres, serenos, dolorosos,
Consumiéndose lánguidos en los reinos brumosos
De Salmos, de liturgias, de colores morados.

Pálidos cirios como los santos anacoretas.
Místicos nebulosos.
20 Almas de lo rubio.
Solitarios sedosos.

Todos muy juntos parecéis
Un bosque de fúnebres cipreses.
Sin querer a las campanas evocáis.
25 Sois dulces cuerpos que eternos suspiráis
Al tremendo latido de las preces.

Débiles luminarias siempre espirituales.
Testigos impasibles de escenas dolorosas.
Ojos de fuego que nos miran cuando muertos.
30 Dolientes dibujantes de perfiles inciertos.
Serpientes de pureza amasadas con rosas.

Faros de las almas débiles.
Espigas de los trigos divinos.
Novios del órgano sonoro.
35 Criselefantinos
De marfil y oro.

---

16 Ms: *en el* los
20 Ms: l*a*o
23 Ms: cipreces.
24 Ms: *evocais a las cam* a las campanas evocais.
25 Ms: dulces *prec* cuerpos que *siempre* eternos
29 Ms: O*y*jos / nos *vel* miran
33 Ms: *unos* los
35 criselefantino: de forma, color o aspecto de oro y marfil (v. 36).

Sois tan inmaculados como la hostia.
Yo he visto muchas veces perderse vuestra alma
Sobre el fondo azulado de una infinita calma.

40 Sois hondos como una romanza de viola.
Sois tan maravillosos como la luna
Como que estáis formados de una y otra flor
Que rubia y casta abeja libó con amor...
Ilumináis nuestra muerte y nuestra cuna.

45 ¡Pálidos cirios con tonalidades de vírgenes
[muertas!
Pensamientos que una luz consume.
¡Pálidos cirios con languideces de doncellas
[honestas!

Sois como la lluvia.
Sois como las tardes otoñales.
50 Sois como crepúsculos silentes.
Sois azules neblinas dolientes.
Sois la fe. Sois alma de las gentes.
Sois los ojos de las catedrales.

¡Pálidos cirios con tonalidades de vírgenes
[muertas!

55 Sois lirios de místicos valles.
Azucenas en mar de negrura.
Sacerdotes de ritos ideales
Leyendo en breviarios eternales
Cuya misa es una aurora pura.

---

37 Ms: immaculados com*a*o
39 Ms: caloma.
44 Ms: *Nu* Iluminais
52 Ms: Sois *el* alma*s*

60 ¡Pálidos cirios con languideces de doncellas
[honestas!

Sobre el negro terciopelo de la sombra
Brillan los cirios.

62 Ms: B*i*rillan
62/ Ms: 1 de Febrero. 1918.
F

38
VAGUEDADES

Amargos silencios en el mar de nuestra vida.
Rosas musicales marchitas.

¡Silencios en la marcha del corazón!
Rumores de un mar lejano.
5 Nuestra dulce novia la imaginación
Nos sume en azul verano.

El lago de los crepúsculos
Deja escapar sus cisnes de color.
Quietud en las almas.
10 La mariposa blanca del amor
Busca las calmas
De maravillosos labios en flor.

La ausencia nos da la idea de Dios.
¡Sufrimos tanto!...
15 La luna toca su viola perfumada

⟶

3-II-1918
XXXIII bis? 33

---

3 Ms: la*s* marcha del cora*n*zon!
4 Ms: Rum*a*ores
9 Ms: Quitud

Sobre la flor roja y nevada
De nuestro llanto.

¡Ah, los pianos!, ¡las noches serenas!
¡Ah, las estrellas!, ¡los amaneceres!
20 ¡Ah, la blancura de las azucenas
Dulces como vientres de rubias mujeres!

¡Ah, los besos!...
Resoluciones de la eterna sinfonía.
Acordes alados de místico son.
25 Dulces presos
Del corazón.

Amargos silencios en el mar de nuestra vida.
Rosas musicales marchitas.

---

21 Ms: *t*rubias muj*o*eres!
22 Ms: l*a*os
26 Ms: D *e*el
28/ Ms: 3 de Febrero.
F tarde. gris

39
CREPÚSCULO ESPIRITUAL

Desierta la escena.
Se abren los rosales.

El alma sufre su más allá
En momentos de la tarde callada.
5 Pierrot empolva su arrugada cara
Con el polen que la Muerte dejara.
Doliente engañifa rosada.

Ven nuestros ojos los hilos fatales.
¡Ay! ¿Quién solloza?
10 ¿Son las almas divinas otoñales?
¡Ay! ¿Quién solloza?
¿Son amargos espectros inmortales?

⟶

6-II-1918
33 bis

3-4 Ms: *Hay momentos en la tarde callada*
Que el alma sufre su mas allá
El alma sufre su mas allá
En momentos de la tarde callada.

5 Pierrot: personaje de teatro, particularmente de pantomimas, vestido de traje blanco y generalmente de cara enharinada. Suele encarnar el papel de galán algo poético.

12 Ms: imortales?

¡Ay! ¿Quién solloza?
¿Acaso el Verlaine de las Saturnales
15 Sus liras roza
En infinito rumor de rosales?...

Hora crepuscular de dolores perdidos.
Hora de profunda negrura.
Rara y lejana sepultura
20 Donde se estremecen nuestros rojos sentidos.

Adivinamos un fin
Que no queremos comprender.
Sufrimos por el jardín
De nuestro blanco amanecer.

25 Llora el Pierrot de nuestra alegría.
La Colombina se muere y se esfuma.
¡Ah los divinos ensueños de ayer!
Por una rubia y divina mujer...
¡Qué sufrimientos de lejanía!
30 Jorge Manrique su canto perfuma
Con una estrella de melancolía.

Pasan duquesas vestidas de sedas.
No las miramos, no las miramos.
Lloran las almas de las alamedas.
35 Sangrientos ramos, sangrientos ramos.

---

14 Ms: *el* de las Saturnales
las Saturnales de Verlaine: Paul Verlaine, poeta francés († 1896), publicó su primer libro de poesía, *Poèmes saturniens,* en 1866, de tono romántico, elegíaco y musical, particularmente apreciado por los poetas modernistas.
18 Ms: profunda*s* negrura*s*.
21 Ms: un fin *e*
25 Ms: llora *P*el
26 Ms: *c*Colombina
la Colombina: personaje de comedia, las más de las veces una joven viva y atractiva, a menudo amada de Pierrot (cfr. vv. 5 y 25).

Tristeza terrenal.
Pasan las vírgenes de bucles de oro.
Marfil los senos. Vientres de raso.
Rasga los aires con ruido sonoro
40 Nuestra alma que conduce un pegaso
Hacia el reino ideal...

Me llama la luz del poniente.
¿Iré o no iré?
Me llama una música doliente.
45 ¿Iré o no iré? ...

¿Estarán abriendo mi puerta?
¡Ay! ¿Quién solloza?
¿Será la muerte con su mano incierta?
¡Ay! ¿Quién solloza? ¿Quién solloza?

50 Desierta la escena.
Se cierran los rosales.

---

37 Ms: de *vien* bu*b*cles
51/ Ms: F. 6 de Febrero

40
ÁNGELUS

Ópalo gris sobre los campos.
Mantos de rosa tornasol.
Lejanas rosas infinitas.
Tenues tristezas exquisitas
5 Sobre montañas de arrebol.
Hondo reposo de inquietudes.
Dulce momento de soñar.
Claros colores, perla y plata.
Vaga y divina serenata.
10 Libro celeste a meditar...

Hay negros cipreses con pena y con luna.
Enormes romanzas de línea y perfume.
Hay pinos que sangran color del Poniente.
Hay chopos que suenan ritmos del Oriente.
15 Hay lagos de sombra en que el alma se sume.

---

7 o 9-II-1918
XXXIV 34

---

t Ms: Angeluzs
3 Ms: rosas *de* infinitas.
4 Ms: *in*exquisitas
10 Ms: L*i*bro
11 Ms: cipreces
12 Ms: *Dulces* Enormes romanzas *con* de

Dicen las campanas su eterna sonata.
La Duda se levanta de su negrura.
El corazón ensueña serenidades
De las lejanas prístinas edades
20 En que soñaba sin amargura.

Magníficat solemne.
Un órgano de cristal
Vagos rosas, violados,
Cenizosos, morados,
25 Formando apasionados
Melodía fantasmal.

...Y la noche.
¿El alma nunca gozará?...
Amargura.
30 ¿Dónde mi amor se esconderá?
Está muerto.
¿Cuándo lo eterno llegará?
Ja ja ja ja ...
¿De mi corazón que será?...
35 La voz del silencio me contesta.
¡Ay mi rosa no se abrirá!

Ojos negros sobre los campos.

---

17 Ms: *d*Duda
18 Ms: ens*e*ueña
20/21 Ms: en el v. de hoja 1 se leen los tres siguientes versos:

¡Maravillas de la ruta solitaria!
Sonó mi hora immortal.

Rosado rosal de topacio

23 Ms: *morados* violados,
24 Ms: cenizos*a*os,
37/ Ms: F 7 (?) o 9 (?) de Febrero 1918.
Al dorso de la hoja 2 la siguiente anotación:
Mathias. Grunewald
Romney. George.
Retrato de Mark Currie

41

CREPÚSCULO DEL CORAZÓN

Solitario el parque.
Aire manso y dulce.
Gris y azul suavidad.

¡Aquellos días!
5 ¡Qué triste sonata!
Eran tus bucles mi sangre.
Eran tus ojos, ¡ah ingrata!,
Alma de mis melodías.

¡Aquellos besos!
10 Con suavidades de espejos.
Compases de una música de nardos.
Alma de un color muy lejos.
¡Aquellos besos!

¡Aquellas manos!
15 Blancas magnolias hechas carne
Que saben de misterios en las almas.

⟶

10-II-1918
XXXVI 36
edic.: IG, pág. 221 (vv. 19-28)

---

5 Ms: *c*sonata

Palomas que sabían consolarme.
¡Aquellas manos!

Yo encendí mi lámpara.
20 ¿Te acuerdas?
Era raso y marfil mi querer
Como la casta luz del amanecer.
Tú eras la antorcha de mi Ser.
¿Te acuerdas?

25 Pero tú marchaste...
No se pierde nunca mi ilusión.
¡Ay, no sé decir lo que me pasa!
Tengo marchito el corazón.

Corazón ilusión.
30 Luna laguna.
Amor dolor.
¡Ah los poetas!
Raras aves agoreras.
No se pueden rimar de otras maneras.
35 Corazón ilusión.
Luna laguna.
Amor dolor...

Cuando se llora de verdad
El silencio es lo mejor.
40 Amor dolor...

No pueden sollozarse
Las cosas de la pasión.
Corazón ilusión...

---

25 Ms: *Y* Pero

26/27 Ms: una línea interrumpida separa los dos versos o subraya el verso 26.

30 Ms: *cuna* laguna.

36 Ms: *c*laguna

41 Ms: sollozarse *l*

Ni de la melancolía
45 Puede llorarse la bruma.
Luna laguna...

Ahora enciendo mi lámpara.
Llora mi lira
Y en lejano murmullo de laureles
50 Mi alma suspira...
....

Solitario el parque.
Aire manso y dulce.
Gris y azul suavidad.

53/ Ms: Carnaval 1 1918.

42
CARNAVAL
Visión interior

Llora Pierrot bajo la luna
El sacrilegio de su nombre.
Pasa la farsa de inquietudes
Del carnaval.

5 Tristeza infinita en las cosas.
Un oro perdido nos quiere prender.
Jardines con vida y con rosas
Son los pensamientos del atardecer.

El alma quiere volar.
10 ¿Adónde?
Al país del olvido con el ser inmortal
Que se esconde.

11-II-1918
37
edic: IG, pág. 224 (vv. 22-25)

---

1 Pierrot: ver *Crepúsculo espiritual* (poema núm. 39, v. 5).
7 Ms: Jardines *sin* con vida *y* y con rosas
11 Ms: olvido *donde* con el ser imortal

Pasan las tinieblas.
Pasan los dolores...
15 ¿Y mi corazón?
Pasan los amores.
Pasa la ilusión...

Desventura inmensa.
¿Y mi corazón?
20 Tiene la dolencia
De la dulce ausencia...

¿Por qué estarán llamando sobre mi corazón
Todas las ilusiones con ansia de llegar,
Si las rosas que huelen a mujer
25 Se marchitan a mi lento sollozar?...

Carnaval perpetuo en mi corazón.
Llora Pierrot su desventura.
Sólo vive el fuego de mi pasión
Que brilla en mi noche obscura.

30 ¡Monotonía de mi vida!
Lejanías de azucena.
Tonos de fuego perverso.
Blanca paloma mi verso
Que es dolorosa y es buena.

35 Monotonía de mi vida
Siempre igual, siempre igual.
¡Qué saben pobres los hombres
De mi gran pasión fatal..!.

---

18 Ms: imensa.
29 Ms: osbcura.
31 Ms: L*l*ejanias
37 Ms: "pobres" aparece añadido en tinta más oscura.

Gritos en la alameda.
40 Arlequín dormita...
Triunfa Pantaleón
Por la senda exquisita.
Y en roja rosaleda
El poeta musita
45 Su eterna canción.

Las mujeres sonríen
Con aire banal.
Morenas, rubias, deliciosas
Son las máscaras preciosas
50 De mi carnaval.

¿No habrá luz en mi alma?
Me sonríe satifecho Pantaleón.
Mi parque queda en calma
Y se muere mi Pierrot.

55 No veo por los fondos mi ventura.
Hay un rojo telón
Que oculta caprichoso la blancura
De mi corazón.

---

40 Ms: Arl*æ*equin

40-41 Arlequín-Pantaleón: como Pierrot (v. 1, 27, 54) personajes de la commedia dell' arte, cuyos trajes sirven de disfraz de carnaval.

41 Ms: Pantalon

47 Ms: va*l*nal

49 Ms: *dolorosas* preciosas

52 Ms: Pantalon

53 Ms: quede

57 Ms: oculta *mi* caprichoso

58/ Ms: Carnaval 2. Febrero 1918.
Al dorso de la hoja 3 la siguiente anotación:
Wermeer Jan de Delft./ Interior holandés
Weenix (Jan)./ Fiesta galante
Andrea del Sarto./ San Juan. Joven

43
LOS CIPRESES

Sol de oro antiguo.
Crepúsculos de Otoño.
Preludios de noche obscura.
Cipreses. Flores de llanto y corazón.

5 ¡Divinos cipreses de ritmo romántico!
Soñadores eternos de fúnebre tristeza.
Almas crepusculares que piensan en el cielo
Levantándose lánguidos, poseídos de anhelo,
Hacia una estrella dulce de infinita pureza.

10 Negras suavidades góticas...
Sois vagos pensamientos de enormes catedrales.
Oléis a blanco incienso de perdido incensario.
Sois los graves guardianes del jardín solitario
Que transforma a los cuerpos en rosas de rosales.

11-II-1918
XXXVIII 38

---

t Ms: cipreces
4 Ms: Cipreces flores de *pensamiento* llanto y corazon.
5 Ms: cipreces
7 Ms: piiensan
9 Ms: *tristez* pureza

15 Capuchas dolorosas de cuerpos fantasmales.
Sentimientos errantes que la luna cuajó.
Árbol digno y sagrado que recuerda lo eterno.
Árbol fuerte, mimoso, apasionado y tierno.
Árbol que en la tragedia sagrada sollozó.

20 Actor que dignifica todos los escenarios,
Cementerios, umbrías, jardines sin color.
Árbol que quiere fuentes y cruces y conventos
Poniendo en los ambientes dramáticos acentos.
Literato inconsciente en escenas de amor.

25 Árbol viril y femenino
Que tiene de palmera y de lanza feroz.
En las noches de luna y en noches de tormenta
Su dolorosa historia doloroso nos cuenta.
Fue un romántico viejo con un amor atroz
30 Que no pudo conseguir.

Magos de atardeceres,
Tristezas soberanas.
Recordáis a los pinos potentes
Y a los chopos con aires silentes.
35 Dolorosa frescura en las tardes ardientes.
Cipreses. Flores de llanto y corazón.

Cantores del renacimiento.
Acordes nocturnos en tierras de sol.
Fondos de la Italia de Romeo y Julieta.
40 Fondos de tragedias, de rezo y saeta,
De luna, de monja, de cruz, de veleta,
En las inquietudes del aire español.

---

16 Ms: S*i*entimientos-la luna *f* cuajó.
24 Ms: incoscient*a*e
25 Ms: *masculino* femenino
28 Ms: doloroso*s*
36 Ms: Cipreces. Flores *de* llanto
40 Ms: rezo*s* y
41 Ms: c*o*ruz

¡Oh! Qué bien estáis entre mármoles blancos.
Tenéis el prestigio de la gravedad.
45 ¡Oh! Qué bien estáis en los patios claustrales
Consolando a las antiguas catedrales
Con el ritmo solemne de vuestra piedad.
¡Cipreses! Flores de llanto y corazón.

Sabéis de los amores de Pierrot con la luna.
50 Visteis blancas escenas de estrellas y de flores.
Sorprendisteis diálogos de sombras y esqueletos,
Conjuros de las brujas amansando amuletos
Para calmar la ausencia, para calmar amores.

Horacio os proclama árbol odioso,
55 Porque la muerte en vosotros miró,
Sin contemplar vuestro ritmo armonioso,
Sin meditar el gesto desdeñoso,
Sin meditar vuestro orgullo piadoso
Como artistas de un arte que pasó...

---

45 Ms: esta*n*is
48 Ms: ¡Cipreces!
48/49 Ms: una estrofa tachada:
Sois como pagodas que quiseran volar
Teneis olor cristiano que no tiene menguante
Albergais amistosos al viejo ruiseñor
Cuando cante gallardo sus romanzas de amor
Sobre algun escenario de algun soñado amante
49 Ms: Sabe*s*is

Pierrot con la luna: para Pierrot, ver los dos poemas que preceden. El nexo temático-estético entre el personaje de la comedia y la luna fue frecuentemente ilustrado por las artes, más en particular en la obra del poeta belga Albert Giraud, *Pierrot lunaire* (1884). Arnold Schoenberg hizo una adaptación musical en 1912.

50 Ms: de *nubes y de estrellas* estrelles y de flores
52 Ms: *fab* amansando
54 Ms: a*l*rbo*r*l

Horacio: alusión a los versos horacianos: "...neque harum quas colis arborum/te praeter invisas cupressos/ ulla brevem dominum sequetur" (Od. II, XIV, vv. 22-24).

57 Ms: *vuestro* el gesto
59 Ms: pas*a*o

60 ¿Odiosos? ¡Ah!, no no...
Sois señores, simpáticos,
Soñadores, románticos.
Resumís el alma de los jardines
En olor infinito de jazmines.
65 ¿Odiosos? ¡Ah!, no no...

Geniales despreciadores del mundo.
Como sabios eternos
Ocultáis vuestros misterios
En los monasterios...
70 En los cementerios...

¡Cipreses! Flores de llanto y corazón.
Sol de oro antiguo.
Crepúsculos de Otoño.
Preludios de noche obscura...
75 Azulada canción.
Cipreses. Flores de llanto y corazón.

---

61 Ms: simpaticos, *dignos*
62 Ms: romanti*q*cos.
64 Ms: infinito*s*
69 Ms: mo*t*nasterios...
71 Ms: ¡Cipreces!
74 Ms: no*l*che
75 Ms: Azulada *y negra* cancion.
76 Ms: Cip*l*reces
76/ Ms: F. 2 dia de Carnaval.
1918.

44
INTERIOR

La estancia silenciosa...
El piano dormido
Sobre la gris penumbra
Con encajes de olvido.
5 Nada suena en la noche.
Un espejo retrata
Al sofá carcomido
De damasco escarlata.
En rincón polvoriento
10 Un jarrón dieciochesco
Muestra una escena rosa
De carácter faunesco
Con mujeres desnudas,
Con sátiros dorados,
15 Con guirnaldas de flores
De parques encantados.

→

19-II-1918
XXXV 35
edic.: HM, pág. 164 (vv. 34-39; 51-60)

/t Ms: En las mana
5 Ms: *C*Un
10 Ms: diciochesco

Todo cerrado y mudo.
Las rendijas del balcón
Dejan pasar luz suave
20 Que se esparce en el salón.
Una consola crujió...
El piano resonó.
Las cuerdas se quejaron
Porque un ratón las hirió.
25 Y silencio... silencio...
El rayo luminoso
Es una enorme danza
De polvo cenizoso.
En un sofá mugriento
30 Descansa un abanico
Con plumaje de cisne
Con pie de nácar rico.
Y silencio... silencio...
La estancia abandonada
35 Escarchada con polvo
De aquella edad pasada
En que dulce el piano
Las óperas cantaba
— Norma. Los Puritanos —
40 Que el músico adoraba...
Sombras sobre la sala
De fiestas familiares,
Celebradas alegres
En noches invernales.

→

---

17 Ms: *Una consola crujio.* Todo cerrado y mudo.
19 Ms: pasa*l*r luz s*a*uave
23 Ms: *qu*cuerdas
26 Ms: rajo
27 Ms: dan*o*za
37 Ms: *el* dulce el
39 Ms: Purita*d*nos
Norma-Los Puritanos: dos óperas de Bellini, de 1831 y 1835, respectivamente.
43 Ms: alegres *en noches i*

45 Todo aterciopelado
Por las negras arañas
Que tejen sus palacios
De imposibles marañas.
¡Oh! ¡qué pena! ¡qué pena!
50 La salona aburrida
De borrosos contornos
En las sombras sumida.
¡Oh! ¡qué pena! ¡qué pena!
Estas salas fúnebres
55 Por siempre abandonadas
Por motivos fúnebres.
Pues en ella descansó
En su lecho de muerte
El padre cariñoso
60 Que traicionó la suerte...
La estancia silenciosa,
¡Oh! ¡qué pena! ¡qué pena!
Con un piano mudo,
Toda de polvo llena...

49-52 Ms: estos cuatro versos aparecen escritos al lado de los versos 54-58.

50 HM: los salones aburridos

salona: en Andalucía, vasija grande para vino, vinagre o cualquier otra sustancia.

52 HM: en las sombras sumidos

53 HM: ϕ

54-58 Ms: estos cinco versos están encerrados en un gran paréntesis, pero no parecen tachados.

59 Ms: cariñoso *q*

64/ Ms: Tarde 19.
Federico

45
ROMANCE

Y aquí torito valiente,
Y aquí torito galán.
Yo soy el de la otra tarde.
Acăbame de matar.

(POPULAR)

5 Tarde de sol en Castilla.
Amargura pasional.
Cascada de oros antiguos
En la llanura fatal.
Entre nubes plata y nieve,
10 Por los fondos encendidos,
Rugen solemnes y graves

⟶

Febrero-marzo 1918
XXXIX 39
edic.: PRG, pág. 92 (vv. 1-4; 29-32; 43-46)

1-4 Ms: estos cuatro versos aparecen entre paréntesis, seguidos par la palabra *Popular*.
4 Ms: Acabatme
8/9 Ms: *Por los fondos encendidos*
Truenos de plomos fundidos
Entre

Truenos de plomos fundidos.
En la tarde abrumadora
Hay quietud y soñolencia.
15 Hay sonidos del desierto
Plenos de juego y potencia.
Un pueblo surge asentado
Entre los rojos del suelo,
Recortándose dorado
20 En las neblinas de cielo.
Por los aires soleados
Despacio llega un cantar
De ritmos apasionados,
De anhelante jadear...
25 No se sabe quién lo canta
Pero en el aire al vibrar
Chorrea gotas de sangre
En la llanura fatal.
Y aquí torito valiente,
30 *Y aquí torito galán.*
Yo soy el de la otra tarde.
Acábame de matar.

Fiesta de toros heroica
En un pueblo de Castilla.
35 En la plaza recia y fuerte
El espectáculo brilla.
Sale magnífico el toro.
Grita la gente asustada.
Canta un mozo tremolando
40 Su ancha capa colorada,
Y lentamente danzando
Canta la hermosa tonada.
Y aquí torito valiente,

⟶

---

14 Ms: so*ma*ñolencia.
25 Ms: sab*le*-canta*r*
27 Ms: *L*Chorrea

Y aquí torito galán.
45 *Yo soy el de la otra tarde.*
Acábame de matar.

45 Ms: Y soy

46
LA LEYENDA DE LAS PIEDRAS

Me lo cuentan las vecinas
Cachazudas y parleras
En una noche de Junio
En que solloza la vega
5 Con el llanto lento y dulce
De las negras alamedas.
Y hay heridas en el cielo
Al correrse las estrellas.
Yo pongo mi corazón
10 Entre los ensueños de ellas.
Y revivo la leyenda
Que como una antigua seda
Amarilla y carcomida
Dormía en las almas torpes
15 De las vecinas parleras.
Leyenda de amor gigante
Que padeció una mozuela,
Una que se hizo de monte

→

10-III-1918
XLIII 43

---

9 Ms: c*u*orazon
12 Ms: *Como* Que como
14 Ms: en *el a* las almas
18 Ms: hiz*a*o se monte

Habiendo sido veguera.
20 Mi corazón se derrama
En esta dulce leyenda.
Los caminos polvorientos
Se pierden entre la vega,
Encajonados y mudos,
25 Guardados por las acequias.
La tristeza del camino
Es la más fuerte tristeza
Que tienen estos poblados
De vida apacible y buena.
30 El pueblo está rodeado
De la más fuerte tragedia
Que el hombre sintió en su alma,
La tragedia de la sierra.
Fracaso del movimiento
35 De la pasión que se quema.
Gigante de un solo ritmo
Que tiene en su cresta fiera,
Rompiendo el azul del fondo.
Muda, formidable, seria.
40 ¡Qué gran drama se adivina
En su corazón de piedra!

Un campesino inconsciente
Miró la piedra con pena.
Y una noche que ya tarde
45 Volvía triste a la aldea,
Triste sin saber por qué,
Que es tristeza verdadera,
Después de haber encerrado

→

25 Ms: *Entre* guardados
28 Ms: p*a*oblados
35 Ms: *f*pasion
42 Ms: *En* Un
46 Ms: porque
47/48 Ms: *De haber*

En el redil las ovejas,
50 Y cuando el pueblo dormía
En torno a la vieja iglesia,
Vio una peña gigantesca
Enclavada entre las sierras
Que tenía forma humana:
55 Un capuchón con dos piernas
Y unos brazos enlazados
Con fuerza temible en ellas.
Levantó solemne el hombre
Su cabeza de poeta,
60 Exhaló un largo suspiro
Que era una doliente queja,
Y poniéndose la curva
Del callado entre las cejas
Miró extrañado la piedra
65 Y meditó la leyenda.

Muchas veces sin querer
Vemos figuras extrañas en las cosas.
Vemos rostros en el techo de la alcoba
Y animales terribles en las rocas.

70 Es el alma un poeta caprichoso
Y los ojos, observadores raros.
Todo el misterio grave está ya dibujado
Pero ellos sólo ven en momentos contados.

Pero cuando ven
75 Saben meditar.

→

---

51 Ms: viaja
53/54 Ms: *Y puniendose la curva*
Del callado entre las cejas
55 Ms: Um capuchon
60 Ms: Exalo
62 Ms: la curva *de*
64 Ms: *callado* extrañado
65 Ms: *esta* la

El alma despierta
Es algo que va
Y sobre el misterio
Se suele posar.
80 Y a la rosa negra
Del “no se sabrá”
Lenta la deshoja
Con su claridad.
Y ella nos enseña
85 Toda la verdad.

¿No habéis notado las formas de los montes?
Pues si a una montaña observáis, notad
En sus hondas heridas moradas,
En sus brillos de opaco metal,
90 En sus cárdenas venas profundas,
En sus grietas de noche invernal,
En arrugas formadas por llantos
De una lluvia maciza y fatal,
En sus fuertes barrancos de miedos,
95 En sus lomos de enorme caimán,
En sus vientres de monstruo impreciso,
En el gélido azul de su paz,
En sus vellos obscuros y grises
De encinares y del tomillar,
100 En su ritmo de muerte solemne
Y en su fuerza brutal: observad
Un misterio profundo y divino
De noche de invierno, de miedo cerval,
De amores prehistóricos, de bíblicas voces,
105 De lobos, de toros, de amor virginal.

→

---

86 Ms: notad*a*o
87 Ms: no*d*tad
90 Ms: ven*l*nas
93 Ms: maziza
101 Ms: Oser*b*va*t*d
103 Ms: invie*nto*rno de miedo cerbal,

Mil ecos ya viejos sujetan al viento
Y le hacen que cante con tonos de mar.

Fuerza, amor y sangre,
Eso es la montaña.
110 Pero condenada está a nunca hablar,
Ni a sentir ni a mover una arruga siquiera,
Cuando ve de noche a la luna llena
Y siente dulzura de querer llorar.
Todos los matices de un gran sentimiento
115 Están en la sierra. Se ven palpitar.
Pero ella es esfinge de un dolor eterno,
Almas expulsadas de la eternidad.
Y si queréis saber la pena de la sierra,
Entrar en sus honduras y allí fuerte gritar,
120 Veréis con qué amargura os comentan los ecos,
Veréis qué llanto fuerte y negro resonar
Entre las rocas negras que os quieren preguntar
Por qué las despertáis de su muerto ensoñar.
Pues quieren derrumbarse sobre el abismo
[inmenso
125 Ya que no tienen alas para poder volar.
Las piedras sienten tanto como los corazones,
Es decir, tanto no, que sienten mucho más,
Pues que los corazones pueden verter sus
[llantos
Y las piedras son mudas y no pueden llorar.
130 ¡Qué tristeza tan grande! ¡Qué pena tan antigua!
¡Sierras!, ¡poetas mudos de eterna inmensidad!

⟶

---

114 Ms: de*l*
115 Ms: Estan la*s* sierra.
116 Ms: Per*ao*
118 Ms: sab*l*er
123 Ms: Porque - ensonar
124 Ms: imenso
127 Ms: *porque sienten mas* que sienten mucho mas,
128 Ms: su llantos
131 Ms: imensidad!

Huesos del esqueleto de nuestra madre Tierra.
Plomizos corazones que encierran azul paz.

Las montañas que parecen muertas
135 Están vivas y sienten.
Esto es verdad.
Alguna vez hablaron las piedras
A corazones puros.
También es verdad.
140 Oid la leyenda que comienza ya.

* * *

Cae la noche sobre el pueblo
Que se asienta al final de la llanura
Queriendo besar la sierra.
Las montañas que lo cercan
145 Son achatadas e ingenuas,
Mayestáticos pentagramas
De la formidable orquesta
Que el aire bravo dirige,
Dulces montañas serenas
150 Con suavidades de mamas,
Repletas de encinas viejas
Y de verdes amarillos.
En las dulces primaveras
El pueblo blanco, achatado y pobre,
155 Está hundido en la ladera,
Y entre el verde soñoliento

→

133 Ms: Plomiz*a*os
141 Ms: puebl*a*o
146 Ms: Mayestaticos
147 Ms: De *una* la formidable *fiesta* orquesta
148 Ms: verso precedido por una crucecita y en parte subrayado; "bravo" es la lectura hipotética de una palabra varias veces corregida.
149 Ms: D*e*ulces
154 Ms: El pueblo *es* blanco achatado y *blanco* pobre,

De lejanas alamedas
Tiene bajo los crepúsculos
Color de marfil o cera.
160 Lamiendo las pobres casas
Pasa cantando la acequia
Con el agua tan de plata
Que parece luna llena.
(1) Es el pueblo un nido obscuro
165 Donde el ave del silencio
Incuba bajo sus alas
De azul, penas y recuerdos.
(5) El caserío es muy triste,
Cerrado, mudo y severo
170 Con la tristeza profunda
Que tienen todos los pueblos.
Las campanas de la iglesia
(10) Tienen ya pocos anhelos.
Son muy viejas y cascadas
175 Y hace tiempo que murieron.
En los chopos centenarios
Se oye sollozar al viento.
(15) Y cuando éste ya no llora
Se siente el gris ritornelo
180 De la acequia que se arrastra
Mirando espléndida al cielo.
Jaramago en los tejados.
(20) Un yerbazal es el muelo.
Las fachadas de las casas

→

---

160 Ms: La*s*miendo
163 Ms: l*l*una
/164 Ms: ante los vv. 164-165 se lee, de mano ajena (¿Francisco García Lorca?): "comienza aquí."
A causa de esta indicación, añadimos una segunda numeración de versos a partir del verso 164 que es también el primero.
166 Ms: alas *de azul*
174 Ms: som muy
179 Ms: *un* el gris ritorne*r*lo
180 Ms: *Es*De

185 Son rostros de desconsuelo.
Y la torre de la iglesia,
Tuerta y mocha por el tiempo,
(25) Chorrea amarillos llantos
Por sus ventanales ciegos.
190 En la plaza siempre muda
No hay fuente ni bancos buenos.
Sólo acacias inclinadas
(30) Dan impresiones de duelos.
Lo demás todo un acorde
195 De monótono sosiego.
¡Pueblo para los lagartos
Amigos del sol de Enero!
(35) ¡Pueblo de invierno perenne
Con luz gris del aguacero!
200 ¡Pueblo de melancolías,
Solar andaluz severo!
Flor andaluza que tiene
(40) Eco castellano viejo.
Los olivares empiezan
205 A la salida del pueblo
Y trepan hasta los vientres
De los mansísimos cerros.
(45) Se derraman en el llano
Que es de dulce terciopelo,
210 Dando al paisaje solemne
Amplios borrones espléndidos.
A no ser por los hogares
(50) Que humean manchando al cielo
Nadie creyera que hay gente
215 En las casucas del pueblo.

→

185 Ms: desc*u*onsuelo.
187 Ms: m*or*ocha
199 Ms: *De* Con
202 Ms: F*r*lo*l*r
206 Ms: las *cumbres* vientres
207 Ms: mansi*n*cimos (?)
208 Ms: Se derra*m* en
215 Ms: Pue*p*blo.

¡Pueblo para los lagartos
Amigos del sol de Enero!

(55) Andalucía es un mar de sangre.
Mucha luz.
220 Mucha melancolía.
Es un sol único este sol.
El cielo es verde azul mayor
(60) Igual de noche que de día.

Todas las almas son dolorosas
225 Y todas ellas están heridas
Por una grave saeta honda.
Aquí son tristes todas las vidas.
(65) La voz hipante de la guitarra
Es el anhelo de Andalucía,
230 Lira imposible que sólo quiere
Ojos y sangre por melodía.

Únicas pasiones hay en esta tierra,
(70) Pasiones por cielos repletos de estrellas,
Pasiones por nadas que son las terribles,
235 Pasiones de carne vibrante y morena,
Pasiones ocultas hermanas del norte,
Pasiones gigantes por piedras de sierras.
(75) Y a todas ellas las llora el bordón
Que suena a sangrarse lento un corazón.

240 Porque en Andalucía todo es el recuerdo.
Un recuerdo llega a ser una pasión

→

---

221 Ms: *A* Es

222 Ms: *el*El

228 hipante: participio activo, no representado en los diccionarios, formado sobre el verbo hipar.

231 Ms: *en su* por

234 Ms: nada*s* (Es difícil decir si se trata de un borrón de tinta o de una tachadura de la s final.)

237 Ms: pie*p*dras (?)

241 Ms: Un*a*

Que presta gustosa sus alas a la muerte
(80) Para que envejezca triste al corazón.
El recuerdo es un ánfora que llevamos nosotros
245 Llena de muchas cosas, entre ellas: Amor.

¡Madre Andalucía! ¡Gigante morena!
Tierra de las raras leyendas de Amor,
(85) Tus campos borrosos por ráfagas rojas,
Tus vientos que llevan gloria de tu olor,
250 Tus cuentos tremendos de amor extrahumano,
La gracia solemne de tu único sol,
Tus diosas de Oriente celosas y extrañas,
(90) Tu sangre y tus vinos de amargo dulzor
Me llegan al alma como un llanto triste,
255 Igual que tus tardes de carmín albor,
Ojos negros, labios rojos, vientres duros,
Tardes grana, besos fuertes con dolor,
(95) Mil mantones de manila por los suelos
Que derraman por los flecos sangre y flor,
260 La lujuria con sus mantos sexuales.
Ha sonado el hondo grito de su voz.
Entre el aire que es de fuego se percibe
(100) El quejido doloroso del bordón.
Y entre el ansia del besar que no se acaba
265 Un espíritu sagrado se esparció.
Esta tierra sólo ama a Jesucristo
En la cruz, ya consumada su pasión.
(105) Esta tierra que es de miedo y agonía
Sólo quiere al destrozado corazón,
270 Todo fuerte y melancólico y pujante,
Todo imposible, la pena que pasó.

⟶

242 Ms: la *p*muerte
249 Ms: *Tus* viento
253 Ms: Tus sangre
254 Ms: llegan alma
255 Ms: *La*Igual
266 Ms: Este *pueblo* tierra
271 Ms: Todo *qu* imposible *con la certeza* la pena

Que la amapola y el clavel son el emblema
(110) De una sangre que ya se derramó.
¡Suenen las guitarras sus trenos ardientes!
275 Para celebrar tan doliente horror
Derramaré el vino en los pechos fuertes
Bajo la tristeza de este único sol.
(115) ¡Madre Andalucía! ¡Gigante morena!
Tierra de las raras leyendas de amor.

280 ¿Qué no podrá el gemir de una andaluza
Que a una piedra muerta revivió?

---

272 Ms: e*l*la am*p*apola
276 Ms: ¡*Ma* Derramaré!
280 Ms: p(*?*)a. Nuestra lectura “podrá” es hipotética.
281/ Ms: 10

47
LA GRAN BALADA DEL VINO

Sinfonía

Optimismo

¡Pálidos bebedores de la sangre divina
Que perfuma a las almas con torrentes de sol!
Pálidos bebedores de miradas perdidas,
Escanciad vuestras copas para alargar la vida,
5 Que la pasión intensa os dará su arrebol.

¡Coronaos de rosas, de adelfas, de laureles,
Pálidos bebedores del licor inmortal!
Que vuestros ojos vagos se entornen soñolientos,
Cuando pasen bramando los espantosos vientos
10 Que llevan a las almas al desierto fatal.

14-III-1918
XL 40

---

2 Ms: *de* con
3 Ms: Paledidos
4 Ms: vuestras *vuestras* copas
6 Ms: lau*l*reles,
7 Ms: immortal!
8 Ms: somñolientos

Id desnudos cantando por eternos caminos.
Mamad de vuestras hembras la leche maternal.
Bebed vino en sus bocas frescas y luminosas.
Engendrad en los bosques sobre lechos de rosas
15 Una rosa de mármol ungida de ideal.

Los caminos son largos y llenos de tristezas
Y hay espectros dolientes que lloran su destino
Y hay músicas que engañan con su grato sonar.
Pero seguid andando sin dejar de cantar,
20 Mirando con anhelo al final del camino.

¡Pálidos bebedores de la sangre divina!

En los ambientes bruscos de las pasiones fuertes,
Empuñad vuestra copa llena del gran licor.
Ensillad los caballos de vuestra fantasía
25 Y marchad por los cielos en la noche y el día
En busca de las llaves del reino del amor.

¡Pálidos bebedores del licor inmortal!

En los caminos tristes cuando miréis la luna
La esfinge dolorosa os querrá fascinar.
30 ¿Qué será de vosotros si miráis sus semblantes?
¿Qué será de vosotros si os tornáis en amantes,
Ella que tiene tantos como arenas el mar..?

¡Pálidos bebedores de la sangre divina,
Pálidos bebedores del licor inmortal!

---

13 Ms: Beded
14 Ms: Engendrar
20 Ms: a*h*nhelo
27 Ms: imortal!
29 Ms: dol*u*orosa
33 Ms: bebedo*d*res
34 Ms: immortal!

35 Id a los manantiales y esperad como faunos,
Que las ninfas rosadas pronto aparecerán.
Llamadlas anhelantes con voces sensuales,
Que entre rumores vivos de acacias y rosales,
Que entre lluvias de nardos sobre rubios panales,
40 Que entre nieblas doradas de ritmos otoñales,
Ofrecerán mimosas sus senos virginales
A vosotros, brumosos bebedores geniales,
Mientras que en las distancias, entre mil
[recentales,
Suspirará vibrante el glorioso dios Pan.

45 ¡Pálidos bebedores de la sangre divina,
Pálidos bebedores del licor inmortal!

¡Creed en los centauros! ¡Creed en las quimeras!
Creed en las visiones de la Grecia ideal.
El poeta os enseña la verdad diamantina.
50 ¡Pálidos bebedores de la sangre divina,
Pálidos bebedores del licor inmortal!

Una mañana espléndida de sones estridentes
Id todos bebedores a la orilla del mar.
Id llenos de lujuria. Id llenos de potencia.
55 Id cubiertos con rosas de afrodisiaca esencia,
Coronados de nardos, de laurel, de azahar.

¡Pálidos bebedores del licor inmortal!

Manarán los ambientes oros de sol fundido.
Vosotros bebedores aullaréis un cantar.

→

35 Ms: *satiros* faunos,
37 Ms: s*a*ensuales,
41 Ms: *Entregaran* Ofreceran - secos (?)
46 Ms: del *la* licor immortal!
48 Ms: *g*Gre*d*cia
51 Ms: immortal!
57 Ms: immortal!
58 Ms: *C*Manarán

60 Se rasgarán los cielos con estruendo divino
Y una copa solemne rebosante de vino
Derramará su alma sobre el agua del mar.

Una cascada inmensa de rosas, de topacios,
De granates, de lirios, de nardos, de jazmín,
65 Caerá sobre los montes y sobre los caminos.
Vosotros bebedores, apurad vuestros vinos,
Que brilla ya muy cerca la luz de vuestro fin.

Venus se rendirá con caricias sentidas.
Venus se rendirá con el beso ideal.
70 Pálidos bebedores de miradas perdidas,
Escanciad vuestras copas para alargar las vidas.
¡Pálidos bebedores del licor inmortal!...

Morded los senos, morded las rosas.
Que la lujuria no tenga fin.
75 Sed luces lunas, luces brumosas,
Junto a las vírgenes en el jardín.

¡Pálidos bebedores de la sangre divina!
¡Coronaos de rosa, de mirto, de arrayán!
Pálidos bebedores de la sangre divina,
80 Oíd con gran silencio la canción de neblina.
Que llore en las distancias el Omar al Kayám.

---

60 Ms: ra*r*sgaran
61 Ms: rebosan*do*te - vi*dr*no
63 Ms: immensa
64 Ms: gratnates
70 Ms: de *p* miradas
72 Ms: immortal!
73 Ms: *su*los
75 Ms: *sed* luces *rosas* brumosas,
78 Ms: rosa*s*
80 Ms: Oid *en*con
81 Ms: *can*llore / *e*al
Omar al Kayám: ver el poema juvenil núm.10, *Bruma del corazón* (12-XII-1917), v. 21.

Los senderos se pierden. Hay ruido de
[esqueletos,
Hay aullidos de perros, brujas con amuletos,
Verdes sapos, lechuzas, aleteos inquietos
85 Que ocultan tenebrosos el lejano confín.
¡Ah!, bebedores de almas hermosas,
Morded los senos, morded las rosas.
Sed luces lunas, luces brumosas,
Junto a las vírgenes en el jardín.

90 Los senderos se pierden. Espectros tenebrosos
Ocultan de un lucero la luz angelical.
Seguid siempre la senda que tenéis emprendida.
Escanciad vuestras copas para alargar la vida.
¡Pálidos bebedores del licor inmortal!

95 ¿Qué importa que se cierren los senderos
Mientras que el sexo brille pasional?
Morded los senos. Morded las rosas.
Sed luces lunas, luces brumosas,
Pálidos bebedores del licor inmortal.

100 Pálidos bebedores de la sangre divina
Que perfuma a las almas con torrentes de sol,
Pálidos bebedores de miradas perdidas,
Escanciad vuestras copas para alargar las vidas,
Que la pasión intensa os dará su arrebol.

---

87 Ms: *Sed*Morded
88 Ms: luce*e*ss br*u*omasas,
91 Ms: a*l*ngelical.
93 Ms: vustras
94 Ms: immortal!
95 Ms: importan
97/98 Ms: *Palidos bebedores*
99 Ms: immortal
103 Ms: vuestras para alargar la vida
104/105 Ms: *Solo de violas*

II

105 Un desierto sendero.
Bebedores dormidos...
Las copas arrumbadas.
Un silencio mortal
En un fondo lejano.
110 Brilla grave el lucero.
Los bebedores sueñan
Con el reino fatal.

Bebedores soñadores,
¡Despertad, despertad!

115 Se ha escondido la luna
En una nube negra.
El vino se derrama,
Nadie lo quiere ya.
Unos perros aúllan.
120 Ya viene la tormenta
Y el día soleado
Ya nunca llegará.

Bebedores soñadores,
¡Despertad, despertad!

125 Los rosales sollozan.
Marchitan los laureles.
La salamandra negra
Vive en la obscuridad.
Hay dos ojos de fuego
130 Que avanzan lentamente.

⟶

---

105 Ms: *Un silen* Un desierto
112 Ms: fat*l*al
120 Ms: torment*o*a
123 Ms: soñ*ad*adores,
127 Ms: salamandre

El vino se derrama.
Nadie lo quiere ya.

Bebedores soñadores,
¡Despertad, despertad!

135 Ya viene la tormenta.
Ya viene el huracán.
Ya viene la negrura.
Ya vendrá el sollozar.
Los geniecillos vagos
140 Por el sendero van
Tocando en sus flautines
Un canto funeral.
El vino se derrama.
Nadie lo quiere ya.

145 Bebedores soñadores,
¡Despertad, despertad!

Una madre solloza.
Por el sendero va,
Cubierta con los mantos
150 Que da la soledad.
Madre, ¿por qué ese llanto,
Por qué ese suspirar?
Ya viene la tormenta.
Ella os lo contará.
155 No viene la tormenta.
¿Por qué ese sollozar?
¡Ay! Lloro por mis hijos
Que no despertarán.

→

139 Ms: geniocillos
151 Ms: Porque
152 Ms: Porque
156 Ms: Porque
157 Ms: *m*por

El vino se derrama.
160 Nadie lo quiere ya.

Bebedores soñadores,
¡Despertad, despertad!

Rugen los fondos bravos
Con doliente clamar.
165 Ya viene la tormenta.
Ya viene el huracán.
Madre, ¿por qué ese llanto,
Por qué ese suspirar?
He visto en mi conciencia
170 Una sombra pasar.
Son mis hijos dormidos
Que no despertarán.
¡Ay! ¿Dónde están las rosas?
¿Dónde están? ¿Dónde están?
175 ¿Por qué las queréis, madre?
¿Por qué ese sollozar?
Las quiero por mis hijos
Amortajados ya.
¡Ay! ¿Dónde están las rosas?
180 ¿Dónde están? ¿Dónde están?
Tus hijos con sus besos
Marchitáronlas ya.
¡Ay! ¿Dónde están sus copas?
¿Dónde están? ¿Dónde están?
185 Tus hijos las rompieron
A fuerza de libar.
Y el vino se derrama.
Nadie lo quiere ya.

---

165 Ms: vien*l*ne la torment*o*a.
167 Ms: Porque
168 Ms: Porque
175 Ms: Porque
176 Ms: Porque ese sollozarar
182 Ms: marchitaronlas ha

Bebedores soñadores,
190 Despertad, despertad.
Bebedores soñadores,
¿No me oirán? ¿No me oirán?

En el confín tremendo
El lucero se apaga.
195 Un trueno misterioso
Sonó en la soledad.
Y entre risas y llantos,
Y entre luces verdosas,
La sombra de la Muerte,
200 Trágica y tenebrosa,
Pasa con su guadaña
Grave la inmensidad.

Bebedores, aún es tiempo.
Despertad, despertad.
205 Bebedores, ¡ay, Dios mío!,
¡No me oirán! ¡No me oirán!

La madre misteriosa
Sollozaba angustiada.
¡Ay! ¿Dónde están las rosas?
210 ¿Dónde están? ¿Dónde están?
¡Que llega la tormenta!
¡Que llega el huracán!
¡Ay mis hijos, mis hijos!
¿Dónde están? ¿Dónde están?
215 Llegaste tarde, madre.
Con la muerte se van.
¡Ay!, ¿por qué se marchan

→

---

190 Ms: desperdad.
196 Ms: Soñó
202 Ms: immensidad.
205 Ms: Be*d*bedores
216 Ms: la *vie* muerte
217 Ms: porque se marchan *y me*

Y me han de abandonar?
¡Ay! ¿Dónde están las rosas?
220 ¡Mis hijos! ¿Dónde van?
Por los aires la muerte
Con su guadaña va.
Y se lleva a tus hijos
A su reino fatal.
225 Y el vino se derrama.
Nadie lo quiere ya.

Cuán buenos mis hijos,
¿Sus copas dónde están?
Tómalas y las donas
230 A los que parirás.

Bebedores soñadores,
Ya no podéis despertar.
....
En los fondos divinos
Hay brillo boreal.
235 Un anciano solloza
Allá en la eternidad.
Un hálito invisible
Ha secado el rosal.
El pesimismo brota.
240 La muerte llegará.
Y el vino se derrama.
Nadie lo quiere ya...

Pálidos bebedores
Del licor inmortal,
245 Bebedores soñadores,
¡Ya no podéis despertar!

---

222 Ms: g*a*uadaña
227 Ms: C[?]n
237 Ms: invible
243 Ms: immortal.
245/ Ms: Marzo 14. 1918.

48
LOS OJOS DE LOS VIEJOS

¡Ojos marchitos de los viejos!
¿Hacia qué sitio mirarán?

¡Ojos marchitos de los viejos!
Muertos cristales dolorosos,
5 Lámparas dulces que se apagan
Sobre los cuerpos achacosos.
Ojos marchitos de los viejos,
Trozos de vida que se esfuman,
Huecos de esmalte que rezuman
10 Llantos que vienen de muy lejos...

¡Ojos dolientes que se borran
Entre las carnes arrugadas!
Ojos que manan entre sangre
Turbia, reseca, coagulada.
15 Ojos que sueñan en pasados,
Ojos que miran las mañanas
De juventudes y pecados
Con la tristeza de las canas.

→

20-III-1918
XLI 41

18 Ms: con la*s*

Ojos que miran a la muerte
20 Que llega grave y somnolienta.
Luceros fríos y borrosos,
Dulces espejos lacrimosos
Sobre la cara amarillenta.
Ópalos raros que se esconden
25 En las marañas de las cejas.
Piedras gastadas que relucen
Al evocar las cosas viejas...
Ojos que fueron pasionales,
Deshechos hoy, cruel dolor.
30 Ojos pasados y fatales,
Ojos que fueron de otros ojos
En los momentos del amor...
Dulces amigos de las moscas,
De las palomas y del sol,
35 Que miran tristes a la infancia,
Llena de vida y de fragancia,
Llena de luz y de arrebol.
¡Ojos marchitos de los viejos!
¡Ah, cuántó deben de sufrir!,
40 Cuando contemplan a Cupido
Allá a lo lejos sonreír...
¡Ojos de esfinges misteriosas,
Ojos cansados de llorar!
¡Ojos marchitos de los viejos!
45 ¿Hacia qué sitio mirarán?

---

20 Ms: grave y *reposada* somñolienta.
22 Ms: verso añadido entre vv. 21/23
23 Ms: *carne* cara
29 Ms: Desechos hoy
30 Ms: verso añadido entre vv. 29/31
31 Ms: *vieron* fueron
33 Ms: *Ojos* Dulces
37 Ms: *L*ellena - *d*arrebol
40 Ms: contemplen (?) a *los* cupido
44 Ms: *cansados* marchitos
45/ Ms: 20 de Marzo. 1918.

49
BALADA SENSUAL

Una boca fresca de mujer
Y mis labios sedientos
No pueden beber.

Sólo una rubia cadera entre el ramaje
5 Apareció temblorosa.
Los senos se escondieron en celajes
De jazmines y rosas.

Una boca fresca de mujer
Y mis labios sedientos
10 No pueden beber.

20-III-1918
XLII 42
edic: IG, pág. 207 (vv. 18-21)

---

t Ms: Balada *de fantasmas* sensual
1 Ms: bo*s*ca
3 Ms: No *b*pueden
6 Ms: *en los celajes* en celajes
7 Ms: y *de* rosas.

El alma llevaba en la frente harmoniosa.
Leda dulce suspiraba
Sobre una luz espléndida y gloriosa
Que el cisne le prestaba.

15 Una boca fresca de mujer
Y mis labios sedientos
No pueden beber.

¡Ah el sexo! Nácar divino sobre oro,
Jardín de sueños irisados,
20 Manantial grave de pecados,
¡Genial y único tesoro!

Una boca fresca de mujer
Y mis labios sedientos
No pueden beber.

25 Se pierde la carne entre rosales.
Se da neblina en la pasión.
Brota en el alma la impotencia
Y la ansiedad en el corazón.

Una boca fresca de mujer
30 Y mis labios sedientos
No pueden beber.

---

12 Leda: en la mitología griega, amada de Zeus quien pudo acercarse a ella metamorfoseándose en cisne (v. 14). Los amores de Zeus-cisne y Leda, de los que nació entre otros Helena, han sido el tema de un sinnúmero de obras de arte.

13 Ms: y *b*gloriosa

26 Ms: *L*Se da

31/ Ms: 20 de Marzo 18.

50

JUEVES SANTO

Tambores, mantos bordados...
Mañana pasa la procesión.

Olores de celinda.
Vaguedades silvestres.
Cirios quietos y rítmicos sobre rosas de olor.
Cristos entre azucenas.
5 Terciopelos morados.
Silenciosas y castas penumbras de color.
Claveles sol y luto.
Mantillas y collares
De perlas y esmeraldas en carne de mujer.
10 Oraciones de aromas.
Inciensos condensados.

⟶

28-III-1918
XLV 45
edic: IG, pág. 202 (vv. 84-86)

---

t Ms: Jueves Santo *Esencia*
3 Ms: *flores* rosas
5 Ms: Tercipelos
6 Ms: *Cascadas de oros viejos entre esencias de amor*
Silenciosas y castas *sobre* penumbras de color.
7 Ms: *Mantillas de* Claveles sol y lu*na*to.
11 Ms: Incien*cz*os condesados.

Recuerdos esfumados de un doloroso ayer...
Ojos atormentados.
Vírgenes doloridas.
15 Agonías de lirios sobre un cáliz de flor.
Solemnes sollozares.
Melancolías santas
Del piano que canta la pasión del Señor.
Sordina en las orquestas.
20 Late grave el Dies Irae.
Los ojos de Isaías se entornan con dolor.
Patéticos Mementos
En las luces suaves.
En las obscuras naves clama grave un cantor.

II

25 Triunfo de la poesía.
El rabino fantasma
Se esconde en los copones lleno de eternidad.
Del evangelio dulce
Brotan mil mariposas

⟶

---

14 Ms: *angustiadas* doloridas.
17 Ms: Melancoli*antias*as
18 Ms: *las* del *de s*Señor.
20 Ms: Di*a*es
Dies irae: palabras iniciales de una secuencia litúrgica de la misa de difuntos.
21 Ms: Isai*s*as
Isaías: profeta del antiguo testamento; su mención aquí se explica probablemente por el empleo en la liturgia del Jueves Santo y del Viernes Santo de sus cánticos sobre los sufrimientos del servidor de Dios.
22 Ms: APlateticos-sobre *Patéticos*, aparece A escrito en tinta negra. Sobre *Mementos* aparece b en tinta negra.
Memento: primera palabra de la oración litúrgica que rememora los muertos.
24 Ms: *En el cielo las aves* En las obscuras naves
29 Ms: B*as*rotan mil *p*mariposas

30 Que bordan entre rosas un himno de piedad.
En un rojo horizonte
Dos ojos azulados,
Mirando dolorosos, no cesan de llorar.
En un fondo de llamas
35 Una cruz se derrumba.
Se abrió la negra tumba y terminó el soñar.
Una voz de profeta
Palpita en el espacio.
Tendrá amargura y sangre el hombre que no ve.
40 Carcajadas de burlas
Resonaron soberbias.
Se troncharon las flores divinas de la fe.
Una guadaña enorme
Segó las azucenas.
45 El profeta rugiente exclamó: Nunca más.
El abismo resuena
Sobre un trueno imponente.
Pasa el cuervo de Poe graznando: Nunca más.
Después, entre los ecos
50 Perdidos y dolientes
Y entre colores tristes de infinito temblar,
Cercados de las Sombras,
Los ojos azulados,
Mirando dolorosos, no cesan de llorar.

---

36 Ms: *se murió* terminó

41 Ms: Rosonaron sob*r*erbias.

42 Ms: tron*qu*charon

48 el cuervo de Poe: alusión al poema *The raven* (El cuervo) de Edgar A. Poe. *Nevermore* (*Nunca más*, vv. 45 y 48) es el estribillo obsesionante del poema inglés. Ver también el poema juvenil de Lorca *El cuervo* (núm. 35), de enero de 1918.

49 Ms: ecos*es*

51 Ms: colorores

III

55 Hay rumores de río en la ciudad callada...
En los sagrarios hay mil temblores.
Entre las rosas y los claveles
Sonoramente dicen sus mieles
Flautas platinas de ruiseñores.

60 Vagos deseos en los ambientes.
Tiemblan los senos entre las sedas.
Sueñan los sexos.
Lujuria nace
Con brillo opaco como de estrellas.

65 ¡Ah Jueves Santo de Andalucía!
Fiesta pagana de labio y luz.
¡Ah Jueves Santo de Andalucía!
Rama vibrante de melodía.
Ojos, caderas, suspiro y cruz.

70 ¡Ah Jueves Santo de Andalucía!
Vino, guitarra, llanto y saetas.
Cópulas hondas entre miradas.
Quedan las almas enmarañadas
En las mantillas vagas e inquietas.
75 ¡Ah Jueves Santo de Andalucía!
Ritmos de tangos en los andares.
Sobre nosotros su luto vierte
La triste luna de los pesares.
¡Ah Jueves Santo de Andalucía!

⟶

---

56 Ms: hay *dulce luz* mil temblores.
58 Ms: *Pajaros dulces* sonoramente
58/59 Ms: *A la severa y sagrada cruz*
64 Ms: Co*m*n brillo
66 Ms: *cruz* luz.
68/69 Ms: *Guitarra armonium y chirimia*
73 Ms: emmaranadas
74 Ms: En las moantillass vagass e inquietass.

80 ¡Fiesta pagana de labio y luz!
Claveles, nucas, broches, peinetas,
Vino, guitarra, llanto y saetas,
Ojos, caderas, suspiro y cruz.

Se pierde Cristo
85 Por un sendero
Que iluminó...
En los altares
Arden los cirios
Que él encendió...

---

80 Ms: *cruz* luz!
81 Ms: C*a*laveles
89/ Ms: Noche del Viernes Santo. 1918.
En el verso de la hoja 4 se lee el siguiente texto:

Jesus de Nazaret

... Mirad las aves del cielo que no siembran ni siegan, ni allegan alfolies y vuestro padre celestial las alimenta: ¿No sois vosotros muchos mejores que ellas?

(Del evangelio segun San Mateo. capitulo 6. vr.26)

Divino fantasma de la eternidad
Lluvia de supremo sobre indiferencias

51
ROMANZAS CON PALABRAS

Por mi alma callada y doliente
Pasa un ritmo de angustia fatal,
Una dulce balada intranquila
Que resume mi ensueño ideal.

5 Ya llega la primavera.
¡Ay! ¡Ay! ¡ Ay!

Pasan graves dos ojos parados.
Las tristezas me quieren ahogar.
Sobre un místico sexo de hembra
10 Pensamiento se quiere posar.

Ya llega la primavera.
¡Ay! ¡Ay! ¡Ay!

31-III-1918
XXXVII
XLIV 44

---

1 Ms: *En* Por
3 Ms: *ensueño* intranquila
4 Ms: *fatal* ideal.
10 Ms: pesnamiento

Ya mi encanto se torna morado.
No podemos la dicha alcanzar.
15 La dulcísima carne se esfuma
Sonriyendo de nuestro llorar.

Ya llega la primavera.
¡Ay! ¡Ay! ¡Ay!

(1) Rosas, rosas, fuego, carne,
20 Aires frescos, luz solar.
Ya llega la primavera.
¡Ay! ¡Ay! ¡Ay!

(5) Ay mis trágicas bodas
Sin novia y sin altar.

25 ¡Ay bodas tristes de mi espíritu!
Bodas de nieve y de gris pasional,
Bodas de nardo marchito y suave,
(10) Bodas calladas de amor sin igual,
Bodas amargas con luna lejana,
30 Bodas con violas en triste confín,
Músicas sordas de fiestas perdidas,
Bodas que canta mi dulce violín.

(15) Un velo blanco de desposada
Cubre a la novia que nunca veré.

⟶

---

15 Ms: La *b*(?)dulcisima

/19 Ms: delante del v. 19 se lee, de mano ajena (¿Francisco García Lorca?): "comienza aquí". La hoja 2 lleva además el número de poema XLIV. A causa de esta doble indicación, añadimos una segunda numeración de versos a partir del verso 19, que es también el primero.

19 Ms: fuego*s*

30 Ms: triste*s*

32 Ms: *admira* canta mi *blanco* dulce violin.

35 Ella era dulce y vaga y sentida,
Era sagrario donde iba mi vida.
Pero una noche callada y dormida
(20) Como princesa de cuento se fue.
Yo fui una sombra de amor doloroso,
40 Juglar extraño de un extraño amor.
Un laúd que llevaba
Se fugó con un beso
(25) De mujer escondida que pasó.
Y fui por los caminos,
45 Cansado y doloroso,
Juglar extraño de un extraño amor,
En busca de la novia
(30) Que se fue aquella noche
En que apuré mi cáliz de dolor.
50 ¡Ay! ¡No sé donde voy!
Mi virgen va muy lejos.
Ahora quizá suspire por mi flor.
(35) Soy un fantasma raro
Que quiere lo imposible.
55 Soy hermano del triste Sagramor.
¡Ay bodas raras de mi espíritu!
Bodas desiertas de carne y pasión,
(40) Bodas de nardo marchito y suave,
Bodas que ponen luto al corazón.

---

35 Ms: dule

49 Ms: *Y Satanás me miró seductor...*
En que apure mi caliz de dolor.

50 Ms: donve

53 Ms: (?)un

55 Sagramor: protagonista del poema épico-dramático del mismo nombre (1895), obra del escritor simbolista portugués Eugénio de Castro e Almeida (Coimbra, 1869-1944). Sagramor es un típico personaje faustiano, con sueños y desengaños de ciencia, amor, religión, arte y belleza.

56 Ms: *tristes* raras

60 No lloro de poesía
Que lloro de verdad.
Mi luz se va extinguiendo
(45) Por vaga eternidad.

¡Ay mis trágicas bodas
65 Sin novia y sin altar!

---

60 Ms: *p*de
64 Ms: bodas *sin*
65/ Ms: 31 de Marzo 1918

52
VISIÓN

Eran las sedas calladas de la tarde
Y soñó mi corazón.

Un crepúsculo roto de amor
Fue la escena.
5 ¡Un crepúsculo roto de amor!

Un hombre raro vestido de rojo
Sobre un toro de plata pasó.
¿Dónde vas? ¿A quién buscas? le dije.
¿Por qué tienes color de corazón?
10 ¿Por qué llevas los ojos cerrados?

La figura sus ojos abrió
Y mirándome en verde profundo
Una inmensa amapola me dio.
¿Dónde vas, a quién buscas? le dije.

⟶

3-IV-1918
XLVI 46

---

6 Ms: *n*hombre
9 Ms: ¿Porque
13 Ms: imensa

15 ...Pero el hombre desapareció
En un trueno de sangre y de fuego
Sobre un eco de rayo de sol.
¡Ay fantasma de luto y anhelo!
¡Ay viajero de mi corazón!
20 La amapola fatal que me diste
En mi alma serena brotó.
Yo tenía un ensueño lejano,
Un ensueño de esencia y color.
¡Un ensueño! Ya ves si era grande,
25 Que en los cielos serenos chocó.
Y al llegar donde acaba lo eterno
Y no hallar más allá, se murió.
Y una lluvia de rosas marchitas
En mi espíritu blanco cayó.
30 Peregrino rojizo y siniestro
Que condensas en ti la pasión,
Peregrino que una tarde triste
Una inmensa amapola me dio.
Yo era sombra en el mundo divino
35 De la carne sedienta de amor.
Pero tú con la flor me enseñaste
El sendero genial del dolor.
¡Ay fantasma de luto y anhelo!
¡Ay viajero de mi corazón!

40 Mi espíritu vagando por la noche
Con un manto de estrellas somnolientas

→

---

18 Ms: fanta*m*sma de lu*n*to
20 Ms: ama*m*pola
21 Ms: *cayó* brotó.
28 Ms: lluv*o*ia *de ll* rosas
29 Ms: E*m*n mi *a*espiritu
33 Ms: immensa
35 Ms: de *de* amor.
39/40 Ms: Mi
40 Ms: *b* vagando
41 Ms: somñolientas

Al otro espíritu encontró...
Y la idea de Dios vaga y obscura
De la frágil conciencia se borró.
45 Ópalos de inquietud...
Un perro aulló...
Eran sexos las dos almas
Pero su alma se alejó...
Dejando ritmos de azucena.
50 Y mi amapola se entreabrió
Con las lujurias infinitas
de mi celeste concepción.
¿Dónde está el alma de mi alma?
¿Hacia qué reino se perdió?
55 ¿Era estrella? ¿rosa? ¿o luna?
¿Era sexo? ¿carne? ¿olor?
¿O era una idea perdida
De mi propio corazón?
¿Era nube? ¿sangre? ¿o aire?
60 ¿Era luz? ¿Era pasión?
O acaso era mi otra alma
Del más allá que pasó.
No puedo decir quién era
Pero su aliento me hirió.
65 Sería la vaga sombra
De mi verdadero amor
Pero sentí su imposible.
Fue un puñal que me clavó,
Que en la carne de mi pecho
70 Con sangre fría escribió:
“Yo me aposento en la luna.
Soy su luz y su color”...
Mis ojos manaron fuego

→

44 Ms: frag*u*il
48 Ms: *un*su
50 Ms: apmapola
61 Ms: O *o*acaso
62 Ms: *p*mas

Que en nardos se convirtió.
75 Un eco perdido y raro
Que mis llantos escuchó
Se entretuvo en modularlos
En un gris tono menor...

La noche callaba lenta.
80 Mi espíritu preguntó
A las estrellas sombrías:
¿Qué será de mi pasión?
Y una leyenda morada
Por mis ojos desfiló.
85 Era que estaba pasando
La vida de mi otro yo.
Yo le amo, yo le amo.
Sus besos abren mi flor.
Sus labios que no son labios
90 Morderán mi corazón...

Son ideas de mi alma,
Sus ojos de azul candor.
Sus pechos son como nieblas
De crepúsculo otoñal.
95 No tiene carne ni forma.
Es de esencia fantasmal.
Es toda sexo lejano,
Azucena virginal.
Yo le amo, yo le amo.
100 Sus besos abren mi flor,
Pero la noche me dice:
"Es inútil, ya pasó."
¿Por qué me muestras la vida?
¿Que es alma de mi ilusión?
105 ¿A qué enseñar imposibles
Que no son y que lo son?

→

78 Ms: e*mn*
102 Ms: ya*p*

Ese espíritu divino
Que temblando se perdió
¡Era mío! ¡mío! ¡mío!
110 Noche vaga de pasión,
¿Qué contestas a mi llanto?

La noche lenta calló.

Luego pasó una sombra blanca
Y búhos en procesión...
115 ...Y mi alma doliente que iba
Caminando sin forma ni ritmo,
Ocultando un deseo muriente
De un azul y glacial erotismo.

---

108 Ms: tem*p*blando
118/ Ms: 3 de Abril 1918
Noche de mi libro

53
LA IDEA

La esencia de la luz y la negrura
A un hombre rudo cuajó.
En el cerebro le puso una llama
Que a un angustioso camino alumbró...
5 Era la vaga prehistoria del alma.
No existía el corazón.

Sin rumbo marchó el hombre
Por el negro sendero,
En busca de una estrella que brillaba incons-
[ciente,
10 En busca de su propio meditar y sentir.
Pero el sendero triste entróse en el boscaje
De ramas imposibles de tronchar y morir...
...Y luchó...

Era el bosque horrible y espeso.
15 Eran sus rosas desgracia y dolor.

⟶

7-IV-1918
XLVII 47

3 Ms: ce*l*rebro le puso una *luz* llama
7 Ms: *se*(?)marchó
9 Ms: insconciente,

El alma entera quedóse muerta.
Nació potente la idea de Dios.
Pero la idea divina y noble
Halló el abismo desgarrador...
20 El hombre rudo miró a los cielos...
...Y lloró.

20-21 Ms: un solo verso
21/ Ms: 7 de Abril 1918

54
PALOMITA BLANCA

Una palomita blanca
Ayer tarde bajó al río.
Se metió dentro del agua.
Allí cantaba,
5 *Allí bailaba el amor mío.*
¡Ay, que se la lleva el agua!
¡Ay, que se la lleva el río!

(Popular)

Balada

10 Era la paloma blanca
Mi propio corazón.
Era el río lo infinito.
¡Niñas, cantad este son!

Era la mañana clara,
15 Mañana clara de Abril.

⟶

7-IV-1918
XLVIII 48

1-7 Ms: los siete vv. van enmarcados por un gran paréntesis.
6 Ms: que s*a* se
13 Ms: cantad *a* este

Los rosales y las rosas
Y los chopos del jardín
Simulaban un Otoño,
Un morir en el vivir.
20 En la fuente descansada
Que era amiga del jazmín
Que cubría los tapiales,
Copiaba el agua un confín
De inversiones soñadoras
25 De paisaje azul y gris.
Y mi alma que tenía
Anhelo de fe y de sol,
Anhelo de luz y sangre,
Vago deseo de amor,
30 Soltó su blanca paloma
En canto de ruiseñor
Hacia una nube encantada.
Ella su vuelo emprendió
Pero volvióse asustada
35 Porque un milano la vio
Y sus ojos asesinos
En los suyos los clavó.
En el obscuro horizonte
Un vago trueno tembló.
40 Era la paloma blanca
Mi doliente corazón.
Y huyendo de los murmullos
Del inmenso griterío,
Se posó serena y dulce
45 Sobre las aguas del río.

⟶

17 Ms: *A ent* Y los
19 Ms: Un mo*nu*rir
20 Ms: *soñadora* descansada
26 Ms: ten*er*ia
31 Ms: En canto canto
37 Ms: c*a*lavó.
43 Ms: immenso

Allí cantaba,
Allí bailaba el amor mío...

Era la paloma blanca
Mi propio corazón.
50 Era el río lo infinito.
¡Niñas, cantad este son!

En los rosales en germen
Una rosa se entreabrió,
Roja de un color intenso,
55 Con pétalos como labios
De diosa que no existió.
Cabeceando divina
Su rubato coquetón
Y mirándome despacio
60 (Aquella rosa miró)
Me dijo muy dulcemente:
"¡Ah!, ¡peregrino de amor!,
Sombra de una vida triste,
¿Qué dirías tú si yo
65 Te amase como si fuese
Una mujer?"... Sonrió,
Y mirándose en la fuente
Pensativa se calló.
Fue a besarla mi paloma
70 Pero la rosa murió.
¡Agonía de mi alma,
Agonía de mi flor!

⟶

---

58 rubato: término musical, de origen italiano, que indica un desequilibrio rítmico causado por el desigual valor que se da a ciertas notas, robándolo (*rubato*) a otras. Este fenómeno es característico de la música romántica, y más particularmente de Chopin.

61 Ms: dulcemte
64 Ms: dirieas
65 Ms: *q* como si fuesese
66 Ms: *y* sonrio,
67 Ms: la *fre* uete

Personaje de leyenda
Ser mi espíritu soñó.
75 Y me arrastra la corriente
De mi río abrumador
Hacia un raro bosque umbrío.
Y la palomita blanca
Era el espíritu mío.
80 *¡Ay, que se la lleva el agua!*
¡Ay, que se la lleva el río!
Niñas rubias de jardines,
Niñas pobres de mesón,
Niñas buenas de los pueblos,
85 Niñas, cantad este son.
"Era un espíritu vago
Que su forma no encontró.
Se enamoró de una rosa
Que era una princesa flor
90 Porque el mago de la vida
En eso la transformó.
Y un día sereno y dulce
En el jardín penetró
Una palomita blanca
95 Que a la rosa suspiró:
Reina rosa y perfumada,
Yo te quiero con pasión.
Tú me ves como paloma
Pero soy un corazón.
100 Reina mía, reina mía.
Pero la rosa moría."
....

→

75 Ms: Y mi arrastra
85 Ms: candad *a* este *e*sson
87 Ms: en*t*contró
89 Ms: un princesa
91 Ms: trainsform*n*ó.
96 Ms: *Rosa* Reyna
98 Ms: vez
100 Ms: Reyna

Niñas pobres de mesón
Que sabéis viejas romanzas,
Este fue mi gran amor
105 Que es un romance tranquilo,
Romance de tarde y sol,
Romance de luna llena
En una marchita flor,
Romance de llanto triste
110 De paloma que sintió,
Romance de vida eterna,
Romance que no acabó.
¡Niñas rubias de jardines
Con ojos de azul candor,
115 Cantad mi romance vago
Con sonrisas de rondó!
¡Niñas pobres de los pueblos,
Cantadlo con este son!
Una palomita blanca
120 Que era mi gran corazón,
¡Ay! ¡ay! ¡qué dolor!,
Sobre el río de la vida
Su tibio cuerpo posó.
¡Ay! ¡ay! ¡qué dolor!
125 Allí cantaba mi alma.
Allí bailaba mi amor.
¡Ay, que se la lleva el agua!
El coro triste cantó.
¡Ay, que se la lleva el agua!
....
130 Y el agua se la llevó.

Niñas rubias de jardines,
Niñas pobres de mesón,

→

---

103 Ms: *S*Que sab*ai*eis viejos romanz*o*es,
105 Ms: ramance
109 Ms: *N*Romance *que* de
114/115 Ms: Cantad tambien mi

Niñas buenas de los pueblos,
Cantad todas este son.
135 "Era la paloma blanca
Mi doliente corazón."
Niñas, cantad el romance
Y tenedme compasión.

---

136 Ms: mi *propio* doliente
138/ Ms: 7 de Abril
1918.

55
POEMA

Balada

En un fondo silencioso y reposado,
Una tarde de Mayo encantador,
Saturada de nardos y jazmines,
Tarde buena de cantos del color,
5 Entre nubes rosadas y suaves,
Se abrió un enorme corazón.

¿De quién era el corazón?

Se abrió tanto que su sangre
En la llanura cayó
10 Y el matiz verde apagado
En rojo lo convirtió...

¿De quién será el corazón?

13-IV-1918
XLIX 49

---

t Ms: *Temas viejos* Poema
2 Ms: tard*ae*
8 Ms: *y* que *la* su
10 Ms: *rojo* verde

Por unos ojos azules se derrama.
¿Será de un dulce poeta,
15 Sensitivo y soñador,
Que una pena dolorosa
Lo hizo todo corazón?

¿De quién será? ¿Será mío?
Yo sufro mucho. No. No.
20 Mis sufrimientos son pocos
Para tal transformación.
Mi dolor es hondo y fuerte
Pero fuerza no alcanzó
Para destrozar la mano
25 Que me aprieta el corazón
Y ser todo de su carne,
De su sangre y de su olor.
Sufro mi pena escondida
Pero no puedo ser yo
30 El que todo un horizonte
Es su propio corazón.

¿De quién será el corazón?

¡Nadie lo sabe, Dios mío!
¿Será esencias de poetas?
35 ¿Será enseñanza o visión
De los tristes oprimidos,
La grave esfinge del arte
Que piadosa lo enseñó?
Para enseñarnos a amarla,
40 ¿Será la vaga canción
Del sentimiento inconsciente?

⟶

---

13 Ms: se derrama *el corazon*
17 Ms: *En* Lo
21 Ms: Pa
24 Ms: destrozarla la mano
39 Ms: enseñar*l*nos
41 Ms: insconciente

Nadie en el mundo lo sabe
De quién es el corazón.

Aquella tarde de Mayo
45 Lloraban dulces cantares
Los pájaros que posaban
En las ramas.

---

46 Ms: posaba*m*n
47 Ms: en las ramas *su son...*
47/ Ms: 13 de Abril
1918.

56
BALADA DE LAS NIÑAS EN LOS JARDINES

Quieto el jardín antiguo
De pueblo misterioso.
Las fuentes dulces cantan.
Es la puesta del sol.

5 Un coro de niñas vestidas de blanco
Entonó la canción.
Era una historia de un paje enfermizo

→

13-IV-1918
L 50

1 Ms: *divino* antiguo
2 Ms: De *ciudad provinciana* pueblo misterioso
Al lado y abajo de la versión definitiva se halla: (¿que?)
4/5 Ms:
Eucaliptos celindas
Rosales madreselvas
Lirios que ya se secan
Llorando su color.
Acacias dulces, lilas, dompedros
Vago perfume de unica flor.
5 Ms: Un cor*ao que tiene amargura* de niñas vestidas de blanco
7 Ms: una *roman* historia

Que por un hada del bosque murió.
El pobre paje que muere y se borra
10 Sin conseguir su soñada ilusión.
Yo escuchaba el romance
Y lloraba a su son.
Era un ritornelo de mi corazón.

Eran lindas las niñas
15 Que cantaban de amor
Y cantaban alegres
Sin saber qué es amor.

¡Que no lo sepan nunca!
Que nunca el amargor
20 Que encierran sus secretos
Les toque al corazón.
Que sigan entonando
La trágica canción
Sin que noten la pena
25 Que guarda y el dolor
Que mana de sus versos.

Que digan a una voz :
"A la víbora víbora,
Víbora del amor."
30 Pero que no les muerda.

Una gran desilusión nació en mi alma
Al oír a las niñas su cantar.

⟶

8/9 Ms: *Era un vida de llanto angustioso*
Era una vida vibrante de amor
11 Ms: rom*ce*ance
12 Ms: llora*lla*ba
15 Ms: canta*n*ban
16/17 Ms: *Rebosando candor.*
Y reían alegres
19 Ms: el amargorse
30 Ms: al verso sigue: ¿Va esto?, a lápiz.
30/31 Ms: *Ofidio tan feroz.*

¡Pobres niñas rubitas y graciosas!
Pobres niñas que tienen al hablar
35 Harmonías de cálida inocencia.

Yo era una sombra que lloraba
Y sufría el dolor de su conciencia.
Era grato el aroma del jardín.
¡Estas niñas niñas! ¡Dios mío!
40 ¡Estas niñas!...

...Y el mañana sus velos abrió.
Un fantasma siniestro y rojizo
Sobre el coro de niñas cayó.
Y noté que era blanco mi pelo.
45 El ramaje sus ramas tronchó...
El fantasma se fue levantando
Con pausado y solemne temblor.
Y las niñas, ¡Dios mío!, las niñas,
Ya podían hablar del amor.
50 Era el coro infantil todo viejas
Que lloraban la triste canción
Y decían sus vidas horribles:
"A la víbora víbora del amor."
Y tenían los senos exhaustos
55 Por la víbora víbora del amor.
Y tenían la frente deshecha
Y cantaban su desolación:

→

---

35 Ms: calida*s*
35/36 Ms: *Una gran desilusion nacio en mi alma*
Al oir a las niñas su cantar.
37 Ms: con cien*d*cia.
41/42 Ms: *Una vieja roñosa y perver*
44 Ms: que *mi* era
45 Ms: tron*q*chó
52 Ms: *c*vidas
54 Ms: exaustos
55/56 Ms: *Y tenian el alma amargada*
Por la vivora vibora del amor
56 Ms: frente desecha

“A la víbora víbora del amor”.
Todo en la vida es eso:
60 Amor amor amor.
Todo nace y se muere
Por la víbora víbora del amor.

Yo como una sombra
Que llorara en el jardín.
65 Era la puesta del sol.

60/61 Ms: *To en la vida es negro*
triste desgarrador
63 Ms: Yo *era* como una sombra *que*
65/ Ms: 13 de Abril.
1918.

57

TARDE DE ABRIL

Quietud que transciende
A inquietud pasional
Palpita en el aire sereno y dulzón.
Llega un vago viento del rudo encinar,
5 Amoroso amante de un dulce cantar
Que lleva escondido en su corazón.
¡Oh! Qué maravilla de tarde Abrileña.
Qué ganas tan hondas
Tengo de llorar.
10 Parece que un viejo poeta dormido
Despierta en mi pecho
Para meditar

⟶

(¿entre 13 y 24?) Abril 1918
LI 51
De este poema (¿incompleto?) (MsB) existe también MsA [Quietud que transciende] vv. 1-57, que corresponden a los vv. 1-41 del MsB y con algunas variantes textuales que indicamos. El MsA sólo consta de versos de 6,7 y 8 sílabas. No damos estas diferencias de distribución versal en el aparato crítico.

---

t MsA: [Quietud que transciende]
4 MsA: *vasto* rudo
7 MsB: *a*Abrileña
8 MsB: ga*nb*nas
11 MsA: Desdierta Ms: De*n*spierta

En las inefables rimas del paisaje,
En lo que nos dice
15 Nunca nunca más,
En la flor que tiembla sobre su ramaje
Porque la guadaña
La va a destrozar,
En la pena honda
20 Que mana del monte sereno y callado,
En el olivar
Que una noche obscura
Voló la paloma
Que lleva en su pico
25 La rama de paz,
En los campesinos
Que sufren cansados sus vidas borrosas,
En la gran ciudad, llena de miserias,
Tristezas y vicios,
30 En el lupanar
Con sus jovencitas viciosas y hambrientas
Que antes fueron niñas,
En el resbalar
Del aire rosado,
35 Cargado de almas que son las que graves
Nos hacen pensar,
En mis sentimientos que me ahogan fuertes,
En mis ilusiones
Que no cuajarán.
40 ¡Oh! Qué maravilla de tarde Abrileña.
Qué ganas tan hondas tengo de llorar.
Parece que un raro
Fantasma lejano
Me envuelve en sus mantos

→

---

16 MsA: En la forel que *muere* tiembla
MsB: las flor que tiem*p*bla
18 MsA: va ha destrozar,
31 MsB: *En* Con
34 MsB: aire*re*

45 De niebla y de mar
Y me estruja lento
Mi alma solitaria
Y me dice dulce:
Tú, siempre a llorar.
50 Llora por los tristes
Que no tienen sombra.
Llora a los alegres.
Tú, siempre a llorar.
Que la vida es eso:
55 Un afán constante,
Un llanto infinito
De son otoñal,
Un camino triste
Que ilumina el sexo que en vano buscamos,
60 Un dolor fatal...
Mi alma se derrama por la vega inmensa
Que rebosa enorme gris crepuscular.
Las palpitaciones
De carros lejanos
65 Son latidos raros
En la soledad.
Van por las riberas los trabajadores
Con la azada al hombro
Gritando un cantar.
70 Mi alma se derrama por la vega inmensa
Buscando el consuelo de la eternidad.
Vienen las acequias cargadas de tarde
Arrastrando cantos color de rosal.
Sobre los olivos de grana y de plata
75 Se extiende un aliento de azul castidad.

⟶

---

56 MsB: infini*n*to
59 MsB: s*ex*o (tachado por manchas)
61 MsB: imensa
65 MsB: Son *pa* latidos
70 MsB: imensa
72 MsB: *q*cargadas
74 MsB: los *los* olivos de *rosa* granas *s* y de plata

En los campanarios de las lejanías
Las campanas quieren como preguntar
Un misterio vago
Que nadie sabrá.
80 Mi alma se derrama por la vega inmensa.
Mi alma entre la duda gris crepuscular
Se extiende vibrante
Sin alas ni forma
Sobre los perfumes gratos del habar.

---

77 MsB: campananas quie*l*ren
80 MsB: Mi a*b*lma-immensa
MsA: en el verso de la hoja 2 se lee el siguiente texto en prosa:

Habia en el pueblo gran *animacion* algazara. Era la fiesta del ultimo dia de mayo y las gentes salian [a] las calles para ver la procesion. En la plaza de la iglesia el barrullo y el griterio eran ensordecedor*o*es

58
ELEGÍA

A Paquito Roca

Qué gran crepúsculo es la antigüedad.
Sólo a dolor transciende.

¡Hogares que se perdieron
En los siglos pasados!
5 ¡Tantas madres que besaron a sus hijos!
¿¡Tantas cunas vacías!
¡Tantas tumbas!?
¿En qué sitio se fueron a posar?

Cúpulas de rosas que se marchitaron,
10 Juventudes dulces que el tiempo borró,
Senos que se irguieron, ojos que miraron,
Besos que bordaron un ramo de amor.
¿Qué mano invisible los fue recogiendo?

⟶

25-IV-1918
LII 52
edic: IG, pág. 222 (vv. 98-104)

d Paquito Roca: según fuentes familiares se trataría de un amigo granadino, compañero del Instituto y de la Universidad, muerto joven.

¿Qué manto tremendo sus formas cubrió?
15 ¿Qué noche angustiosa los fue poseyendo?
¿En dónde palpita tanto corazón?
Nada nos dicen las almas lejanas.
Revive en nosotros la angustia fatal.
Los siglos pasaron dejando por huellas
20 Hogares vacíos. Esencia mortal.
Los niños cantaron romances de prosa
En jardines dulces bañados del sol.
Divinas mujeres posaron sus labios
En otros que estaban sedientos de amor.
25 Y los nardos y las rosas y los lirios,
Pero el viento de la muerte los barrió.
¡Hogares que se perdieron
En los siglos pasados!

¿Para qué sirvieron las lágrimas santas
30 De las madres buenas? ¿Para qué el dolor
De razas enteras que fueron al polvo
Después de potente y glorioso esplendor?
¿Para qué los ojos que hicieron poesías
Sobre tanto y tanto pobre corazón?
35 ¿Para qué la carne sedosa y rosada?
¿Para qué fuerte y vibrante pasión?
¡Qué huellas dejaron los siglos pasados!
Tristezas de enigmas y desilusión,
Ciriales de oro que pocos alumbran,
40 Dolores que noches de amarguras son.
¿Para qué sirvieron los hombres pasados
Que no resolvieron el problema atroz?
Derramaron graves ánforas de ideas

⟶

26 Ms: *El viento los barrio* Pero el viento de la muerte los barrio.
30 Ms: De las *el buen* madres
32 Ms: de *un* potente
33 Ms: Pa*q*ra
36 Ms: *dul* fuerte
39 Ms: *E*Ciriales
40 Ms: no*s*ches

Que cayeron donde nadie las oyó.
45 La noche que llega con la muerte triste
Que mis labios dicen: "Esto se acabó."
Fatal estribillo de sangre y de podre
Que en hondos abismos nos sume feroz.
Hogares que se fueron para siempre.
50 ¡Ah, qué pena, qué pena! ¡Qué dolor!
Cunas vacías que sólo agita el viento
De lo eterno fatal y aplanador.
Fuegos que se apagaron y risas que se fueron.
¡Ah, qué pena, qué pena! ¡Qué dolor!
55 Amores bajo lunas. Sonatas que murieron
En un clave infinito que el viento moduló.
Soles y atardeceres que lentos desfilaron.
Perfumes que nos llegan de aquello que pasó.

¿Qué será de nosotros?
60 ¿Qué tienes, corazón?
¿Es que piensas clavarte
Coronas de pasión
Para tú desgarrarte?
¿Qué será de nosotros
65 En la gran confusión?

Anhelos, torturas, pasiones,
Pecados, maldades, error.
Todo igual en el tiempo aplastante,
Todo trágico y desgarrador.
70 ¡Qué dolor de las madres tranquilas!
¡Qué dolor de mujeres en flor

⟶

44 Ms: *me*nadie
47 Ms: Fat*l*al
49 Ms: fuer*a*on
51 Ms: *un* el viento
52 Ms: *l*eterno
53 Ms: apagon
55 Ms: bajo*s*
56 Ms: c*o*lave

Que gustaron marfil de la muerte
Sin haber vislumbrado el amor!
¡Qué tristeza de fuerzas gastadas!
75 ¡Qué tristeza! ¡Qué desilusión!
El pensar los hogares vacíos
Que murieron faltos de calor...
¿Qué será de nosotros
En la gran confusión?

80 Dadme estrellas y rosas y nardos,
Dadme vida y música y sol,
Dadme labios y ojos y besos,
Impregnarme de viva pasión.
Yo os daré gratitud en mis versos
85 Y la sangre de mi corazón.

Sumergirme en un lago de fuego,
Dadme el ave ideal del amor,
Dadme blondas de tenues suspiros,
Entonadme una dulce canción.
90 ¡Ah mis grises y lejanas hadas!
Yo os daré gratitud de mis versos
Y la sangre de mi corazón.

No me muero, no quiero morirme.
Tengo anhelos de fe, gran pasión.

→

---

73 Ms: Sin hablar vislumbrado
76 Ms: *tań* los hogares vacias
80 Ms: *jazmines* nardos
83 Ms: de visa (?) pasion
86 Ms: la*d*go
88 Ms: blo*b*ndas
89 Ms: Entonadm*a*e
91 Ms: *mi gran rosa encarnada*
gratitud (?) de mis versos
92/93 Ms: *Dadme estrellas y rosas y nardos vida*
Dadme vida nar y musica y sol

Aquí acababa primero el poema. Tanto la firma *Federico* como la fecha primitiva *24 de Abril 1918* aparecen bajo los versos 93 ss. luego añadidos.

95 Tengo el alma poblada de nubes.
Tengo lirios temblando de amor
Y mi hogar vivirá eternamente.
¡Santo Dios! ¡Santo Dios!, compasión
De mis ojos que lloran de ausencias
100 De otros ojos que míos no son.
De mi lento sentir doloroso
Que en un trueno de oro partió
A una luna brumosa y eterna
Donde firme sus alas plegó.
105 No me muero. No quiero morirme.
Ni mi hogar morirá. ¡Santo Dios!
Dadme estrellas y rosas de vida.
Dadme nardos y música y sol.

¡Qué gran crepúsculo es la antigüedad!
110 ¡Sólo a dolor transciende!
¡Sólo a dolor!

---

95 Ms: poblada nubes.
101 Ms: *dulce* lento
103 Ms: A *nu*una
105 Ms: No *no*me
107 Ms: ros*as*as
111/ Ms: 25 de Abril 1918
Federico

59
UNOS VERSOS POBRES Y ABURRIDOS

Se troncha la azucena
Del corazón doliente.
¿Dónde iremos pausados
Sin ritmo y sin ventura?
5 Es el mundo muy grande
Y la vida muy corta
Y es el alma un sendero
De fúnebre negrura.
Habrá mágicas manos
10 Que sepan producirnos
Rumores en el arpa
De nuestro corazón.
Y la música dulce
Del fondo de la vida
15 No sonará vibrante
Sus luces de ilusión.
¡Ah, qué cortos caminos
Y cuántos corazones!
Se rompe nuestra vida,

→

29-IV-1918
LIII 53

4 Ms: *rim* ritmo

20 Se esfuma nuestro amor.
La muerte llega lenta
Con su enorme guadaña.
Y al ver el gran camino
Donde tan cruel se ensaña,
25 Se troncha la azucena
De nuestro corazón.

26/ Ms: 29 Abril 1918 maña*d*na

En el verso de la hoja se leen los siguientes versos:

¡Que angustiosa emocion
Nos invade
Al recordar los hogares perdidos!
Soñolencias de amor
Que se fueron
Vagas horas de sol
Que murieron

Estos 7 vv. parecen haber formado parte del poema anterior *Elegía* (cfr. los vv. 4-5, 19-20, 27-28, 49-50, 66-67).

60

EL ENCANTO DEL AZAHAR DE LAS NOVIAS

Estaba triste y mudo el azahar
Y yo le pregunté:
¡Salve!, dulce adorno de las novias,
Blanco enigma de la felicidad,
5 Presagiador de pureza en el sexo
Con aroma casto de fecundidad.
Flor de ensueño en las almas de virgen,
Gran heraldo de noches de amor
Que pareces rocío congelado,
10 Pedrería con vida y con olor.
Tenue prehistoria de la naranja
Que evocas místico a la cuna,
Vago nocturno de perfume,
Rayo cuajado de la luna.

⟶

30-IV-1918
LIV 54

---

1 Ms: *blanco* triste
2 Ms: le [...?] pregunté:
3 Ms: a*l*dorno
5 Ms: purez*as*a
11 Ms: pre*i*historia

15 ¿Te quieren mucho todas las novias?
Dulces sentires te contarán.

Pero noté que perlas lloraban
Las blancas flores del azahar.
¿Por qué sollozas, flor venturosa?
20 ¿Por qué sollozas?, yo repetí.
"Porque no saben, al verme blanco,
Toda la pena que vive en mí.
¡Ay!, tú no sabes que yo corono
Las puras frentes de la mujer,
25 Y al arrancarme fieros del árbol
Yo mis ensueños no puedo ver.
Que sólo broto por ser naranja.
Y si me arrancan de mi vergel
No hay mediodía, sólo soy infancia,
30 Sólo contemplo mi amanecer.
Luego las novias. ¡Ay! ¡Qué tristeza!
Si tú supieras qué compasión
Me inspiran esos fantasmas vagos
A quien adorno su corazón.
35 Pasan los días las pobres novias
Cuando me guardan en viejo arcón.
Me besan tristes con tristes besos,
Muertos clamores de su ilusión.
Por eso lloro dulce y sentido
40 Toda la pena que hay en mi ser.
He visto tanto amor que se muere
Que yo seguro marchitaré..."

Estaba llorando el azahar.
Yo también sollocé.

---

16 Ms: *Ellas te cuentan dulces sentires.* Dulces sentires te contaran.
19 Ms: f*ra*lor
33 Ms: inspiras
44 Ms: sollozé
44/ Ms: 30 de Abril Tarde.

61

UNOS VERSOS POBRES Y DOLOROSOS

¿En qué sendero dulce se abrió nuestro poema,
El trágico poema de nuestro corazón?
En una noche obscura se abrió mi rosa negra
Porque mi rosa blanca sus pétalos cerró.

5 La inocencia que muere al ver en lontananza
Los cuernos tenebrosos del sátiro carnal
Que despierta en el pecho y oculta nuestra alma
Y nos rasga los velos de encanto virginal.

El corazón exclama: Te quiero y no te quiero.
10 Soy tuyo y no soy tuyo. Y el sátiro: Ja ja,
Eres mío, muy mío... y le clava una flecha.
Y el corazón solloza lleno de vaguedad...

30-IV-1918
LV

---

6 Ms: car*m*nal
10 Ms: *y* Y el satiro
11 Ms: un flegcha

La muerte llega grave y dice: ¿Cuándo voy?
Que mi parque de ensueño espera al corazón.
15 Y el corazón que dice: ¡Ay de mi rosa blanca!
¡Ay de mi rosa blanca que pronto marchitó!

Diálogo infinito en el alma que siente
El peso de la vida. La muerte. El corazón.
Y las penas que vagas y lentas nos dominan
20 Nos dicen soñolientas en momentos de amor:
¿Adónde vais perdidos con vuestros pensamientos?
¿Por qué no sumergisteis en gris vuestra pasión?
Y la muerte: Es lo mismo, mi beso la termina.
El alma: El infinito no tiene solución.
25 El hombre: Los dolores destrozan mis entrañas.
¿Qué será de mi pobre y triste corazón?
Y el corazón solloza: ¡Ay de mi rosa blanca!
¡Ay de mi rosa blanca que pronto marchitó!

---

14 Ms: par*le*que
17 Ms: sienta
18 Ms: p*a*eso
19 Ms: domina*s*n
20 Ms: somñolientas
22 Ms: ¿Porque no sumergiteis
23 Ms: *lo*beso
26 Ms: tri*r*ste
28/ Ms: 30 de Abril.

62

ARIA DE PRIMAVERA
QUE ES CASI UNA ELEGÍA DEL MES DE OCTUBRE

Primavera de los valles
Asómate a tu balcón.

(POPULAR)

Tus rosales, Primavera,
5 Senos de muchachas son.
Y tus gloriosos claveles
Labios de muchachas son.
Y tus lirios nazarenos
Ojos de muchachas son.
10 Ojos lirios que asesinan
A mi pobre corazón.
Primavera vaga y rubia

⟶

30-IV-1918
LVI 56
Edic.: IG, pág. 222 (vv. 85-106)

t Ms: Octuble
t/1 Ms: *Si la nieve resbala...*
Balada
2 Ms: b*la*alcon.
12 Ms: *negra* vaga

Y morena y sin color,
Primavera de las niñas,
15 De las flores, del amor,
Primavera de los valles,
Asómate a tu balcón.
Asómate aunque en mi pecho
Brote mi antigua pasión.
20 Asómate aunque mis ojos
Ciegue con tu resplandor
Aurora de vida nueva.
Se muere mi corazón
Por aquellos ojos dulces
25 Que una niebla se llevó
En un claro de crepúsculo
Que a alma antigua transcendió.
En el fondo de mi carne
El alma se desató.
30 Fue una vaga primavera,
Fue en Abril encantador
Cuando ella vino y se fue
Por los senderos en flor.
Yo casi fui como un lirio
35 Todo ojos. Corazón
Se derramó en el sendero,
Trágico y desgarrador,
Queriendo buscar las huellas
Que ella lánguida dejó.
40 Otoño entró dentro el alma,
Otoño en el corazón.
De otoño fueron mis versos,
Bruma constante en mi amor.

⟶

17 Ms: b*l*alcon.
19 Ms: *Estallene de dgran pasion* Brote mi antigua pasion.
25 Ms: se *perdi* llevo
30 Ms: una *cla*vaga
43 Ms: B*u*ruma cons*s*tante

Que secos tengo los ojos
45 De llorar desilusión.
Bruma cálida en mi pecho
Donde mi lira murió.
¿A qué una lira dorada
Si mi encanto se tronchó?
50 El poeta canta triste:
Ya se fue mi corazón.
Quiere decir un arpegio
Espléndido y juguetón
Y en vez de lira resuena
55 El quejido de un fagot.
Quiere cantar las estrellas
En la noche soñolienta
Y sólo ve sus querellas
Y sus dolores con ellas
60 En su alma de tormenta.
Quiere cantar una rosa
Serena, dulce y rosada
Y sólo siente en su alma
Sonámbula y torturada
65 Una espina dolorosa,
Y en su cabeza nevada
Por el tiempo que le acosa,
Una mano descarnada
Que lo hunde en una fosa.
70 Quiere llorar y no puede.
El cantar será con él.
Quiere ver sol y ve nieve

⟶

44-45 Ms: un solo verso
48 Ms: li*l*ra
50 Ms: t*i*rsite
53 Ms: *Los esp*Esplendido
56 Ms: Quier*o*e
57 Ms: somñolienta
61 Ms: Quire
61-62 Ms: un solo verso
65 Ms: dolor*a*osa,

En su callado vergel.
Sueña con rosas, con nardos,
75 Con lirios, con azahar,
Con los blancos jazmineros
Llenos de luz del poniente...
Con el mármol de la fuente,
Con el agua y su llorar.
80 Pero el alma que está herida
Sólo ve negros cipreses,
Lentos gritos, graves preces
De un crepúsculo que pasa
Sin querer nunca acabar.
85 No es aria de primavera
Lo que canto. Es verdad.
Pero el alma que está herida
De una mano traicionera,
Al cantar la primavera,
90 Se traiciona en su cantar.
¡Qué tristeza tan inmensa
Es ser joven y no serlo!
Ver la vida que transcurre
Sin poderla contemplar,
95 Con los ojos juveniles
Arrasados en amores,
Y en labios frescos y rojos
Su sangre y su luz libar.
¡Qué tristeza tan inmensa
100 Es tener el pensamiento
Siempre puesto en unos ojos
Que nunca míos serán!

→

76 Ms: ja*s*zmineros
81 Ms: cipreces
89 Ms: la *la*primavera,
90 Ms: *se*traiciona
93 Ms: transcur*e*re
99 Ms: tan *le*imemse
100 Ms: tener el *el*

Y sufrir eternamente
El monótono tormento
105 De la rima en que se dice:
"Esas ya no volverán".
Golondrinas que se fueron
Y que Bécquer lloró tanto
Como ideas de mi alma
110 Que el tiempo lento borró.
La Baldour que ya no oye
Los acentos de mi canto
Se marchita en su leyenda
Junto al clave de mi amor.
115 ¡Qué tristeza tan inmensa
Es tener el alma clara!
¡Qué tristeza tan inmensa
Es tener un corazón
Que su sangre sea de luna,
120 Y su forma de azucena,
Y su aroma sea una pena
Que no tenga solución!
¡Qué tristeza tan inmensa

⟶

---

103 Ms: su*b*frir

105-108 alusión al tema y al texto de la *Rima* LIII, *Volverán las oscuras golondrinas*, de Gustavo A. Bécquer.

108 Ms: Beccquer

109 Ms: *La*Como

111 la Baldour: el personaje literario de la Baldour y su leyenda (v. 113) provienen de la *Légende du beau Pécopin et de la belle Bauldour* que se lee en la carta 21 de *Le Rhin. Lettres à un ami* (1842) de Victor Hugo. Ver también otro poema juvenil, del 6 de junio de 1918, *Leyenda a medio abrir* (núm. 74) y las notas correspondientes.

114 Ms: *Como el* Junto al

115 Ms: imensa *es t*

116/117 Ms: *Desde niño iluminada*
Por la nluna del amor

117 Ms: imensa

119 Ms: sea *la* de

120 Ms: *Que* Y

123 Ms: imensa

Es tener por horizonte
125 Un crepúsculo de Otoño
Sin querer nunca acabar!
Unos ojos que no miran,
Una lira que no suena,
Y unas manos transparentes
130 Que no la pueden pulsar.
Primavera vaporosa,
Fragante, recién nacida,
Puerta cerrada a mi alma,
Yo no te puedo cantar.
135 Tus rosas frescas y lindas,
Tus aguas claras y mansas,
Tus árboles de esmeraldas,
Tus azules, tu azahar,
Tus campanas, tus palomas,
140 Tus nidos. El susurrar
De los bosques en tus noches
De estrellas. Borbotear
De tu sangre y de tu vida.
Tus músicas y tu paz
145 Son niebla gris en mi alma
Y no te puedo cantar.
Primavera florecida,
Primavera del amar.

Sólo veo en ti la novia
150 Que perdió mi corazón
Y las novias que perdieron
Mis hermanos en amor
En los siglos que se fueron.

⟶

---

124 Ms: "por" cubierto por una mancha de tinta
126/127 Ms: *Una lira que no suena*
Unos ojos que no miran
128 Ms: Una lira que suena - Hemos corregido atendiendo al sentido y a la métrica.
137 Ms: es*p*meraldas,
138 Ms: *E* Tu a*h*zahar

Sólo veo en ti el ardor
155 Que te prestan vagos sexos
Que tu viento se llevó.
Metempsicosis extrañas
De una carne a una flor.
Esas rosas que se ocultan
160 Entre el ramaje temblón,
Cálidas y reposadas,
Marfil y oro su color,
Son como un eco de sexos
De vírgenes sin amor
165 Que lánguidas se tornaron
De mujer a sexo flor.
Y esas peonías henchidas,
Lujuria en rosa mayor,
Sexos de mujer potente,
170 Fecunda, brava, feroz.
¡Primavera de los valles,
Asómate a tu balcón!
En los aires cristalinos
Hay músicas en honor
175 De Venus virgen y madre,
Símbolo franco de amor
Que en todas las religiones
El hombre sabio implantó.
De Pan anciano y galante,
180 De Jupiter amador.
Pero el triste peregrino
De mi alma soñador
Se fue en busca de su ángel

⟶

154 Ms: voe
157 Ms: Metempsigcosis
metempsicosis: conversión del alma de una cosa en otra. El poeta lo explica más abajo (cfr. vv. 165-166 ss).
168 Ms: *men*mayor
171 Ms: Primaveras
181-182 Ms: Pero el triste *me* peregrino de mi alma / Soñador
183 Ms: *al encuentro* en busca

Y a un espectro se encontró.
185 Primavera vaporosa,
Tú eres bella, pero yo
Te canto con alma herida
Y con muerto corazón.
Primavera de los valles,
190 *Asómate a tu balcón,*
Que tus rosales divinos
Senos de muchachas son.
Y las gotas de rocío
Gotas de su leche son.
195 Y tus gloriosos claveles
Labios de muchachas son.
Y tus lirios nazarenos
Ojos de muchachas son.
Ojos lirios que asesinan
200 A mi pobre corazón.
Primavera vaga y rubia
Y morena y sin color,
Primavera de las niñas,
De las flores, del amor,
205 Primavera de los valles,
En ti se fue mi ilusión.

La primera de mi vida.
La última tal vez...

---

186 Ms: Tu*s* (?) eres
188 Ms: *triste* muerto
194 Ms: *lejan* leche
197 Ms: li*l*rios
208/ Ms: 30 de Abril
Tarde. Federico

63
[SONRISAS DULCES DE LA MUJER]

¡Sonrisas dulces de la mujer!
¡Mañanas de primavera!

Trozos de un cielo muy azul
Que es todo para uno.
5 Vagos poemas de rubí,
Arcas de esencias que se abren
Con rico fondo de marfil.
Nubes divinas de pesares
Que nos adornan de un rocío
10 De tenues perlas pasionales.
Muecas gloriosas que transcienden
A calidez casi de sexos.
Anunciadoras de los besos
Que al alma matan y la encienden.
15 Lentas auroras de la sangre,

→

6-V-1918
57

4 Ms: Que*s* es
9 Ms: roci*ao*
13 Ms: *Pre* Anunciadoras
14/15 Ms: *¡Sonrisas dulces de la mujer*
¡Mañanas de primavera!

Ráfagas rojas de placer,
Placer que mata y desespera.

Sonrisas dulces de la mujer.
Mañanas de primavera.

20 La boca es como un ojo que mira y que habla.
Dios nos libre y nos acerque a él.
Ojo profético por el cual suspiramos.
Ojo del verbo.
Grata colmena de infinita miel.
25 ¡Mañanas de primavera!
¡Sonrisas de la mujer!

---

16 Ms: rosjas de plazacer,
17 Ms: Plazer
18 Ms: Sors*in*risas
20 Ms: un ojos que mirra
22 Ms: Ojor profetico por el cu*e*al suspiramos.
23 Ms: Ojo del ver[?]o. Nuestra lectura es hipotética.
26/ Ms: 6 de Mayo

64
[QUE NADIE SEPA NUNCA MI SECRETO]

Que nadie sepa nunca mi secreto.
El secreto de mi corazón.

En esta clara mañana de Mayo,
¡Oh!, ¡las rosas, las palmas, las nubes!
5 Y el cielo muy azul, las aguas mansas
Y una vaga floración de atardecer.
En esta clara mañana de Mayo,
En que las dichas sus flores alcanzan,
¡Qué amargura tan dulce es querer
10 Con amor imposible y doliente!
Casi casi como una mujer
Que arrumbada en un lecho perdido,
Arrugada, podrida y deshecha,
Suspirara por príncipes blancos
15 En el reino fatal del olvido.

⟶

7-V-1918
58

4 Ms: rosas! *y* las palmas *y* las nubes!
5 Ms: azul *y* las aguas
8 Ms: *Cuan* En que las
9 Ms: ¡Que! a*n*margura tan dulce *se siente* es querer
13 Ms: desecha
15 Ms: olvid*aro*

Esta clara mañana de Mayo.
Rayos de sol. Sobornos
A la diosa Pereza que despierta.
¡Cuántos niños que corren! ¡Cuántas fuentes!
20 Y el río, qué dulzura, tenue siesta.
Entre las hojas canta el agua.
Miel de grises, de morados, de amarillos.
Risas raras de platinos y de soles.
Abismáticos ensueños de los brillos
25 Que se agitan como estrellas alargadas
En brumosos y topacios resplandores.

¿Qué tendrá mi corazón en esta clara mañana?
Tristeza que ya me ahoga.
¿Quién es quien toca a mi espalda?
30 No me atrevo a entrar en sombra
Y el crepúsculo me abraza.
No me atrevo a oler los nardos
Y el cuervo a mi lado grazna.
He visto un raro perfil en una sombra que pasa.
35 ¿Qué tendrá mi corazón en esta mañana clara?
¡Ay, que siento que no late!
Que me clavan una garra.
Oro que es niebla del poniente
Son sus ojos que me matan.
40 Azucena de la tarde es mi corazón sin alma.
¡Ay, que siento vagos pasos!
¿Quién es quien toca a mi espalda?

¡Ay, Dios mío!, ¡vete!, ¡vente!,
Sombra opaca que me tapas.
45 ¡Ah! ¡Sus ojos! Era ella...pero...

⟶

29 Ms: ¿Quie*s*n es quien toca a mi esp*len*alda?
32 Ms: ol*o*er
36 Ms: lat*e*e
38 Ms: *Que* Oro que es niebla *gris*
41 Ms: vago pasos
44 Ms: o*jo*paca

Luna rosa, aguarda, aguarda.
Carne de ella. Nunca nunca.
Carne rubia y reposada
No puede darme jamás
50 El fantasma de mi espalda.
¡Ah! ¡Dios mío, que es la muerte!
¡Qué tristeza desolada!

¡Ay, su mano, cómo aprieta
En mi carne macerada!

55 Pero nadie sobre el mundo
Sabrá mi secreto. ¡Aguarda,
Aguarda, Luna rosada!,
Que yo me iré a tu reinado,
Blanco como desposada.

60 Pasa un soplo que me hiere
En el alma desolada.

¿Qué tendrá mi corazón en esta mañana clara?

---

49 Ms: pued*a*e dar*te*me *a*
50 Ms: El fanta*n*sma de *tu* mi esp*l*alda.
53 Ms: ¡Ay Su*m*mamo
54 Ms: *desolada* macerada...
56 Ms: Sabréá
60 Ms: so*l*plo
62/ Ms: 7 de Mayo 1918
Federico

65

LETANÍA DEL ARROYO

¿Adónde vas arroyo
Con el agua tan clara?
¿Quieres llevarte mi corazón?
Eres amigo de las mañanas,
5 Eres abismo de plata y sol,
Eres maestro de la sonrisa,
Miel de colmena que gusta Dios.
Grato consuelo para el poeta
Que en sus orillas soñar pensó.
10 Limpio reguero de pena alegre,
Atolondrado buen rimador
Que canta grave su verso eterno
Huyendo triste de su pasión.
Foederis arca de los crepúsculos

⟶

9-V-1918
59

---

t Ms: Letan*a*ía
1 Ms: arroyo *con el agua*
6 Ms: de la*s* sonri*n*sa,
7 Ms: Miel de colmena / Que gusta Dios.
11 Ms: *mal* buen
14 Ms: Federis
Foederis arca: fórmula latina utilizada para designar el arca

15 Que en ti conservan vida y color.
Voluptuoso de las campiñas
Que te retuerces ensoñador
Por los sembrados dulces y quietos
Y te estremeces como las niñas
20 De quince mayos con el amor.
Gran cabellera de luna llena,
Hebra divina del verde mar,
Blanca serpiente de única tarde,
Impenitente con su llorar,
25 Símbolo triste de nuestra vida
Con su indolente pasar pasar.
Tu linfa es sangre pálida y muerta,
Tema ya viejo para rimar.
Honda saeta que graba en tierra
30 Dos labios verdes sin palpitar.
Boca entreabierta que ríe siempre.
Boca que nunca puede besar.
Expresión vaga de Madre Tierra.
Boca que tiene a la inmensidad
35 Con sus estrellas siempre delante
Pero que nunca puede besar.
Violín, pandero, clarín y sistro
Que claro anuncia al padre sol.
¿Adónde marchas arroyo bueno?
40 ¿Quieres llevarte mi corazón?
Juglar dulce de chopos y el saúco,
De los mimbres y lirios confesor,
Consejero de ranas y zorzales,
Gran pasión de las fuentes virginales
45 Que te entregan sus sangres con amor.

⟶

---

de la alianza del Antiguo Testamento, una de las advocaciones de la letanía de la Virgen (cfr. título).

24 Ms: Impe*t*niten*n*te
34 Ms: immensidad
39 Ms: *claro* bueno?
41 Ms: de *los* chopos
42 Ms: las mimbres

¡Cuántos senos de muchachas habrás visto!
¡Cuántas bocas que sedientas te sangraron!
¡Viva cinta siempre vieja y siempre joven!
¡Cuántos, cuántos poetas te cantaron!

50 Eres el semen de los campos,
Dulce frescura, potencia y luz.
Vas entre chopos grave pensando
Cómo serías tú siempre azul.
Que es muy difícil el poseerlo.
55 ¡Azul! ¡Qué lejos está el azul!
Tú mientras tanto vas ensoñando
Y a Madre Tierra vas enseñando
Un solo ritmo que tienes tú.
Tenue secreto para el amante
60 Que llora lento desilusión.
Arroyo claro que vas cantando,
¿Quieres llevarte mi corazón?

---

47 Ms: cuantoas *lab* bocas
52 Ms: *como* grave
53 Ms: *Que tu* Como
56 Ms: *Y* Tu
57 Ms: *acariciando* vas enseñando
61 Ms: arro*l*yo clar*a*o
62/ Ms: 9 de Mayo

66

AIRE POPULAR DEL DÍA DE LA SANTA CRUZ

Mozuelas de la cruz,
¡Qué blanquitas están!
Con las cálidas rosas
Que miran temblorosas
5 En los senos tranquilos
Que meciéndose van.

Cruz de rosas de Mayo,
Cristiana enamorada,
Que te formaron manos
10 De carnes enlutadas,
Que lo moreno es luto
De almas apasionadas.
Cruz de rosas de Mayo,
Como una estrella blanca
15 Cuyos picos troncharon

⟶

11-V-1918
60

t el día de la Santa Cruz: festividad religiosa de la Invención de la Cruz, celebrada en el mes de Mayo y para cuya ocasión se hacen cruces que se adornan con ramos de flores, especialmente de rosas.
4 Ms: tembo*l*orosas
6 Ms: m*e*eciendose

Las manos enlutadas
Que casi manan sangre
De puro enamoradas.
Cruz de rosas de Mayo,
20 Que te llena de gracia
Sudor de carne recia,
Olor de flores bravas,
Mordiscos en los labios,
Enlaces de miradas,
25 Quejidos de las coplas
Sangrientas y veladas,
Tormentas olorosas
De rosas deshojadas,
Mantones de manila
30 Amarillos y grana,
Como carnes sedosas
De mujeres paradas,
Como hogueras pastosas
Con los flecos por llamas.
35 Cruz de rosas de Mayo
Viva y petrificada.
Cascada silenciosa
De flores encarnadas
Es tu altar rumoroso
40 Donde lloras sentada
Entre rubios claveles,
Viva y petrificada.
Cruz de rosas de Mayo,
Que te llenan de gracia
45 Las danzas lujuriosas

⟶

17-18 Ms: un solo verso
20 Ms: llena*n*
22 Ms: *ros* flores
22/23 Ms: *Repique de las palmas*
Pianillos y guitarras
23 Ms: las labi*a*os
28 Ms: *flo* rosas
41 Ms: Entre *ru*ro*bios* claveles

De mozas enceladas,
El léxico solemne
De lenguas que no hablan,
Que pasean los labios
50 Ansiosas y agitadas,
El tapiz de deseos
Que bordan a tus plantas
Las lánguidas parejas
Que se miran y callan,
55 Los hombros encogidos,
Cabezas despeinadas
Y un polen en el aire
Que es lujuria cuajada.
Cada boca entreabierta
60 Es estrella esmaltada
Por el sol anhelante
Que acaricia y abraza.
Cada brazo desnudo
Es un arco de nácar,
65 Una curva de arroyo
Repleto de biznagas,
Tentáculo caliente
Que hacia el cielo se alza
Como un rayo de carne
70 Sedosa y soleada.
Cruz de rosas de Mayo,
Viva y petrificada,
Que te abres soñolienta,
Borracha de miradas.
75 Cruz de rosas de Mayo,
Tan ruda y delicada,

→

47-48 Ms: un solo verso
54 Ms: *te* se
60 Ms: es*l*maltada
61 Ms: anhelant*a*e
64 Ms: na*r*car
76 Ms: *Y* tan

Celestina de un baile
Que a tu sombra se ampara
Y pone a los mozuelos
80 Y a las mozuelas vagas
Tinieblas en los ojos
Y marfil en las caras.
Cruz de rosas de Mayo
De Sevilla y Granada,
85 Que te formaron manos
De carnes enlutadas.
¡Salve gloriosa y triste!
En un patio sentada
Sobre un acorde blanco
90 Con rosas encarnadas,
Entre gotas de fuego,
Pianillos y guitarras.
Salve cruz andaluza
Como una estrella blanca.

95 Mozuelas de la cruz,
¡Qué blanquitas están!
Con las cálidas rosas
Que miran temblorosas
En los senos tranquilos
100 Que meciéndose van.

---

78 Ms: sombre
88 Ms: En *y* un
89 Ms: Sobre un un acord*a*e
90/91 Ms: *¡Salve cruz andaluza!*
100/ Ms: 11 de Mayo (a las 6 de la tarde)
1918
Federico

67
TABLAS

Fondo rojo y dorado con matices azules,
Opacos tornasoles como de cachemira,
Dos ángeles que escuchan la música celeste
Que mana de sus manos al pulsar el laúd,
5 Una virgen muy blanca, parada y primitiva,
Con un niño rechoncho que sonríe o suspira
Con los ojos abiertos en una aurora azul.
El halo de la virgen es encaje de oro,
Arabesco sereno de esmeralda y carmín.
10 En el suelo hay un prado de flores diamantinas,
Unas gradas de mármol quietas y alabastrinas,
Y en ellas entreabriendo calideces divinas
Una rosa aromada con las tintas más finas
Le sirve a la Madona de cálido copín.
15 ¡Estas vírgenes buenas de los cuadros antiguos!
Como eternas Giocondas con aire sonriente
Tienen la boca dulce, apagada y prístina,

⟶

11-V-1918
61

---

4 Ms: mana*n*
9 Ms: carmin*a*
11 Ms: *Y* Unas gradas de ma*l*rmol
16 Ms: *de* con aire sonriente*s*

Dando un beso infinito que es de pureza fuente,
Estrella acariciada por la luz matutina.
20 Y en la tabla divina donde el pintor soñara
Hay color de suspiros y giros de balada
Religiosa y profunda melodía sagrada.
Y hay colores de tarde de un Otoño imposible
Y hay sedas infinitas de ritmo medioeval,
25 Seda que es casi carne de cosa inaccesible.
Y el aire de la tabla es vago e intangible
Y entre el aire del tiempo un eco de ideal.
Dulces tablas antiguas de pintores ingenuos,
Artistas silenciosos que pintaban llorando
30 Oraciones prístinas de cristianos señores.
Solitarios arbustos. Sus tablas eran flores
Que nacían serenas cuando estaban soñando.
Maestro Gandolfino, Marone, Canavesio
Piemontese, Zenale, Masolino, Fra Angélico.
35 Románticos del pliegue y de la línea clara,
De los ángeles chicos, de las nubes rosadas.
Dulces tablas antiguas de pintores ingenuos,
Genios dulces de ritmos y perspectivas amplias,
→

---

18 Ms: queses
20 Ms: *l*en la tabla divina *en*donde
23 Ms: de *d*tarde de un O*n*toño imp*l*osible
24 Ms: *m*edioeval
33-34 El poeta menciona en estos versos un grupo de pintores italianos de los siglos XIV-XVI. Todos ellos cuentan con numerosas obras religiosas.
Maestro Gandolfino: Gandolfino d'Asti (Piamonte) de finales del siglo XV y principios del XVI.
Marone: podría tratarse de Pietro (1548-1625), activo sobre todo en la región de Brescia, o de Jacopo (siglo XVI) que trabajaba en Piamonte.
Canavesio Piemontese: Giovanni Canavesio, del último cuarto del siglo XV, originario de Piamonte.
Zenale: Bernardino Zenale († 1526), pintor y arquitecto (Milán, Bérgamo y Brescia).
Masolino: Tommaso di Cristoforo Fini, llamado Masolino da Panicale (fin.s.XIV-med.s.XV), representante del mejor arte gótico italiano.
fra Angélico: Giovanni da Fiesole, el beato Angélico (1387-1455).
38 Ms: y *de* perpestivas

Simbólicos y niños que ven apariciones
40 De una misma señora pensativa y callada.
Vosotros meditabais mirando los crepúsculos,
A los claros colores les cortabais las alas
Y luego los volcabais en las tablas ansiosas
De recibir tan grande y tan solemne gracia.
45 Por eso vuestros cuadros son tardes de colores
Que vuestros ojos vieron en tardes ya pasadas.

46/ Ms: 11 de Mayo. 1918.
Federico

68
CREPÚSCULO

Por el blanco camino
Bajo el muerto crepúsculo
Dos vacas lentas van.
Los pinos parasoles
5 Dibujan en el fondo
Sobre la luz de sangre
(Matiz crepuscular)
Sus tallos como venas
Enormes que latieran
10 Sobre el cielo hecho carne
De imposible besar.
Ya pronto la penumbra
Extenderá sus llantos
Cuando el morado bese
15 A las sierras y al mar.
Las testas pensativas
De obscuros eucaliptos,

→

11 (?), 17 (?) -V-1918
62

t/1 Ms: *Balada*
3 Ms: *Las* Dos
9/10 Ms: *Sobre una carne viva*

El poniente hecho ámbar
Rendido y funeral,
20 El cortejo dantesco
De los negros cipreses,
La liturgia solemne del espasmo trigal
Imprimen al paisaje un doloroso rictus
Que es tristeza de enigma
25 Que se mece inmortal.
Aquí sobre esta senda
De plata obscurecida
Que inciensa al caminante
Con sus nubes de harina
30 Que es anhelo de tierra, de trabajo y de sol.
Aquí sobre esta senda olorosa y henchida
De crepúsculo muerto y mastranzo, mi vida
Quiere hundirse en el canto
Sereno de la acequia,
35 En la noble expresión del suelo de la huerta,
Misal majestuoso, manchado con sudor
Y con sangre de bronce,
Libro abierto y perenne,
Leído con amor por figuras sin nombre.
40 Quiere hundirse mi vida
En la visión morada del horizonte enorme,

⟶

---

19 Ms: fune*l*ral

20-21 Ms: estos dos vv. se leen entre los vv. 14-15 en el margen derecho, pero con una flecha que apunta a los vv. 18-19.

21 Ms: cipreces

22 Ms: solemne *del* espasmo

22-23 etc. Mantenemos estos versos y algunos más (30-32, 35, 39, 41-43...) en su distribución original de alejandrinos, a pesar de que una redistribución por heptasílabos pueda parecer lógica.

23 Ms: *t*rictus

25 Ms: imortal.

28 Ms: *del* al

30 Ms: a*b*nhelo - traba*y*jo

32 Ms: *de* y

35 Ms: nob*r*le e*s*xpresion del *libro* suelo

36 Ms: magestuoso

41 Ms: *enorme del* morada del

Con la luz fracasada que se despide incólume,
Con un eco de luna y un albor de mañana.
En el lago tranquilo
45 De los altos trigales,
Por donde pasan olas
De aires primaverales,
Lago verde y sereno
De hondas encendidas
50 Por el sol que es un polen
Sutil y amarillento.
Se diría que el trigo
Era un abismo lleno
De topacios que llueven
55 De la calma del cielo,
O un bloque de alabastro
Derretido y espeso
Que al moverlo los vientos
Sonara a paz y beso.
60 Quiere hundirse mi vida
En los árboles yertos
Que perfilan sus ramas
Como brazos inciertos,
Como tragedias rotas
65 De rudos esqueletos,
Como corales bárbaros
De unos mares ya secos
Que ayer tuvieron sangre
Y hoy son marfiles viejos.
70 Mi espíritu solloza
En los árboles yertos,
Fósiles de unas danzas
De ramas y de ecos

→

---

42 Ms: des*pip*ide
43 Ms: ma*st*ñana.
46 Ms: *bondas* olas
52 Ms: di*ch*ria
63 Ms: brazo*ns*
71 Ms: *secos* yertos,

Que abrumados se inclinan
75 En su penumbra quietos.
Y llora doloroso
Porque adivina en ellos
Guardianes de la senda,
De la muerte maestros.
80 ¡Ay, dejadme que llore
Abrazado a sus cuerpos!,
Sintiendo la amargura
De sus marchitos huesos,
Enlazado a sus troncos,
85 Cubriéndolos de besos.
Que me dejen el alma
Exenta de deseos,
Que me dejen los labios
Cerrados y serenos.
90 Dejadme que solloce
Abrazado a sus cuerpos
Castos y dolorosos,
Con los brazos al cielo.
Y no os riáis si a alguno
95 Le pido su consejo,
Que oyeron muchas almas
Y saben sus secretos.
¡Muertos que sobreviven!
En los caminos puestos,
100 Tronchados y sin hojas,
Silenciosos y buenos.
Dejadme que solloce
Rendido en vuestros senos.

---

79 Ms: Del*e*a *vida* muerte
80 Ms: *so*llore
83 Ms: marchi*ch*tos
90 Ms: *Me* Dejadme que solloze
95 Ms: su con*jo*sejos
96 Ms: *ci*(?)oyeron
98 Ms: sobrevi*b*ven
102 Ms: solloze

Mi vida quiere hundirse
105 En todo lo que veo.
Pero estoy condenado como el fiel Prometeo
A que un águila negra
Me pique sin piedad.
La causa es que he robado
110 Del trágico Leteo
Un puñado de versos
Que es el ave fatal.
Y en vez del mar que clama
Sollozante y airado
115 Tengo un grito rugiente
De eterna humanidad.

¡Ah! ¡Qué dulzura siento!
Ya la tarde se muere
Y mi vida se hunde
120 En azul ideal.

¿Qué dicen los cipreses?
¡Ay! ¿Qué dicen los pinos?
¿Hablaron las acequias?
¿Sonó la claridad?
125 No sé pero he sentido en el aire una cosa...
Como una voz, un grito, un quejido
Quizá, un cuervo macabro, una sombra quizá.
No sé...
Pero he sentido en el aire una cosa

---

106 Prometeo: después de haber robado (v.109) el fuego del cielo para dárselo a los hombres, Prometeo fue encadenado a una roca, donde un águila (v. 107, 112) venía cada día a devorarle (v.108) las entrañas.

110 Leteo: en los infiernos, río del olvido donde los mortales bebían para borrar su memoria.

113 Ms: *Y el mar en vez que grave clama* Y en vez del mar que clama

121 Ms: *Hablaron* Que dicen los cipreces

126 Ms: un quejido, *quiza*

129 Ms: en *en* el

130 Lacerada y profunda que no puedo expresar,
Un algo de mi alma que se va para siempre.
¡Arboles del camino! ¿Hacia dónde se irá?

¿Qué me dirían los pinos?

---

131 Ms: de*l* mi alma que se *f* va
133/ Ms: 11 (¿17?) de Mayo. 1918.
Federico

69
[¿POR QUÉ SERÁ TAN TRISTE?]

[..............]

¿Por qué será tan triste?

El piano cantaba
Los valses de Berger.
Ella me dijo buena:
5 "No me viste ayer.
Al pasar por tu lado
Estabas distraído,
Así como encantado.
No me quisiste saludar."
10 Y yo con la nostalgia
De la música triste
Y porque yo la quiero
Le dije: No te vi.

⟶

18-V-1918
63
Ms incompleto (falta la hoja 1)

---

3 Berger: ¿Ludwig Berger (1777-1839), compositor alemán, prerromántico?
4 Ms: *En* Ella me dijiste
5 Ms: vistes
12 Ms: *Te* Le

Y me entraron inmensos
15 Deseos de llorar.
Las parejas pasaban
Abrazadas y juntas
Y al espejo sereno
Mirábanse al pasar.
20 Y el espejo que estaba
Con toda el alma abierta
Copiaba los abrazos
Solemne y patriarcal.
Estos espejos dulces
25 De las salas antiguas
Tienen algo de reyes
Y de madres ancianas.
Son magníficos, mudos
Como reyes sin trono.
30 Y su blanca tersura
Está ya destrozada,
Llena de manchas pardas
Y ondulaciones raras,
Como si no quisieran
35 Decir a las muchachas
Feas que los consultan
Verdades muy amargas.
¡Cuánto sufro contigo!
En mis brazos echada
40 Como un lirio muy blanco
Muy cerca de mi cara,
Con tus ojos azules
De pájaro o de hada,

→

---

14 Ms: imensos
14-15 Ms: un solo verso
20 Ms: es*j*pejo
23 Ms: *Anciano* solemne y patria*l*rcal
24 Ms: *buen* dulces
32 Ms: par*a*d*e*as
35 Ms: Decir*les*
42-43 Ms: Con tus ojos azules de pajaro / O de de hada

Con tus rubios cabellos
45 Flotando en las espaldas,
Con tus carnes sedosas
De rosal escarchadas,
Con tu boca imposible de decir.
Es alada puerta chica de un cielo
50 Donde vive una rosa sumisa y encarnada
Que se encierra en su cálida alcoba
Y unos pajes de nardo la guardan.
Cuánto sufro contigo en mis brazos echada.
Sufro porque te quiero tan niña y tan mimada
55 Con el pelo de oro y el vestido de gasa,
Como si en vez de nena fueras paloma blanca
O un pájaro sin nido
Que en mis brazos se ampara,
O una niña muy pobre,
60 Cenicienta encantada,
Que dijérame triste
Mirándome asustada:
"Te dejo el zapatito."
Tú me buscas mañana
65 Que yo te quiero mucho.
¡Oh, mi princesa clara!
Rosa, nieve y aurora
Donde mi alma triunfara.
¡Cuánto sufro contigo!,
70 Bailando por la sala,
Porque te quiero tanto
Que mi vida entregara,

⟶

44 Ms: c*b*abellos
45 Ms: espalpas,
46 Ms: sedodas
49 Ms: alada. *P*puerta
53 Ms: blazos e[?]ada.
59 Ms: probre,
65 Ms: mucho*s*

Hecha un sonoro aroma
Que a tus plantas rodara
75 Como una flor divina
De gracia Schumanniana...
¡Cuánto sufro contigo
Teniéndote abrazada,
Y cuánto goza mi alma
80 Y cuanto ríe... de nada!
Pero mi risa es llanto
Teniéndote abrazada,
Porque tus senos cándidos,
Las divinas manzanas
85 Que el rey sacro y divino
Fastuoso cantara,
Son como lanzas, liras
Que en mi pecho se clavan
Con fuerza tan enorme
90 Que de amor me traspasan.
Carlota de mi historia,
De flor ensangrentada,
Un poco trasnochada,
Con el pelo de oro y el vestido de gasa,
95 Cuánto sufro contigo sin yo decirte nada.
El piano de cola de sonido sangraba
Con un vago nocturno que un muchacho tocaba.
Ella vino a mi lado con su oro y su gasa.

⟶

---

76 Ms: Shumnaniana

79 Ms: *rio* goza mi alma y cuanto riœ

79-80 Ms: un solo verso

85 el rey sacro: alusión al rey Salomón, pretendido autor del bíblico *Cantar de los cantares*.

91 Carlota de mi historia: como faltan el título y el principio del poema, es incierto su tema exacto. ¿Se trata de la exemperatriz de Méjico y por tanto de una historia de amor desgraciado o es más bien una referencia al personaje de Charlotte del *Don Juan* de Molière, campesina coqueta pero fría y distante para su amigo Pierrot?

97 Ms: vajo

¿Es Chopin?.. Sí, Chopin...
100 Y no le dije nada.
... Después al separarnos
La tristeza me ahogaba...

101-102 Ms: ... despues al separarnos... la tristeza me / Ahogaba..
102/ Ms: 18. tarde. Mayo
1918.

70
ORACIÓN

Que no me entienda nadie.
¿Para qué?
Versos que no sean versos
Quiero hacer.
5 Que ya que el alma triste
Con las galas se viste
Para cantar,
Una mano de muerte
Agorera me advierte.
10 Que si llorar
No puedo ya rimando
Dar la impresión,
Me apriete suspirando mi corazón.
Que si mis ojos vagos
15 No pasean los lagos
De la poesía,
Tronche mis lirios blancos
Y ame como los santos
Sólo a María.

⟶

14 o 19-V-1918
64

11 Ms: *llo*rimando

20 Que como Luis Gonzaga
Yo sea un preste
Callado y silencioso de lo celeste,
Que celeste es la carne llena de alma,
Convertida en estrella de carne y alma.
25 Que la enorme tragedia del sexo fuerte
Azucena se torne pura y agreste
Como una flor de cumbre clara y nevada.
Que haga negra a la nieve inmaculada
Con el mate caliente
30 De toda flor tronchada.
Que la copa del semen
Se derrame del todo.
Que no quede en mi carne
Ni sangre ni calor.
35 Quiero ser como un niño
Rosado y silencioso
Que en los muslos de armiño de su madre,
Amoroso,
Escuchara un diálogo de una estrella con Dios.

40 Y marcho por la senda
En espera gloriosa de una estrella lejana
Que es mía nada más,
Que brilla con la luz que mi alma le presta
Soñolienta y tranquila con aroma de siesta.
45 Y es mi vida que lucha con el gris más allá.

---

20 Luis Gonzaga: cfr. *Canción. Ensueño y confusión* de 29-VI-1917, v. 34.
22 Ms: Calla y silencioso
24 Ms: estroella
28 Ms: immaculada
29 Ms: calliente
35/36 Ms: *Quiero ser como un niño*
39 Ms: *Contem* Escuchara un dia*n*logo
45 Ms: que lugcha *por* con

Y esa cosa que me ahoga
Es mi otro corazón,
Que es mi noche sin sonidos,
Que es mi rosa sin rosal,
50 Que es mi lira sin acento,
Que es mi boca sin cantar,
Que es mi solo pensamiento,
Que es el agua sin sediento,
Que es el llanto sin llorar.
55 Porque sólo sé que existe
Y que es mío y no lo es.
Y que sé que me ilumina
Sin querer y sin saber,
Como estrella muerta y fría
60 Que al amor no puede ver
Y sus rayos encamina
A los brazos de una encina
O al abismo de un ciprés.
Corazón que es inconsciente
65 En su honda lejanía,
Corazón que no sabrá
Que al antiguo que tenía
Yo arrojé en un muladar,
Y a sus vagos resplandores
70 Yo los puse en su lugar.
Por eso dentro del alma
Sólo tengo suavidad
De tener por corazón
Pensamiento y claridad.

⟶

46 Ms: e*st*sa
56 Ms: y *o* no
58 Ms: Sin quer
59 Ms: estr*an*ella
61 Ms: *Que* y
63 Ms: O a el
64 Ms: incosciente
72 Ms: *suavidad*
74 Ms: *suavidad* claridad

75 Pero es que este pensamiento
Y esta clara claridad
Sólo son un sufrimiento
De un amor de eternidad.

Una angustia tremenda que no puedo expresar
80 Me ahoga el equilibrio sereno del rimar,
Que las manos azules de las musas divinas
Me acarician mi torso. Ni dulces golondrinas
Piadosas me desclavan el trágico cantar.
¿Coronas de rosas en mi frente?
85 No. Coronas de amor.
Coronas invisibles de llantos cavernosos,
Coronas que son montes y abismos espantosos
En la frente abrumada de un pobre soñador.

¿Coronas de laurel en mi frente?
90 No. Coronas de un arte imposible.
Coronas de llantos, suspiros y anhelos,
Coronas de estrellas de todos los cielos,
Coronas que son para frente intangible.

Ninguna corona.
95 Sólo una de espinas como Cristo,
Que rompa al cerebro y no piense más,
Que el alma penetre tranquila en su aurora,
Segura, feliz de que nadie la llora
A no ser su madre que esa siempre llora
100 Aunque esté ya muerta, deshecha y fatal.

Ninguna corona,
Que ninguna yo puedo tener.
Que me iré lentamente al ocaso

⟶

82 Ms: *No logra* (?) Me acarician
85 Ms: *me* amor
95 Ms: Solo una una

Con la frente obscura y de raso
105 Sin los besos que tanto anhelé.
Ya nadie podrá besar mi boca.
Que es el sendero largo y hay prisa en avanzar,
Que ya está muy cansado el corazón doliente
Y quiere en su poniente brumoso descansar.

110 Pero mi boca eterna
Siempre estará entreabierta,
Que no la besó nadie y ella quiere besar.

Una angustia tremenda que no puedo expresar
Me ahoga el equilibrio sereno del rimar,
115 Una angustia tremenda de atormentado duelo,
Una amargura inmensa tan grande como el mar.
Que no sé lo que digo, que no sé lo que siento
O si sé lo que siento no lo puedo expresar.

Que yo sólo anhelo ser alma,
120 Ser crepúsculo, aurora, ser flor,
Ser muy bueno, muy niño, muy pobre,
Ser mañana, ser miel, ser amor.

Que yo quiero dormir bajo el cielo
Como puro de niño dormía
125 Bajo el cálido seno de madre
Arrullado por su melodía.
Que yo espero si voy a lo eterno
Encontrar una Madre en mi Dios,
Porque veo que el cielo solemne
130 Es un pecho de azul resplandor
Con las venas de constelaciones

⟶

105 Ms: ahele
115 Ms: de tormentado duelo,
116 Ms: imensa
121 Ms: *ser miel* muy niño
128 Ms: Enc*uen*ontrar

Donde corre su sangre de amor,
Seno azul donde el hombre se nutre
De pureza, de fe, de ideal,
135 Seno azul con la leche de estrellas,
De rocío de lluvia inmortal,
Seno azul que es enigma cerrado.
Y por eso ilusiones me hago
De que es bueno, que es maternal,
140 Que la madre es lo único cierto
Que en la vida podemos gozar.

¡Ay, la angustia no pasa
De mi corazón!
Lector que esto leas,
145 Tenme compasión.

Que no me entienda nadie.
¿Para qué?
Versos que no sean versos
Quiero hacer.

---

136 Ms: immortal,
139 Ms: bueno *de* que es
146 Ms: entiende
149/ Ms: 14 (19?) de Mayo 198.

71
[EL PAISAJE ES UN SILENCIO]

El paisaje es un silencio
Con forma. La tarde muere.
La llanura está amarilla,
Rayada por venas verdes
5 De los olivares castos
Que en las montañas se pierden.
Manto amarillo reseco
Con los bloques de las mieses.
El cielo piensa amarillo
10 En un prado pastoril
De tréboles y de hinojos.
Me ayuda a cantar gentil
La ternura verde y seria
De un dulce chopo infantil.

3-VI-1918 (?)

---

1 Ms: E*s*l
6 Ms: *p*montañas
8 Ms: *mares* bloques
14/ Ms: Frente al [paisaje] 3 de Junio

72
ACORDES MAYORES

Tiene la vega esta tarde de Junio
Un aire soñoliento, verde, esmeralda y gris,
Un gris que es doloroso de puro melancólico,
Ráfagas imprecisas de un humo que es preludio
5 De tormenta solemne que duerme en el confín.

Tiene Sierra Nevada las garras impregnadas
De cárdeno profundo envuelto en vago tul.
Las cumbres plata sucia con un sol amarillo
Enseñan muy opacas su fracasado brillo
10 De nieve que se muere enlazada al azul.

Las campanas veladas por las nieblas del suelo
Ponen noche en sus voces que parecen gemir
Y el aire denso y cálido parece que se asienta
Como si se cuajara temiendo a la tormenta
15 Que a toda la llanura su acero va a cubrir.

4-VI-1918
65

---

4 Ms: De *U*un humo ques
7 Ms: *Media vega esta azul* envuelto en vago tul
10 Ms: De nieve *derretida* que se muere enzlazada
14 Ms: temiento

Hay una pausa inmensa en que nada se oye.
Los chopos son de piedra. El agua mármol gris.
En la vega imponente hay un eco severo
Al caer las primeras gotas del aguacero
20 Que como agujas negras rayan en el confín.

En el polvo blancuzco de los secos caminos
Dibujan los gotones un inmenso panal.
En acequias y charcos, sobre el agua intranquila,
Se nota que gloriosa Madre Tierra respira
25 En danzas caprichosas de pompas de cristal.

Un trueno formidable retumba pavoroso
Su abismo de sonido obscuro y desigual.
Los ecos se retuercen en las sierras obscuras
Y redoblan el ruido entre piedras y honduras.
30 Después sólo se oye el llover con blandura
Sobre el dulce sedoso del inmenso trigal.

La tormenta no para y ya la noche llega.
Estallan los relámpagos como rosas violadas

⟶

---

16 Ms: imensa
17 Ms: Los *fo*chopos-mar*l*mol
18 Ms: *r*severo
20 Ms: *Co*Que
21 Ms: *fl*blan*q*cuzco *y* de
21 Ms: imenso
22/23 Ms:
Y los pajaros locos que vuelan sobre el suelo
Parecen las abejas llenas de desconsuelo
Pues son las celdas chicas y no pueden entrar.
23 Ms: sob*b*re (?) el agua int*a*ranquila,
25 Ms: En dancas caprichosas de *danzas* pompas
27 Ms: osbcuro
28 Ms: retuerzen
31 Ms: imenso
33 Ms: relampa*d*gos
34 Ms: sob*l*re

Sobre el cielo de piedra y las sierras de añil.
35 Un claror transparente como de luna llena
Extiende su tristeza por la vega serena
Que pensando en la noche se prepara a dormir.

---

35 Ms: Un *azul* claror
36 Ms: Ext*e*iende-*r*serena
37/ Ms: 4 de Junio
1918

73
EL PASTOR

No se quede usted de noche en el campo,
Me ha dicho el pastor,
Que los árboles parecen fantasmas
Y en el río hay claror
5 De una niebla muy rara,
Tropel de almas en pena
Hasta que sale el sol
Y los miedos se esconden.
No, no se quede usted de noche en el campo,
10 Me ha dicho el pastor...

¡Formidable poesía campesina!
Este hombre rudo y guardador
De ovejas sabe ver en las noches,
Con todo su candor,
15 Fantasmas en los árboles,
Blanca niebla en el río.

→

6-VI-1918
66

---

1 Ms: *Vue* usted
4 Ms: *el*en
12 Ms: guardador *d*

Que almas tristes en pena
Su alma imaginó.
Este pastor hermoso
20 Tiene los ojos claros,
Un romano perfil,
El cuerpo fuerte y ancho
Como un escriba egipcio,
La boca siempre abierta
25 Queriendo sonreír.
Magnífico ejemplar
De una raza ya muerta
Que debiera ir desnudo
Con una piel de oveja,
30 Y que como el Bautista
Fuera por el camino,
Solitario y huraño,
Apacible y agreste,
Sacando de panales
35 Sus secretos divinos
Y comiendo langostas
Y las flores silvestres.
¡Brava estatua de piedra
De un escultor antiguo!
40 Evangélica sombra
De románico ritmo
Que parada en el campo,
Sobre un tronco de olivo,
Tiene un rictus de esfinge
45 O figura de Mimo.
Pastor sereno y fuerte,
Claro bronce romano,

→

18 Ms: imagin*a*ó
23 Ms: escribla epipcio,
30 Ms: Batista
30/31 Ms: *Apacible y agreste*
34 Ms: del panales
44 Ms: ri*t*ctus
45 Mimo: para los clásicos, personaje cómico de farsa.

Pacienzudo y solemne,
De los potros hermano
50 Y esposo de la Tierra.
¡Oh! ¡Macho soberano!
Gigante por tu idea,
Inconsciente silvano
Que te ayuntas con ella
55 En días de verano.
¡Oh cópula infinita
De una diosa con un hermoso humano!
Abrazo formidable,
Vientres de carne y piedra,
60 Retorciéndose heroicos con rugidos de fiera,
Luz nupcial el sol fuerte,
Música de la selva,
Lecho: llanura inmensa
Con un dosel de sierras
65 Y un espasmo teogónico
Que llega a las estrellas.
¡Maravillosa boda del pastor y la Tierra!
Hesíodo tañería su gran lira con fuerza,
Nerón sentiría envidia,
70 Zarathustra soberbia,
Pan tristeza infinita
De haber podido hacerla,
Y Francisco de Asís,
Esa humilde violeta,

→

---

48 Ms: Pa*z*cienzudo
49 Ms: herman*a*o
53 Ms: Incosciente si*yll*vano
silvano: dios campestre en la mitología clásica.
56 Ms: infi*ta*nita
59 Ms: V*en*ientres
60 Ms: *f*rugidos
63 Ms: imensa
68 Hesíodo: para este poeta griego, autor de una *Teogonía* (cfr. v. 65), ver varios poemas juveniles, particularmente *La religión del porvenir* (núm. 27).

75 Abriría sus ojos parados de poeta
Y los consagraría con su voz de profeta.

El pastor solitario y callado
Esto piensa en horas de lujuria:
Casarse con la Tierra.
80 Lujuria de pastores que es lujuria de piedras,
Como que son peñones de las terribles sierras
Que en noches de tormenta se desprendieron
[de ellas
Y cayeron rodando en llanuras y vegas,
Y allí fueron pastores que en las noches serenas
85 Al son de las esquilas miraban las estrellas
Y a fuerza de mirarlas quisieron ser como ellas.
Primero se ayuntaron con la divina Tierra
Y luego poco a poco fueron todos poetas
Que en vez de dulces liras tienen esquilas tiernas,
90 Y en vez de voces dioses, balar de las ovejas.
Aullar de los mastines que ventean la fiera,
El quejido del viento sin que nadie lo hiera,
La luna de verano tan plácida y serena,
El redil melancólico, las dulces sementeras,
95 El remanso. El silencio del campo con su penas,
Las ranas y los grillos con sus sonatas buenas,
La paz casi impalpable como de un alma vieja
Y un puesto que ellos tienen en todas las
[consejas.

Este pastor amigo mío
100 Que me ha hecho pensar en todos los pastores
⟶

78 Ms: Es*e*to-horas *l*de
80 Ms: Lujurias de pastores
82 Ms: *t*noches
85 Ms: las *el* estrellas
86 Ms: en fuerza
92 Ms: que*g*jido
94 Ms: El *d* redil
100 Ms: m*i*e

Es como todos ellos, pero es una figura solemne
Arrancada
Del mainel negrecido de una vieja portada.

....

No se quede usted de noche en el campo,
105 Me ha dicho este pastor.
¿Que por qué me lo dice?
Él lo sabrá mejor que yo.
Que tiene un alma brava
Que a nadie le temió
110 Y sin embargo teme
Al campo sin el sol.
¿Qué verá por las noches
Este rudo pastor?

---

102 Ms: Arancada
103 Ms: *A*Del
105 Ms: M*e*e*h* ha
109 Ms: nade
110 Ms: tem*a*e
112 Ms: no*ne*ches
113/ Ms: 6 de Junio 1918.

74
LEYENDA A MEDIO ABRIR

Hay una blanca inquietud de tormenta
Y un eco morado en todas las cosas.
El campo está quieto, la ciudad se calla
Esta tarde de Junio sentida y bochornosa.

5 En mi alma se agita una vaga leyenda,
La noche de cien años del bello Pecopín,
Y el talismán precioso que el torrente se lleva,
Y las risas del mirlo en el haya serena,
Y el grito del diablo que se ríe también.

10 Cien años, ¡ay, Dios mío!,
Duró la noche aquella de caza y de festín
Y el ave del amor se murió en el castillo
Aunque siempre sereno continúa el azul.

→

6-VI-1918
67
edic.: OC, pág. 996-997; INS, pág. 10; HM, págs. 124-126

t Leyenda: este poema se inspira de la *Légende du beau Pécopin et de la belle Bauldour*, de Victor Hugo. Ver la nota al v. 111 del poema *Aria de primavera...* (núm. 62) del 30 de abril de 1918 y el comentario de Eutimio Martín, HM, págs. 123-130.
7 Ms: talismas

Y Pecopín ya viejo entiende el estribillo
15 De los pájaros ciegos que gritaban: ¡Bauldour!
Pero era ya imposible el amor, que los años
Habían apagado de sus almas la luz.

¡Oh!, leyenda tristísima que el gran Hugo nos
[contó
Cuando estuvo soñando por la orilla del Rhin.
20 El caballo del tiempo no para aunque tengamos
Una mano de hierro sujetando su crin.

Una copa de oro tenemos en la mano
Llena de un licor raro que lento se derrama.
Cada gota es un año que se va del tesoro
25 Y en un día perdemos esta copa de oro.
Pues el amor que es fuego puede cambiarla en
[llama
O el corazón doliente la derrama del todo.

Hoy pienso en la leyenda
Y grave me estremezco.
30 Soy joven y la senda se pasa sin pensar.
De un amor adolezco
Y la ausencia me mata
De unos labios divinos donde poder besar.

Acaso en una noche se derrame mi copa
35 Y no tengo castillo ni tengo talismán.
El torrente del cuento lo arrastró para siempre
Y el corazón ya viejo sólo piensa en llorar.

---

15 HM: Baldour
18 OC, INS, HM: cuenta - La grafía del ms no es clara.
19 Ms: R*in*hin
26 OC, INS, HM: cambiarlo
27 OC, INS, HM: lo derrama
29 Ms: Y *me estremezco* grave me estremezco

Tiene esta tarde inquietud de tormenta
Y yo una leyenda para meditar.

---

38 Ms: tormento
39/ Ms: 6 de Junio
1918.

75
PAZ

Esta noche me dicen: "Ha muerto un amigo tuyo."
Está lleno de flores en su casa con los ojos sin brillo.

Se murió suspirando.
La madre lo besó.
5 Pobre muchacho dicen.
Se va a la paz de Dios.

Está el muerto sereno
Entre rosas de olor.
Era bueno y humilde,
10 Casto y trabajador.
Era algo presumido
Pero sin presunción.
Sin embargo tenía
Dulzura muy menor
15 Y los ojos muy chicos

⟶

8-VI-1918
68

---

3 Ms: S*ue*
4 Ms: *pa*(?)besó
5 Ms: Po*fpl*(?)bre *p*muchacho

Con un verde candor.
Esta noche de Junio
Me dicen que murió.
Y lo siento bastante
20 Con todo el corazón.
Fue muy amigo mío
Hasta que un día yo
Partí por una senda
Que lleva al fuerte sol
25 Y él por otro camino
Todo en gris se perdió.
Después nos encontrábamos
Con tristeza los dos.
Yo con melena y libros
30 El con traje de sport.
Nos mirábamos lentos
Y decíamos: Adiós.
Fuimos amigos niños
Con verdadero amor
35 Hasta que un día azul
Sentí mi corazón
Y me fui de su lado
A buscar a mi sol
Y a mis buenos hermanos
40 De mi gran religión,
A los míos artistas
Que piensan como yo,
Y abandoné sus risas
De humano superior.
....

45 Pero a pesar de todo te lloro.
¡Cuántas veces paseamos del brazo!

→

30 Ms: *se*sport
34 Ms: verdadera
38 Ms: beuscar
46 Ms: b*l*razo

¡Cuántas santas tontunas de novias y caballos
Con el reír de todo que dan los pocos años!
Te siento por tristeza de mis días pasados
50 Y no pensarás nunca en tu tumba acostado
Que tu amigo poeta te canta contristado.

Flor marchita en día.
Primavera agostada.
Duerme amigo para siempre
55 Al pie de Sierra Nevada.

Se murió suspirando.
La madre lo besó.
Pobre muchacho bueno.
Se va a la paz de Dios.

---

54 Ms: siem*b*pre
59/Ms: 8 de Junio 1918
A la muerte de Vicente Mercado

Vicente Mercado: amigo granadino y compañero de estudios, muerto joven († 1918).

76

SALMO RECORDATORIO

Dulce pensar que tristezas derrama
En un rayo de sol que se ha enredado
Sobre el alma de nácar que en los cielos
Llora luces de sangre, rosa y nardo.
5 Polifemo dormido sobre el monte,
Con la luna en su frente, está soñando
La querella fatal por Galatea
Que el desierto del agua está escuchando.
Galatea desnuda, Rosa inmensa,
10 Rayo blanco de luz, nácar cuajado,
Columna de un crepúsculo de carne,
Levadura de tardes de verano,
Entre musgos y yedras recostada

⟶

10-VI-1918
69
edic.: OC, pág. 998; HM, págs 93-94.

Este poema se basa en una jocosa adaptación (a veces también textual, como por ejemplo, en los vv. 27, 31-33 que recuerdan la estrofa 46 de la *Fábula)* del *Polifemo* de Luis de Góngora quien aparece incluso aquí en persona (v. 22).

1 OC, HM: este verso se da como epígrafe
9 Ms: imensa,
11 Ms: columa
13 Ms: *pie*yedras OC: piedras

Como un trono de nieve en esmeralda.
15 Por el duro sendero llega Acis,
Azabache y carmín, fiera mirada
Que envuelve a la divina Galatea
De lujuriosa luz, llena de gracia.
Galatea se entrega suspirando.
20 El pastor en sus labios ya libaba
Y en vez de Polifemo se aparece
El propio Luis de Góngora que estaba
Escuchando sutil entre malezas.
Al verlo Galatea grita clara
25 Y arrojando al pastor Acis con fuerza,
Desnuda al gran poeta se entregara.
¡Oh, dulce Galatea tan suave!
Dice Góngora derecho en roja ansia.
Mientras que el mar lo surcan carabelas
30 De cristal con los remos de plata,
Mientras nace la aurora tronchando
Los claveles de trágicos granas,
Mientras abren grandes pavos reales
Sus rosarios de ojos al alba
35 Y sus colas de azul en el cielo,
Un dosel sobre ellos formaban.

---

14 OC, HM: trozo
16 OC, HM: Azabache y jazmín
28 OC, HM: deshecho
29 Ms: carab*l*elas
31 Ms: mient*e*ras nace la *m*aurora
32 Ms: *mágicos* tragicos OC, HM: zafiro granas
34 Ms: al *a*alba
35 Ms: *al* en el
36 Ms: Un do*l*sel
36/ Ms: 10 de Junio
1918
Asquerosa
En el margen derecho se lee: No.

77
TARDE SOLEADA

Verde y azul.
La calle está desierta.
Las acacias perfuman el ambiente.
Mi recuerdo me parte el corazón.
5 En el aire monótono y caliente
Una pena imposible se derrite.
Un piano se siente
Llorar unas escalas.
El corazón advierte
10 Que ha quedado ya herido
De muerte para siempre.
¿Qué senda ha de tomar?
Son las sendas de nieve.
¡Ay! que la juventud
15 Es rosa que se muere
Como una rosa vieja
Que deshoja aire leve.
Una paloma blanca
Se posa en mi balcón.
20 A lo lejos los pájaros

→

11-VI-1918
70

Bailan su rigodón
Sobre un color morado
Que el sol abandonó
Al hundirse en el monte.
25 El alma desgranó sus rimas impalpables
Sobre el color de Dios.
Por el grave crepúsculo una sombra pasó.
Era una sombra blanca que me dijo que No.
¿Que no? Ya lo sabía mi pobre corazón
30 Que él al sentirse herido me lo dijo. Y yo
Busqué las soledades de los claustros sin sol.
Qué me importa que pasen las tardes si mi amor
Es una rosa mustia que su aroma perdió.
¡Ah, chopos inmortales a quien triste besé!
35 Consejeros del campo a quien yo pregunté
Por ella en un crepúsculo de grana que se fue.
¡Ah!, cipreses de tumbas, recuerdos hechos
[ramas,
¡Desolaciones verdes!, en vosotros hallé
Un consejo divino que es consuelo de muerte.
40 ¡Caminos polvorientos cuyo fin no se ve!
El corazón que tengo os vio con alegría.
Hoy solloza al miraros falto de vida y fe.
La calle está desierta.
Mi corazón también.

---

21 Ms: baila
34 Ms: imortales
37 Ms: cipreces
41 Ms: *Ayer* El
44/ Ms: 11 de Junio
1918

78
NOCHE

En el silencio del pueblo
Hay luna clara de paz.
Dos gatos negros dormitan
Junto a un pobre ventanal
5 De la iglesia. Las carretas
Abandonadas están
En las calles solitarias.
Algún gallo canta ya.
De los establos se siente
10 A las bestias resoplar,
El rumor de las ovejas
Que duermen en el corral
Bajo la luna, o pisadas
De algún ceñudo gañán
15 Que arregla arados y yugos
Esperando el despertar.

→

12-VI-1918
71

t Ms: Noche *de San Juan*
t/1 Ms: se halla la indicación: II
9 Ms: se sienten
13 Ms: *O*Bajo

¡Quietud infinita en el pueblo
Con luna clara de paz!

Lenta transcurre la noche.
20 Ya pronto amanecerá
Porque las crestas del monte
Tienen blanca claridad
Y un aire fresco y sentido
Juega con el olivar.
25 Y se sienten los balidos
De ovejas que marchan ya
A la falda de la sierra
Donde vive el pastizar.
En los taludes la alondra
30 Da su grito matinal
Y en las negras alamedas,
Mientras las sombras se van,
Los pájaros con sus flautas
Desgranan su alado hablar.
35 ¡Amanecer! ¡Gratia plena!
Resol de nieve y de mar.
Ansias de vida en los campos.
¡Luz, alma de eternidad!
¡Amanecer! Gratia plena.
40 Ya los rebaños se van.
Las campanas de la ermita
Quisieran resucitar
Para poder con sus voces
A los ecos animar.
45 Pero este pueblo está muerto
Pues sus campanas lo están.
¡Amanecer! Gratia plena.
Gloria al campo y al hogar
Que humea sobre los cielos.

→

---

35 Ms: Gractia
47 Ms: gGratia

50 Que el sol aparece ya.
Amanecer, gratia plena.
El pueblo dice: Un día más.

El beso

Al llegar la luz del día
55 Y los pájaros piar,
Juan el pastor bostezando
Y saliendo del pajar
Donde había dormido empieza
Sus ovejas a llamar.
60 Se oye el tintín de la esquila
Y a las ovejas balar.
El pastor mira a los cielos.
El sol va a asomarse ya
Con su furia de verano.
65 El portón se echa a llorar
Al abrirlo. Y el rebaño
Lento sale del corral
Entre una nube de polvo
Al son de su blando andar.
70 Calle abajo va el rebaño
Y siguiéndolo va Juan,
Oficiando a un mismo tiempo
De pastor y de zagal.
Es buen mozo, torpe y bravo,
75 Tez curtida de azafrán,

⟶

51 Ms: gracia
57/58 Ms:

Donde habia dormido grita
Grita Con voz noble este cantar
"Acaba ya de salir"
Lucero de la mañana
Que te esta esperando el alba
"En la orilla del Genil"

63 Ms: va asomarse
65 Ms: se eha
74 Ms: *En un* Es buen

Ojos dulces azulados,
Pelo arisco. Lento andar.
Se diría una cariátide
Ahumada, un gran capitán
80 Desenterrado con vida
De una tumba medioeval.
Rubén diría: El Apolo
Arcaico vive. Es verdad.
Garcilaso: ¡Compañero
85 De Albanio! podría gritar.
Y Cervantes: ¡Raza nuestra!
¡Qué hermoso! diría Galán.
Lleva el cayado en los hombros.
Por comida lleva un pan
90 Y un cestico con manzanas
Que enrojecidas están.
No lleva flauta de caña.
La égloga murióse ya
Y no sabe hacer poesías
95 Aunque enamorado está
De una mozuela morena,
Rosa negra de un rosal
Que agostara hace ya tiempo.
Y pronto se casarán
100 Que la muchacha no tiene
Familia ni bienestar.
Y hay abejas en el pueblo
Que en ella quieren libar,

→

78 Ms: cariatide *ahumada*

83 Ms: E*ls*

84 Garcilaso: según los nombres propios Salicio (suprimido) y Albanio, referencia a la *Égloga segunda* de Garcilaso de la Vega (cfr. v. 93).

85 Ms: *Salicio* Albanio

87 Galán: José María Gabriel y Galán (1870-1905), cantor de la vida de los campesinos y pastores.

98 Ms: agostora (?)

101 Ms: bienhestar

Pues tiene su cáliz lleno
105 De un gran néctar sensual.
Y él que la mira en los ojos
De frente, ya la ha de amar,
Que son sus ojos abismos
De una clara obscuridad,
110 Y los labios de su boca
Nunca paran de temblar
Como sus senos erguidos,
Pompas de miel ideal.
Mujer andaluza y triste
115 Que tiene una fuerza tal
Para manchar la azucena
De San Luis el virginal,
Mujer toda fuerza y sexo,
Mujer de espasmo al besar.
....
120 Dentro de unos cuantos meses
Será mía, pensó Juan.
Y aunque Juan la idolatraba
Ella lo quería más,
Que ojos azules no aman
125 Lo que un moreno mirar.
Aún está el pueblo en letargo.
Las ranas callan ya.
¡Oh poetas de la noche!
¡Flautas de la obscuridad!
130 Por la plaza mustia y seca

→

---

104 Ms: llen*ao*
106 Ms: *de frente* en los ojos
109 Ms: osbcuridad,
111 Ms: *b*paran
114 Ms: *De* Mujer
116 Ms: *Cap* Para
117 San Luis el virginal: San Luis Gonzaga, patrono de la castidad juvenil (cfr. núm. 1: *Canción. Ensueño y confusión,* v. 34).
124 Ms: *m*no
125 Ms: *no*moreno
127 Ms: *cesaron* callan

Pasa negro el sacristán
A dar las avemarías
Y al buen cura despertar.

Dando estaban sus clamores
135 Las campanas, cuando Juan
Presidiendo su rebaño
A una reja fue a llamar.
El aire estaba empolvado.
El ambiente era la Paz.
140 La ventana se había abierto
Y la mozuela detrás
En la penumbra del cuarto
Era ojos nada más.
Poco a poco las dos caras
145 Se fueron juntando. Y al dar
El último acorde
Las campanas del lugar,
Estalló el beso vibrante.
Larga y dulce suavidad.
150 Fue un conjuro a la mañana.
El sol asomó su faz
Por los picachos violeta.
Fue todo el campo estallar
En un incendio granate.
155 La sombra se fue a ocultar
Mientras brillaban rojizas
Las testas del olivar.
....
Cerróse brusco el ventano
Entre el suave balar
160 Del rebaño. Y poderoso

→

132 Ms: avemarias *y*
134 Ms: *los* sus
143 Ms: n*e*ada
146 Ms: *Y al d* El ultimo
158 Ms: venta*t*no
160 Ms: *y*Y

Suspiró potente Juan.
Después emprendió la marcha
Camino del pastizar.
Al pie del peñón enorme
165 Donde acaba el olivar,
Entre el polvo de camino
Va el rebaño y el zagal.
Quiera Dios que vuelvan pronto,
Dice la novia de Juan.

170 A lo lejos el peñasco
Desafía a la inmensidad
Con su azul negro profundo,
Azul de muerte fatal.
¡Amanecer! ¡Gratia plena!
175 El pueblo va a trabajar.
¡Amanecer! ¡Gratia plena!
Los rebaños marchan ya.
¡Gloria a los campos hermosos!

---

164 Ms: enor*n*me
167 Ms: re*f*baño
169 Ms: *sensual* de Juan
171 Ms: imensidad
174 Ms: Gra*c*tia
176 Ms: Gra*c*tia
178/ Ms:

¡Gloria al cielo! Gloria al pan!
Gloria al agua y su cantar
Gloria al sudor del trabajo
¡Gloria al cielo! Gloria al pan

12 de Junio
1918

79
CREPÚSCULO

Melancolía gris.
Cipreses. Pinos parasoles.
Trigales amarillos y morados.
Arboles muertos.

5 Rumor de plata ruda.
Olivos. Fondos de niebla azul.
Amarillos y opacos resplandores.
Acequias dulces.

El viento es de seda.
10 Pájaros. (Llantos del espacio.)
Campanas que sollozan en la bruma.
Sombras de plomo.

Mi corazón sueña.
Estrellas. Ecos de la luna.
15 Yo sería un chopo centenario.

→

14-VI-1918
72

2 Ms: Cipre*s*ces
7 Ms: re*p*splandores
11 Ms: *d*en

Yo sería una acequia serena.
Yo sería color del poniente.
Yo sería peñón de la sierra.
Hombre soy y muy triste.
20 Tengo envidia a la vega.
¡Campos! ¿Dónde está mi ventura?
¡Sendero de la sierra!
¡Serpientes de los ríos!
¡Rosas de las riberas!
25 ¡Fantasmas de los valles!
¿Por qué tengo yo pena?
¿Me la dais vosotros
Con vuestra gran belleza?
¿Es mi alma intranquila
30 Que no sabe ser buena?
¿O acaso un torbellino
De mil almas en pena?
Por amor a lo vivo
Me ataron con cadenas
35 Que después engancharon
A las dulces estrellas.
¡Campos! ¿Dónde está mi ventura?
¡Sendero de la sierra!
¡Llévame entre tus pinos
40 A tu alma de leyenda!
¡Que tengo el corazón
Como una rosa muerta
Puesta en un tronco seco
Que al sol no conociera!
45 ¡Campos!, ¿dónde está mi ventura?
Y la noche que llega
Contesta a mi pregunta:
"Una flor es la pena
Que perfuma a las almas.

⟶

17 Ms: seriría
33 Ms: viv*i*o
39 Ms: L*e*levame entre *un*tus

50 ¡Dichoso el que la tenga!
El dolor es un barco
Que entre olor de azucena
Conduce a los confines
De suprema belleza.
55 Un crepúsculo inmenso
Que es alborada eterna,
La fontana del arte.
Un surtidor de estrellas
Que caen en la taza
60 Que es nuestra Madre Tierra.
Cada gota es un hombre
Con fuente de poeta."
Yo no quiero sufrir,
Noche vaga y serena.
65 Y la noche: Tu alma
Es ya de las estrellas.
¡Campos! Entre vosotros
Esparzo yo mi pena.
¡Coronadme de rosas
70 Sobre un triunfo de yedras!
....
Melancolía gris.
¡Tarde con luz de piedra!
Mi corazón se borra.
¡Es una rosa seca!

---

53 Ms: comfines
55 Ms: imenso
62 Ms: "Con fente de poeta." Nuestra versión *fuente* es hipotética. La preferimos a *frente* a causa del contexto (vv. 57-59).
68 Ms: espar*c*zo
70 Ms: yed*a*ras (?)
74/ Ms: 14 de Junio 1918.

80
ALBAICÍN

A Miguel Pizarro, amigo raro y lleno de pasión.

Luz sonora de sol y de niebla.
Calles hondas que sienten los pasos
Y se quejan con secos sonidos.
Calles tristes con ecos morados
5 En las casas sentidas y viejas
Que un aroma de Oriente ha besado.

15-VI-1918
73

/t Ms: *La luz se ha dormido suave*
En el llano amarillo y verdoso
t Ms: *El aljibe* Albaicin
d Ms: la dedicatoria, añadida con lápiz, encabeza la hoja 1.
Miguel Pizarro (1897-1956): amigo granadino de Lorca, pintor, diplomático en el Japón durante varios años, muerto en los Estados Unidos. Lorca le consagró un poema con su nombre (entre los *Poemas sueltos)* y le dedicó la sección *Andaluzas* del libro *Canciones*. Igualmente se conserva correspondencia suya con Federico.
3 Ms: s*e*onidos
4 Ms: tistes
6 Ms: Que *ar* un arosma de Oriente han besado.

¡Albaicín! Templo de unos misterios
Todavía ignorados.
Tienes una tristeza indefinida
10 Y un anhelo de azul como los santos.
Por eso te levantas hacia el cielo
Con el rezar de tus cipreses lánguidos,
Anacoretas de los imposibles,
Sentimentales espectros románticos.

15 Das impresión de abandono y ensueño.
Tu alma durmióse un día nefasto
Al irse tus hijos de los ojos negros,
De los labios rojos, de los tules blancos,
Que dejaron rastros de melancolía,
20 Regueros de sangre, aromas de llantos,
Y un adiós eterno que flota en el aire
Entre los zumbidos de un obscuro cántico
Que mana doliente de tus mil heridas
Por donde tu cuerpo se va desangrando.

25 Albaicín, tu alma es el silencio,
Aunque siempre lo tengas turbado.
Albaicín de la higuera y la parra,
Albaicín de los lánguidos patios
Donde lenta la luz se ha dormido
30 Y el color de la luna ha tomado.

---

7 Ms: Templo*s*
10 Ms: a*h*nhelo
12 Ms: cipreces
14 Ms: sentim*i*entales
16 Ms: durmioso
17 Ms: tus tus *oj* hijos
25 Ms: Abbaizin
26 Ms: tengas tengas
27 Ms: Abaizin
28 Ms: Ablaizin de los languido patios

Gran copón de la melancolía
Que de ella a la vega has llenado.
Grillo enorme que canta en las noches
Su canción a los grillos del llano.
35 Barrio moro y moreno, caliente,
En la quieta colina acostado.

Tu gemir no es el de tus campanas
Ni los gritos de tus mil gitanos.
Ni el sonar de las negras guitarras
40 Con el hondo sollozo del tango.
Ni es el choque vibrante del sol
En tus lomos de monstruo aplanado.
Ni es el blando sentir de la vega
Que hasta ti llega grave y pausado
45 Con un humo amarillo y verdoso.
Tu sonido, tu grito, tu llanto,
Nos lo dice el aljibe solemne
Que es la voz de tu entraña manando.
Tienes bocas que lloran tu historia.
50 ¡Los aljibes! que quieren contarnos
Todo el miedo que tienes tú dentro,
Toda el alma profunda, de arcano,
Voz de agua estrellada de angustias,
Vibraciones de cielo enterrado,
55 Voz profunda que llora a una raza,
Voz que tiembla con eco lejano,
Funerales clamores dantescos,
Agonías de infierno nevado,

→

32 Ms: llamad*a*o.
33 Ms: canta*s*
36 Ms: coli*n*na
38 Ms: gi*n*tanos
40 Ms: tang*a*o
47 Ms: *Tu* Nos lo dice el algjibe
50 Ms: algjibes
51/52 Ms: *¡Albaicin! Si es asi tu eres tragico eres lento eres*

Voces llenas de espantos nocturnos,
60 Voz de agua que un mago ha encantado
Y que sufre y se muere verdosa
Con un dejo fatal y amargado,
Voz que llora leyendas marchitas
De este barrio moruno y callado.
65 ¡Albaicín solitario y dormido!
Rosa blanca en azul exaltado.
En el fondo del alma que tienes
Hay un grave misterio ignorado.
¿Qué nos quieren contar los aljibes
70 Con sus voces de gélido espanto?
¡Albaicín solitario y dormido,
De lujuria y de incienso borracho!
¡Albaicín de las caras que miran!
¡De los ojos abiertos y claros!
75 ¡Albaicín de los gestos de esfinges!
¡Albaicín de los ritmos parados!
¡Albaicín de la voz del aljibe!
¡Albaicín, eres lento, eres trágico!

Un día tu alma se irá para siempre
80 Con tus negros hijos. Más allá del mar.
El eco de Oriente que queda en tus muros
Lo habrá destrozado mano criminal.
Se hundirá el encanto de tu gran tragedia.
La voz del aljibe lenta morirá.

→

---

59 Ms: *n*llenas
60 Ms: *o*mago encantad*a*o
61 Ms: verdo*r*sa
64 Ms: *En* De este - cal*e*lado
65 Ms: ¡Albaizin
66 Ms: exaltad*a*o
69 Ms: algibes
70 Ms: voces *que* de
71-73-75-76-77-78 Ms: Albaizin
72 Ms: borra*j*cho
77-84-89 Ms: algibe
81 Ms: *o*Oriente
84 Ms: *conti*lenta

85 Sólo los cipreses serán como cirios
Que el ocaso encienda en tu funeral.

¡Albaicín quejumbroso y moruno,
Relicario del llanto inmortal,
Albaicín de la voz del aljibe,
90 ¡Qué tristeza tan grande me das!

---

85 Ms: cipreces
87 Ms: Albaizin quejumbroso y *qu* moruno,
88 Ms: llanto *de* immortal,
89 Ms: algibe,
90/ Ms: 15 de Junio 1918

81
MÚSICA DE CIRCO

¡Melancolía fracasada del circo!
Los clarinetes falsifican al violín.
Una niña apagada, cera y rosa de labio,
Sobre un caballo blanco pretende sonreír.
5 Los payasos provocan con sus caras fingidas
Claras risas de niños y sonrisas en gris
De personas ancianas. ¡Oh!, ¡payasos eternos!
Víctimas de la risa en almas sin abrir.
¡Oh!, música del circo tan vieja y tan tristona,
10 Crepúsculo de notas que se quieren morir,
Tonos indefinidos que pretenden dormirse
En la monotonía de su pobre matiz.
¡Oh!, música del circo tan vieja y tan tristona.
Hay un desdén caído en tu lento sentir
15 Y una filosofía de desprecio supremo

⟶

16-VI-1918
74

2 Ms: *Los violines* Los clarinetes
5 Ms: con sus *risas* caras
6 Ms: C*a*laras
8 Ms: *de* en almas
9 Ms: vi*a*eja
11 Ms: ind*i*efinidos

En tristes melodías que nunca tienen fin,
Envolviendo a payasos con sus caras fingidas
Y a mujeres errantes, ilusiones de Abril.
¡Oh, música del circo tan triste y tan lejana!
20 Tú recuerdas los años borrados para mí
Cuando yo suspiraba al ver sobre el caballo
Una de esas mujeres ilusiones de Abril.
¡Oh!, música de circo resignada y llorosa,
Esta noche te siento y sollozo por ti.

---

19 Ms: tiste
20 Ms: Tus recuerdas *mis*lo años
22 Ms: Abli (?)
24/ Ms: 16 Junio 1918

82
EL DAURO Y EL GENIL

A Alberto Cienfuegos

Prefacio

¡Ríos de Granada!,
Con agua de nieve,
Viejos consagrados
Que saben leyendas de cruz y de luna,
5 De harem y de altar,
Hermanos de agua con almas distintas,
Madre Tierra os salve antes que las cintas
De vuestras corrientes
Vayan a la mar.

⟶

17-VI-1918
75

---

t Ms: El Darro (?) y Genil.
El título borroso se halla al lado de *Prefacio*.
d Ms: dedicatoria, a lápiz, al lado de los vv. 1-2.
Alberto Álvarez Cienfuegos: poeta y amigo granadino, autor de *Generalife* (1915), con su hermano José colaborador de la efímera revista *Granada* (1915) (ver IG, págs. 132, 180, 249, 254).
2 Ms: Niev*a*ë;
5 Ms: *a*harem
7 Ms: las cintan
8 Ms: cor*i*riente*es*

10 ¡Ríos de Granada!
Poetas eternos,
Leche de las ubres de Sierra Nevada,
Ríos que se buscan y tristes se besan
Y juntos se entregan a la vega clara.
15 ¡Ríos pasionales! Heridas antiguas,
Ríos mutilados por manos profanas.
¡Por vosotros vive, por vosotros llora
El alma de ensueño que tiene Granada!

El Dauro

20 Río de tristezas antiguas y moras,
Río de romance, de torre y de yedra,
Río de la luna en noche de nubes,
Río que conoce la voz de la piedra.
Río trovador de los ojos cerrados,
25 Con aguas que llora lejana leyenda.
¡Oh!, río que lleva estrellas de oro
En los grises muertos de su turbia arena.

¡Oh!, río del musgo y la dulce sombra.
¡Oh!, río del canto en tono menor
30 Que estudia tristeza y llora apagado,
Románticamente, vivo, apasionado,
Al pasar la calle que lleva su nombre
Y ver los conventos cerrados al sol
Y ver a las torres que piensan morirse,
35 Y no oír los cantos que otro tiempo oyó.
¡Oh!, río aljamiado, trovador eterno
Del pueblo admirable que tanto lo amó.
Río que alimenta jardines obscuros
→

---

13 Ms: *que* y
20 Ms: t*i*ristezas
22 Ms: *na*noche
28 Ms: la *vaga* dulce
32 Ms: *E*Al pasa*l*r la calle *qu*calle que lleva su *ro*nombre
35 Ms: oir (?)

E inciensa de sones al gran torreón
40 En donde la mora cautiva lloraba.
Y tú repetías su desolación.

Río humilde ya viejo y cansado
Pues mucho se cansa quien como tú amó,
Río que marcha, su historia soñando,
45 Filósofo claro en tristeza de amor.

¡Oh! ¡Río del ciprés!
¡Oh! ¡Padre del ciprés!
Por ti vive en Granada
El árbol del dolor.
50 Los cipreses te guardan,
Los cipreses te lloran,
Y el ciprés siente mucho
Tu imposible pasión.
Por eso los cipreses que te oyen y miran
55 Al ver las agonías de tu desilusión
Se encogen en lo alto del tallo, allí suspiran
Y toman casi forma de un negro corazón.
¡Dauro! Que tus cipreses no son como los otros,
Que aunque también son tristes no sienten tu
[canción.
60 Tú eres un ciprés gigante de la sierra
Que un día de la vega fatal se enamoró
Y fue tanta tu fuerza que en agua te tornaste
Y a la vega llegaste rendido de pasión.

---

40 Ms: m*u*ora *n*lloraba.
43 Ms: can*l*sa
50-51 Ms: cipreces
52 Ms: si*n*ente
53 Ms: imposible*s*
56 Ms: en la *punta* en lo alto
58 Ms: cipreces
60 Ms: c*e*ipres
62 Ms: tornaste*s*

Das a Granada su melancolía,
65 Eres tierno y profundo, fastuoso y azul.
Tienes ritmo de noche aun en el mediodía
Y un eco de nostalgias envuelto en grave tul.

¡Oh, río cansado!
Eres tristeza inmortal
70 De una visión que pasó,
Viva tumba de secretos
Que el agua buena guardó.

¡Oh, fúnebre río,
Al que una reunión
75 De cipreses orantes
Dé el último adiós!
Maestro de artistas,
Azul trovador,
Creo en tu misterio,
80 ¡Y en tu corazón!

El Genil

El Genil es un río cristiano,
Un río que canta en tono mayor
Con la sierra al fondo, que se lleva al Dauro
85 Y eclipsa su nombre. Es río de sol.
Río de romance guerrero y valiente,
Río que se calla si siente al amor,
Que no es tan artista como el triste Dauro.
Es un río fuerte y trabajador.
90 Tiene por anhelos vestirse de nieblas,
Ser húmedo y serio, tener claro son,

⟶

---

64 Ms: D*u*as
69 Ms: tisteza imortal
70 Ms: vison
75 Ms: cipreces
85 Ms: ri*a*o

Parecer de plata sobre los sembrados,
Ser amigo dulce de sierras y prados
Y darse gustoso a oveja y pastor.
95 El Genil es un río tranquilo,
Manso, fresco, quieto,
Todo paz y amor.
Su historia guerrera la tiene olvidada.
Sólo anhela ver la cosecha granada
100 Y oler los perfumes de la vega en flor.
Es un río claro
Que aunque también sueña,
No sufre lo mismo que el Dauro fatal.
El Genil posee serena dulzura
105 Y el Dauro es un loco que cruel se tortura
Por un imposible que nunca verá.

El Genil tiene el alma parada
Para regar rosas, jazmines, clavel.
El Dauro es un río de lirio y violeta
110 Con triste prestancia de viejo poeta.
El Genil más joven tiene dulce miel
En sus serenatas hermosas y graves
Que canta al pasar el su inmenso vergel.

El Genil es el río del chopo.
115 Lo guardan, lo siguen. Se miran en él.
Y como en sus aguas hay sangre del Dauro
Y los chopos altos solemnes la ven,
Por eso encogieron sus lánguidos brazos
Y tomar quisieron formas de ciprés.

---

94 Ms: gustuso
100 Ms: de *cam* la vega
108 Ms: ja*ci*(?)zmine*z*s
111 Ms: *es* mas / dulce mil
113 Ms: *Entre* Que / imenso
114 Ms: *o*Genil
115 Ms: *lo* Se
118 Ms: encog*ue*ieron - brazon

120 ¡Río de la vega guardado por chopos!
Río en cuyas aguas bañóse Isabel.
Sangre de las huertas. Alma de las flores.
Río de las rosas blancas y el laurel.

Genil del lucero
125 En la copla ardiente,
Genil del suspiro del moro al marchar,
Genil de la espada y del curvo alfanje.
Hoy Genil del sol. Genil de la paz.

Río que recoge tristezas del Dauro
130 Y sigue contento. ¡Oh!, río de paz.

Consagración

¡Oh, ríos de Granada!
Gloria a vuestras canciones
Por la vieja ciudad,
135 Gloria a vuestras leyendas
Por los tristes poetas
Que se murieron ya.
Seguid siempre cantando
En tiempo inmemorial.
140 Esperad un Mesías
Que os sepa adivinar.
Tú, Dauro, haz tus poetas
Con tristezas de amar,
Que sollocen contigo
145 Un obscuro ideal.

⟶

---

121 Isabel: la reina Isabel la Católica
127 Ms: alfange.
131/132 Ms: *Rios divinos de Granada*
134 Ms: *ci*vieja
136 Ms: tristes poeta
137 Ms: *se*se
139 Ms: *Por* En tiempo immemorial.
140 Ms: *m*Mesias
144 Ms: sollozen

Despierta a los muchachos
Con tu lento sonar,
Para que vibre el alma
De esta vieja ciudad
150 Y se sienta en los bosques
Al poeta cantar.
Tú, Genil poderoso,
Campesinos harás,
Fuertes, robustos, sanos,
155 Que puedan engendrar
Una raza potente,
Henchida de ideal,
Por la vega solemne
Y por tu agua de paz.

160 Gloria final

Que os importa la muerte.
¡Maestros! ¡Enseñad!
¡Oh! Ríos de Granada,
Con agua de nieve,
165 Viejos consagrados
Que saben leyendas de cruz y de luna,
De harem y de altar,
Hermanos de agua con almas distintas,
Madre Tierra os salve antes que las cintas
170 De vuestras corrientes
Vayan a la mar.

Que os importa la muerte.
¡Maestros! Enseñad.

---

150 Ms: sient*e*a
153 Ms: ha*ce*rás
155 Ms: engendra*d*r
158 Ms: la la vega
166 Ms: cuz
173/ Ms: 17 de Junio 1918

83
CREPÚSCULO

Empacho de tristeza bajo el grave Poniente.
Los chopos solitarios en el agua se miran
Semejando borrones de verduras inciertas.
La campana. Unas nubes. Las sombras se
[aproximan.
5 Y se queda la senda blanquecina desierta.
Unas risas de niños. Unos perros que ladran.
Un rumor en el aire de esquilas y de ovejas.
Y una herida solemne que se ha abierto en el
[cielo
Por donde mana sangre y una voz que se queja.
10 El alma se recuesta en los chopos del río.
Parpadea un lucero que ahora mismo despierta.
Las ranas y los grillos taladran el espacio
Con sonidos de caña y de torpe vihuela.

⟶

28-VI-1918
76

3 Ms: *Pa*Sem*a*ejando
4 Ms: som*p*bras
8 Ms: herida*s*
9/10 Ms: *Una caminante pasa*

Los árboles inclinan sus testas olvidadas.
....

15 Un caminante pasa con la cara en tinieblas.

---

14 Ms: incℓlinan
15/ Ms: Junio 1918. 28.

84

JULIO

Momento musical de la vega

Escena

Entre la gris penumbra de la niebla suave
Los trigales dorados pensativos están.
En los fondos de plata borrosas alamedas
5 Semejan negros monstruos petrificados ya.

El viento tibio y dulce enreda entre sus alas
Un olor de ofertorio en la misa del Pan.
El viril formidable de la naturaleza
Espesa a las espigas que la hostia han de dar.

10 Las viñas lujuriosas maduran sus racimos
Plorones de topacios. Llantos de un sol que va
En la entraña del suelo cuajando a los sembrados.
Sol oculto, venero de la fecundidad.

28-VI-1918
77

---

3 Ms: *maduros* dorados
4 Ms: alame*na*das
5 Ms: Seme*g*jan
7 Ms: *O*Un
10 Ms: maduras
12 Ms: al los sem*p*brados.
13 Ms: Sol ocultos venero

Canto

15 Julio sereno y fuerte. ¡Oh! mes de la potencia
Que formas en los campos el fuego, el vino, el
[pan,
Y levantas la hostia de amor y de trabajo
Bajo el silencio augusto de tu solemne altar.

Julio del sol furioso que das a las campiñas
20 Una pasión de oro bajo un dosel azul.
Tus espigas inmensas, tus campos de amapolas
Que forman rubios mares y ondulaciones rojas
Son oros de tu alma y sangre de tu luz.

Julio de las mañanas, todo rosa caliente,
25 Cuyo albor acompaña un glorioso trinar.
¡Oh! Julio de las nubes macizas y de plata
Que como carabelas de un fantasma pirata
Cruzando el horizonte de infinito van.

¡Oh! Padre lujurioso que incubas en las almas
30 Un deseo imposible de carne y de besar.
¡Oh!, mes de los claveles cuyo sol va dejando,
Y unas locas guirnaldas de besos y de llantos
Con poemas de ojos, con suspirares blandos,
Que a la rosa del sexo lento martirio dan.

---

16 Ms: *de*el vino
21 Ms: *granadas* imensas / a*np*mapolas
22 Ms: r*o*ubios
26 Ms: ma*z*ci*d*zas
27 Ms: fantas*tico*ma*s*
29 Ms: luyurioso
30 Ms: car*d*ne
31 Ms: va*j*dejando

35 Julio de las estrellas punzantes y precisas,
Flores blancas del manto de la superstición,
Ojos claros que miran como sabiendo ciertos
Las rojas agonías de nuestro corazón.
Mes en que madre iglesia nos recuerda la sangre
40 Preciosísima y clara de Dios nuestro Señor.

En Julio brillan más las estrellas que nunca
Y las noches se incendian de pasión inmortal.
Se agudiza en los hombres la tortura del sexo
Y llega hasta los cielos el espasmo carnal.

45 En las noches de Julio se cuentan más estrellas
Y es porque en los abismos de su felicidad
Los niños inocentes miran todos al cielo,
Ansiosos aguardando una sombra pasar,
A Santiago que cruza su camino de leche
50 Para entrar en el cielo donde descansará.
Y sus ojos divinos clavados en los cielos
Son esas estrellitas llenas de azul fugaz

⟶

---

35 Ms: *O* Julio

36 Ms: superticion,

39 Ms: *la* madre ilgesia nos (?) recuerda *de*la *pre*sangre

39-40 La iglesia católico-romana celebra la fiesta litúrgica de la Preciosísima Sangre de Jesucristo el día 1 de Julio.

39/40 Ms: *Preciosa y fecunda de nuestro Señor*

40 Ms: nuestros Señor.

42 Ms: imortal

43 Ms: Se agudi*e*za

44 Ms: Y *ha*llega

45 Ms: estrella

45 ss La fiesta del apóstol Santiago es el 25 de Julio. Este pasaje presenta nexos temáticos claros con varios poemas lorquianos posteriores, como por ejemplo, *Santiago* del *Libro de poemas* o el *Romance del emplazado* del *Romancero gitano*.

47 Ms: *Mi* Los

49 Ms: Santigo

50 Ms: *ha de descansar* descansará

51 Ms: esos/sus. Hemos escogido la variante más reciente.

52 Ms: Son *las* esas estrell*a*sitas

Que se encienden y apagan en la noche tranquila
Al ver que el caminito desierto y blanco está.

55 ¡Gloria! ¡Julio!, mes de las pasiones,
Suenas a guitarra,
A campana grave,
A boca al besar.
Suenas a sol fuerte,
60 A luz hecha carne,
A esencias de ansias
De amor que se irá.

¡Oh! mes de la hormiga,
Por tus campos
65 Una comitiva de faunos cornudos
Que entre los trigales con ruidos de mar
Y agitando al aire sus sistros de oro
Celebran tu gloria, tu triunfo inmortal.

¡Oh! Julio sangriento,
70 Pleno de cigarras
Y de secos vientos.
Tu rojo solemne,
Tu fuerza y tu paz,
La cantan inmensos tropeles de toros,
75 Fantasmas de acero que vienen y van
Por los campos llenos de aromas del trigo,

→

53 Ms: en la*s* noche*s* tranquila
54 Ms: caminin*n*to
55 Ms: mes *de la guitarra* de las pasiones
62 Ms: se se irá
63 Ms: ¡Oh! *Julio sangriento mes de la hormiga*
64 Ms: va *una co*
66 Ms: los *sembrados* triga*gel*les com sonido
67 Ms: *Que* Y
68 Ms: imnortal
74 Ms: immensos

De cantos de agua, de olor de azahar.
¡Oh! mes de las nubes macizas y blancas.
¡Oh mes de la siega! ¡Oh mes sensual!

---

77 Ms: olor de azahar/rosal
79/ Ms: Federico Garcia 28 de Junio
1918.

85

ROMANCE DE CIEGO

Oración ingenua

Ampárame con tus lirios,
Dulce Jesús Nazareno.
Quisiera poder cantarte
Como Gonzalo Berceo,
5 El de las blancas palombas,
El de los ritmos honestos,
El de los prados floridos,
El de los castos deseos.
¿Cómo cantar tus dolores,
10 ¡Rama azulada del Verbo!,
Sin tener las manos blancas
Ni la lira de Berceo,

⟶

28-VI-1918
edic: PRG, pág. 93 (vv. 1-4)

2 Ms: *n*Nazare*d*no(?)

4 Gonzalo Berceo: la evocación del poeta religioso medieval explica la presencia de algún arcaísmo nominal y verbal (vv. 5, 13: *palomba;* v. 46: *demostrastes),* lo mismo que unas claras reminiscencias a su obra (por ejemplo, v. 7: el prado florido).

7 Ms: *chopos* prados

7/8 Ms: sin pasiones ni deseos.

12 Ms: *Y* Ni

Si las místicas palombas
Son milanes agoreros,
15 Si las nubes se llevaron
Las esencias de tus tiempos,
Si tu cálida figura
Sólo anda por el cielo?
¿Cómo cantar tus dolores
20 A gentes que no te oyeron?
Por tu corona de espinas
Gran misericordia tennos,
Que coronas de esa clase
Ya todos las poseemos.
25 Por tu suplicio en la cruz
Gran misericordia tennos,
Pues nos amarró tu Padre
A la cruz de amor inmenso.
Por tu corazón herido
30 Gran misericordia tennos,
Pues también hay puñaladas
En los corazones nuestros.
Y al herirte a ti, Longinos
Hirió a todo el universo.
35 Por tu redención inútil
Gran misericordia tennos,
Que es inútil la tortura
De la carne en el infierno.
Por tus ojos infinitos
40 Gran misericordia tennos,

→

---

13 Ms: palom*r*bas
17 Ms: figura *solo*
24 Ms: las poseemos
26 Ms: ten*la*nos
27 Ms: *tu*nos
30 Ms: miseri*or*cordia
33 Ms: a t*ui*
Longinos: según la tradición, el soldado que traspasó con una lanza el costado de Cristo crucificado.
36 Ms: ten*la*nos

Pues nuestros ojos ya aman
A las estrellas del cielo.
Por tu vida de milagros
Gran misericordia tennos,
45 Que al andar sobre los mares
Demostraste tu yo eterno.
Por la alquimia, por la ciencia,
Gran misericordia tennos.
Los caminos se bifurcan.
50 Nosotros nada sabemos.
Ampáranos con tus lirios,
Dulce Jesús Nazareno.

---

41 Ms: *hi*ojos
46 Ms: Demostrastes tu *y* yo
52/ Ms: 28 de Junio
1918

86
HORA

Cada día siento más
La tortura del azul.
El alma triste va sola
Por un sendero de luz.
5 Las miserias de la carne,
¡Qué importan! ¡El corazón!
¡Qué importa! Mas soy poeta
Y a sus dolores me ató.
Yo sería todo o nada.
10 El no ser es mi ilusión.
No es miedo ni cobardía,
Es imposible dolor
De no descifrar el libro
De las estrellas, del sol,
15 De las almas, de la sangre
Y del contorno de Dios.
¡No saber! ¡No saber nunca!

⟶

29-VI-1918
78

---

6 Ms: imortan
7 Ms: *r*soy
13 Ms: lib*o*ro
14 Ms: entrellas

Sombra tiene el corazón.
Por su sendero va el alma
20 Rumiando lo que no vio.

---

19 Ms: *Pensa* Por su
20 Ms: *Pensando* Rumiando
20/ Ms: 29 d Junio.

87

[¡ÁLAMO INMENSO SOBRE EL VERDE SOTO!]

¡Álamo inmenso sobre el verde soto!
Verde rueca que hilas cantares de los pájaros.
Abuelo de la vega extático y sonoro
Ante el agua que sueña parada en el remanso.
5 Patriarcal ribereño que escondes en tu seno
Cordones de hormigueros y nidos de lagartos,
Asomando entre hierbas tus manos sarmentosas,
Toscos tubos sonoros que te dan vida y cantos.
Tu vieja copa sueña mirando hacia los cielos
10 Una leyenda oculta de tu alma de árbol.
Y al dorarte la tarde con su lumbre imposible
Pareces un inmenso parasol encantado.
¡Álamo ya rugoso por el paso del tiempo!
Único que aún se yergue en el florido prado
15 Aunque un día de niño te di de puñaladas

⟶

---

26 (¿Junio-Julio?) 1918

---

1 Ms: imenso *en* sobre
5 Ms: Patrialcal
8/9 Ms: *Tu vieja copa suena sobre el ci*
11 Ms: inposible
12 Ms: imenso
13 Ms: por el *tiem* paso

Con un puñal pequeño de nacarino mango.
Hoy en tus plantas pongo mi tristeza rendida
Como una flor humilde y marchita del campo
Por sentir en mi carne tus ocultos estigmas
20 Que por pasión de nubes en ti consumó el rayo.
Y notad en mi carne castidad y rudeza
En vez de las antorchas que me enciende el
[pecado
Que advirtiera en mi carne tus heridas profundas
Por el filo del hacha de la invisible mano,
25 Tal como San Francisco en el monte de Vernia
Sintió las llagas hondas del Santo de los santos.
¡Álamo viejo y grande amigo de los vientos,
Toda el alma te dejo enredada en tus brazos!

---

16 Ms: nacari/no

21 Ms: no[?]tad

24 Ms: h[?]acha

25 el monte de Vernia: en este lugar de los Apeninos (también llamado Verna o Averna), fundó San Francisco de Asís el más importante de sus eremitorios. Allí recibió en 1214 los sagrados estigmas.

28/ Ms: 26

88

[Y EL AIRE VA ENTRE LOS ÁRBOLES]

Y el aire va entre los árboles
Jugando sus dulces ecos,
Mientras las parvas descansan
Contemplando a los luceros
5 Y el poniente se adormece
Lleno de noche a lo lejos.

¡Oh rosarios de ponientes
Que se van sin comprenderlos!

---

26 (¿Junio-Julio?) 1918

8/ Ms: 26

89
ALFONSO Y PAQUITO

Rubio y castaño,
Mi hermano y su amigo,
Uno asombrado
Y otro pensativo.

5 Alfonso pasea
Por campos de trigo
Llenos de granados
Y de pajaritos.
Un campo de un dulce
10 Cuadro primitivo
Donde fuerte y casto,
Profundo y sencillo,
Pasea su pena
De doncel antiguo.

(¿Junio-Julio-Agosto?) 1918

---

t Paquito es Francisco García Lorca (1902-1976). Según fuentes familiares Alfonso se referiría a Alfonso García Valdecasas (°1905 Montefrío), amigo del Rinconcillo granadino, a quien Lorca dedicó su romance *Thamar y Amnón*.

1 Ms: *moreno* castaño

15 Mi hermano se pierde
Por un valle limpio
Donde va entre chopos
Un estrecho río.
¡Valle azul! Leonardo
20 De Vinci lo ha visto.
Y mi hermano busca
Por los prados líricos,
Serio y silencioso,
Puro y comprensivo,
25 La piedra de toque
De lo femenino.

Rubio y castaño,
Mi hermano y su amigo,
Uno asombrado
30 Y otro pensativo.

Oración

Pido a las musas de mi cuento
Y a la luna de mi corazón
Os den las flores eternas
35 Del amor.

Pido al agua de la fuente
Y al rayo del sol
Os den mujercitas buenas
Y el pan sin sudor.

40 Pido a mi santo Patrono
Y a Cristo nuestro Señor
Sean verdad las ilusiones
De esta oración.

---

16 Ms: *por* por
18 Ms: *limpio* estrecho

90
[CIELO AZUL LLENO DE TARDE]

Cielo azul lleno de tarde.
Un allegro ma non tanto
Tiende un iris imposible
Del crepúsculo al piano.

5 Mi pena ya de oro viejo
Recuerda lo que ha pasado.

Es lo eterno del poeta
¡Siempre hiriendo su remanso!,
Poniendo en la sombra cisnes
10 Y murmullos de rebaños,
Llenando de luna y nubes
La tibieza del sol claro,
Esculpiendo en el azul
Sueños de nieves con llanto.

15 ¡Cómo se acorta el camino
Que lleva a lo ya soñado!
¡Cómo se torna ciprés
Lo que antes fue rosa y nardo!

(¿Junio-Julio-Agosto?) 1918

---

9 Ms: *sobre* en

Toda el alma de Chopin
20 Late en el negro piano.
Chopin de niebla y cristal,
Confuso, carnal y vago...
Deshaciendo luz atada
Con dedos de Otoño blanco
25 Me brota del corazón
Para morir en las manos.
Y se llena de rocío
El ensueño del teclado.

Un eco de lejanía.
30 Un allegro ma non tanto
Tiende un iris imposible.

---

24 Ms: *mano* dedos
27 Ms: llenó (?)

91
CREPÚSCULO

Se ha quebrado el sol
Entre nubes de fuego.
De las sierras azules
Llegan aires sonoros.
5 En el prado del cielo,
Entre flores de estrellas,
Va la luna en creciente
Como un garfio de oro.
En el campo que espera
10 Los tropeles de almas
Voy cargado de penas
Por el camino solo.

(¿Junio-Julio-Agosto?) 1918

El poema *[Se ha quebrado el sol]* que aparece en OC pág. 1.007 y OAK pág. 464, entre los *Poemas sueltos* (PS), ofrece una versión posterior de *Crepúsculo* con importantes variantes que indicamos.

---

t OC, OAk: [Se ha quebrado el sol]
2 OC, OAk: nubes de cobre.
3-4 OC: De los montes azules llega un aire suave.
OAk: De los montes azules llega un aire sonoro.
6 Ms: *En las (?)* Entre
8/9 OC,OAk: blanco
9-10 OC: Por el campo, / que espera los tropeles de almas
OAk: Por el campo (que espera los tropeles de almas)
11 Ms: de *alma* penas OC, OAk: pena

Mas el corazón mío
Un raro ensueño canta
15 De una pasión oculta
Por distancias sin fondo.

¡Pasión que maduraré
Con llanto de mis ojos!

---

13 Ms: Mas es corazon
13-14 OC, OAk: Pero el corazón mío / un raro sueño canta
16 OC, OAk: en distancias
16/17 OC, OAk: Ecos de manos blancas/ sobre mi frente fría,
17 OC: madurara OAk: madurose

92
[ENTRE LAS RAMAS DE LOS ZARZALES]

Entre las ramas de los zarzales
Palpita el canto del cuco.
Una queja de umbrosas cadencias estivales
Canta el agua en los juncos.

5 La vereda de espinas
En el prado se pierde.
Sobre las hierbas,
Procesiones de encinas
Dulcemente caminan
10 Hacia las sierras.
Las masas del paisaje,
Nubes de tierra,
Tienen un halo: encaje
De luz violeta.

15 Allá sobre los pueblos de la montaña
Hay rebaños de luces
De oro, paradas.

(¿Junio-Julio-Agosto?) 1918

---

16 Ms: luzces

Los pinos solitarios junto a las peñas
Contemplan la llanura
20 Con mucha pena.

Las encinas obscuras
Su fruto sueñan
Quedamente danzando
En la tristeza.
25 Antorchas en los suelos chisporrotean.
Son rastrojos que arden.
La tarde muerta.

¡Qué dulzura por todo hay en la vega!
¡Cuántos oros que mueren!
30 ¡Cuántas sombras que llegan!

Mi alma lenta cruza por la alameda
Y va purificándose por las hogueras,
Penando silenciosa el haber pensado
Que ella no alcanzaría jamás
35 Su estrella.
¿Y entonces estos ojos que ven el cielo?

---

19 Ms: Contempla
21 Ms: encin*aras*
25/26 Ms: *Los rastrojos se queman*
Muerta la tarde
26 Ms: *mueren* arden

93
[ESTE CREPÚSCULO TORTURADO]

Este crepúsculo torturado
De niebla gris y blanca
Es un espejo frío y encantado
De mi perdida alma.
5 Saldrá el sol,
Mas ¡qué importa!
La niebla no se acaba.

Ya sollozan tranquilas y aburridas
Las antiguas campanas.
10 Y sollozan por mí
Como en el tiempo
Que por San Juan doblaran.
Y la tierra me espera
Gloriosa y resignada.

(¿Junio-Julio-Agosto?) 1918
edic: BOL, págs. 26-27

---

6 Ms: *A*Mas

94
[¡ESTOS INSECTOS EN EL REMANSO!]

¡Estos insectos en el remanso
Que dan saltitos con lenta gracia
Son cazadores de lo invisible
Que quizá sueña sobre las aguas!

5 En los tapices hondos del río
Bordan sus vidas que pronto pasan
Con las agujas de sus patitas
E hilos suaves de aire que pasa.

Parecen locos de su fortuna
10 Pues Dios les puso en tal morada,
Pues son las aves en un espacio
Volando dulces sin tener alas.

(¿Junio-Julio-Agosto?) 1918

---

1 Ms: *sobre* en
2 Ms: salitos
6 Ms: pasas (?)
7 Ms: agugjas
11 Ms: *Que* (?) Pue son las aves en *el* un (?) espacio

Cierran heridas de las corrientes,
Quizá dibujan las verdes ramas,
15 Quizá su lira que está perdida
Busquen muy tristes con vivas ansias.

¡Seréis dichosos en las corrientes
Con vuestra vida siempre ignorada!
O acaso en medio de vuestra dicha
20 Tengáis pasiones por nubes blancas.

¿Seréis tan sólo germen de ritmo
Sin vida interna de amor y alma?
¿O vais penando por los remansos
Hondas pasiones mudas y raras?

25 ¿Qué hacéis insectos sobre las ondas
Rasgando el velo del agua casta?
Yo por la orilla voy suspirando
Hondos misterios de vuestras almas.

Quizá tengáis pasión de cielo
30 Y vuestro ritmo es queja vana,
Que Dios no escucha desde lo alto
Ni vuestros goces ni vuestras lágrimas.

¡Mundos tan chicos pero tan grandes
Que el hombre vano no mira y pasa!
35 Hondos enigmas imperceptibles
Con ansia viva por la palabra.

Vivos insectos del agua buena
Que pulsan cuerdas de ondas claras.
Quizá los hombres tengan más forma
40 Pero más chica la sed de alma.

---

25 Ms: inse*s*ctos
26 Ms: Rasgas*t*do - gagua
32 Ms: Ni vuestros goces / Ni vuestras lagrimas.
36/37 Ms: *Quiza los hombres son sus esencias*
Nunca
40 Ms: chi*ch*ca

¡Quién soy, Dios mío, entre los campos,
Sino un insecto que piensa y habla,
Hermano dulce de los que viven
Bordando siempre seda del agua!

45 Mi andar cansado por los caminos,
¡Qué es sino busca de estrellas vagas,
Qué es sino dulce bordar en tierra
Con secos hilos de nuestras almas!

Somos insectos de las estrellas
50 Y ellas insectos de otras lejanas.
Mas todo vive y todo piensa,
Y el uno es todo en la inmensa Nada.

Estos insectos sueñan y sienten
Sus vidas cortas sobre las aguas.
55 ¡Dejad que vuelque mi vida entera
Sobre la copa de la esperanza!

46-56 Ms: estos versos se reparten en renglones irregulares que hemos restablecido en estrofas tetraversales decasílabas.

49 Ms: ins*e*s*c*tos

51 Ms: *De* Mas / pien*as*sa

52 Ms: imensa Nada.

53 Ms: insetos

95
[ESTRELLA LA GITANA ESTÁ EN SU PUERTA]

Estrella la gitana está en su puerta.
Cayó la noche sobre el pueblo obscuro.
Y ella el cielo contempla
Con sus ojos morunos,
5 Boquetes de la noche,
Negros soles profundos.
La calle sola y blanca.

(¿Junio-Julio-Agosto?) 1918
edic: BOL, pág. 28

---

2 BOL: Como la noche sobre el pueblo oscuro.
4 BOL: morenos
5 Ms: la*s*
En el verso de la hoja figuran, una debajo de otra, dos palabras: Luna (?) - Estrella.

96
[HACES QUE MIS ILUSIONES]

Haces que mis ilusiones
Sean como viejas espadas
Que no brillan con el sol
Por sus penas herrumbradas.

5 En mi pecho está el paisaje
Con verdores y con casas.
Es un borroso remanso
Que copia forma y distancia.

Tiene nieve, sangre, rosas,
10 Reptiles, palomas santas.
Se enturbia con mis pesares.
Después cae en triste calma.

(¿Junio-Julio-Agosto?) 1918
Este ms bien podría ser un fragmento del ms siguiente *[Sedas de sonido plata]*.

---

4 Ms: Por *y* sus penas herrumbrasdas (?)
8/9 Ms: *Se enturbi*
10 Ms: *blan* santas

Sólo se estremece cuando
Unos labios lo desangran.
15 O cuando mis ojos dulces
Llueven rocío de lágrimas.

Las torres de las iglesias
Tienen sol de mañana.
Sobre mi corazón tengo
20 Arroyos que en vez de agua
Llevan recuerdos que corren
Cuajados de estrellas vagas.

17-20 Ms: se escriben en sólo dos renglones irregulares.
22 Ms: Cuajados (?)

97
[SEDAS DE SONIDO PLATA]

Sedas de sonido plata.
Los maizales de la vega
Su fruto de oro guardan
Entre los cascabeleos
5 De alamedas asombradas.
Huele a nardos, a mastranzo,
A sol débil, a campanas
Que ponen nubes sonoras
En el cielo azul sin mancha
10 Y tranquilidad. Te siento
Llegar con tu ropa blanca
A quitarme el corazón
Como en las coplas se canta.
Es inútil que resista
15 La fuerza de tu mirada.

⟶

(¿Junio-Julio-Agosto?) 1918
Este ms parece formar un conjunto con el ms anterior *[Haces que mis ilusiones]* (cfr. versificación y rima).

4-5 Ms: un solo verso
6 Ms: Huel*a*e
10-11 Ms: Y tranquilidad. / Te siento llegar con tu ropa blanca
13 Ms: se cantan
14-15 Ms: un solo verso

Te vas entre los cipreses
Sepultándote en el ansia
De mis arroyos que llevan
Tu recuerdo en verde agua.
20 Eres Niké de la tierra
Que ha hecho mi vida fantasma.
Haces de mi pensamiento
Una lira y de mi alma
Torrente gris de crepúsculo
25 Lleno de flores tronchadas.

---

16 Ms: cipreces
19 Ms: *A* (?) Tu
20 Ms: Eres *M* NiKé
Niké: cfr. el poema núm. 8 *Tentación* del 7-XII-1917, v. 78.

El ms consta de tres hojas. Damos sólo el texto de dos de ellas. La tercera hoja es prácticamente ilegible. Un análisis fotoscópico da el siguiente resultado aproximativo:

Negros (?) cipreces del monte [?]
La [?] de lo infinito. Hay (?) [?] las cañas
Y hacen heridas al viento [?] de las campanas.

Sobre mi corazon tengo arroyos que en vez de agua
Llevan recuerdos que corren cuajados de estrellas
Brotan de una noche muda
Que jamas tendra su alma

En los cipreces hay nidos
Que sobre sus ramas cantan
De ruiseñores que cantan
[?]jiendo con la penumbra

Las torres de las iglesias tienen

Es probable que esta hoja sea la primera de las tres. Por otra parte contiene versos paralelos a los del ms anterior.

98
[MONTECICOS INGENUOS]

Montecicos ingenuos
Al final de la vega,
Surcados por olivos
En una y otra hilera.
5 Trochas acostumbradas
Al balar de la oveja
Y al eco hilado en aire
De las rubias abejas.
Lomos de tierra opaca
10 Que la luz no refleja.
Vosotros sois los Mínimos
En el cerco de sierras.
Franciscanos humildes
Con sayal de pobreza.
15 ¡Oh montes infantiles!
Sitios de penitencia
Que parecéis un muerto

⟶

(¿Junio-Julio-Agosto?) 1918

5-6 Ms: un solo verso

11 Mínimos: religiosos de la orden fundada por Francisco de Paula (siglo XV), caracterizados sobre todo por su espíritu de pobreza y penitencia (cfr. vv. 14-16).

13-14 Ms: un solo verso

Alivio de la vega,
Tan mansos y tan dulces
20 Sin vida de leyendas.
Cercos de Parapanda,
La sierra arlequinesca
Que tiene una joroba
En su cumbre serena.
25 Suspiros de Castilla
Frente a la sierra inmensa
Que guarda en sus picachos
Vida y sangre agarena.
El alma de aquel pueblo
30 Y las miradas hondas
Del rey moro poeta
Ensueñan por las noches
A través de la vega.
Y en los montes del fondo
35 Que a Castilla recuerdan
Se siente un ruido tenue
Descender de banderas
Rotas, que como alas
De antigua y turbia era
40 Cubren con sus ternuras
La inmensa sementera.
La raza mora vive.
En Granada y su vega
Y en toda España un dulce
45 Recuerdo suyo queda
Que late el alma noble

→

---

21 Parapanda: sierra de Granada, al norte del río Genil.
26 Ms: imensa
28 sangre agarena: descendiente de Agar, mahometano.
30-34 Ms: dos versos
36 Ms: tenue*s*
39 Ms: turbia ra (?)
41 Ms: imensa
44-45 Ms: Y en toda España / Un dulce recuerdo suyo queda. Hemos corregido el corte versal en dos heptasílabos
46 Ms: [*?*] Que... (?) el alma noble

De la roja meseta,
De la nieve perpetua.
Y vive aunque le rete
50 Toda Castilla entera
En cortejo guerrero
De acero y de nobleza.
Aunque comprarlo quieran
Con el oro de América,
55 Aunque por expulsarlo
Diéranle mil doncellas,
Hijas todas de hidalgo
Y de las ricas hembras,
Aunque le dieran regios
60 Galones de perlas
Y vasos repujados
Por las manos gallegas,
Y los cueros de oro
De Córdoba la vieja,
65 Y el bordón de Santiago,
Y la morada enseña,
El monte fabuloso
No rinde su cabeza.

¡Montecicos ingenuos
70 Al final de la vega!
No brindéis al alma
Secretos de colmena.
Y ante la fausta pompa
De la llanura inmensa,
75 Bordada por el hondo
Ritmo de las choperas,
Inclináis los lomos
De roja parda tierra.

---

51 Ms: guerreoro
57 Ms: Hijas *de fijosdalgo* todas de hidalgo
57-58, 59-60, 61-62, 63-64 Ms: un solo verso
70 Ms: final de vega
73 Ms: f*unes*(?)austa
74 Ms: imensa
75-76, 77-78 Ms: un solo verso

99
[¡OH GRAN PREÁMBULO ROJO!]

¡Oh gran preámbulo rojo
De la noche de luna!
¡Oh crepúsculo claro que luz rara rezuma!
¡Oh montañas azules
5 Envueltas entre brumas!
Todo esto se muere para no volver nunca.
....

Por la ribera va un mozo
Desgranando un canto inquieto:
Anda, vete, que no quiero
10 Pasar el río de noche
Porque el agua me da miedo.

(¿Junio-Julio-Agosto?) 1918

100
SANGRE DE LOS CAMPOS

Las pasionarias azules,
Sangre del cañaveral,
Se adormecen en la umbría
Maciza del pastizar.
5 Sueñan con el agua clara
De la acequia, al sonar
De los cencerros melosos
Y la plata del trigal.
Gotas dulces del azul,
10 Mariposas sin volar,
Las pasionarias azules,
Sangre del cañaveral.

Las margaritas son sangre
De las humildes veredas,
15 Flores hermanas que nacen
En enjambres, como abejas.
Estrellas de los caminos,

⟶

3-VII-1918
edic: BOL, págs. 20-25

4 Ms: *pastosa* maciza
14 Ms: *ver* humildes

Constelaciones honestas,
Dulces criselefantinas,
20 Regalos de un hada buena
A los niños campesinos.
Flor que tiene su leyenda
En aquellos tiempos dulces
Que Jesús cruzó la Tierra.
25 Tímidas, castas, paradas,
Sencillas, creyentes, buenas.
Una de ellas se hizo carne,
La amante de Fausto fuera,
La de los ojos azules
30 Y las amarillas trenzas.
¡Oh! margaritas monjiles,
Sois sangre de las veredas.
De una sangre legendaria
Que es reliquia de la Tierra.

35 Y el crepúsculo es la sangre
Para el cielo y Madre Tierra.

---

19 criselefantinas: adjetivo calificativo de *margaritas* (v. 13); significa: de oro y marfil.
21 Ms: *d*campesinos.
24 Ms: *paso* cruzó
25 Ms: castas y paradas. Hemos corregido por razones métricas.
26 Ms: creyentes *y* buenas
28 BOL: de Fausto era
amante de Fausto: Margarita, como las flores evocadas en los vv. 13 ss.
35 Ms: sang[?]
36/ Ms: 3 de Julio.
Junto al rio.

Debajo de la fecha se lee:

Hoy no sé nada
Mañana quizá pueda
observar toda la intensidad
de mi corazón.

101
CAMINO

Escena

Hay en la vega nublos de plata derretida.
En las eras se inicia la liturgia del trigo.
Las acequias reposan sus liras guturales
En la honda tristeza que mana del camino.

5 ### Prosigue

Los caminos son venas con sangre de la tierra,
Senderos necesarios de las almas humanas,
Pavimentos amargos regados con la sangre
De tantos peregrinos que por sus polvos pasan.

4-VII-1918
79

---

2 Ms: trig*ro*o.
8 Ms: con la*s* sangre
9 Ms: p*re*regrinos

10 Peregrino de luces y de aromas, yo quiero
Que por estos caminos se derrame mi alma,
Que se enrede en los chopos, que se duerma en
[las rosas,
Que suspire en las frondas, que se hunda en el
[agua.

Que mi voz se la lleven los cantares del río
15 Y el besar de los grillos y el croar de las ranas.
Y si quiero llorar que mi llanto se torne
Ritornelo de amor en las mágicas ramas.

Que mis ojos se pierdan en las tardes de sangre
Como dos ilusiones errantes y cansadas,
20 Y al pasar por los campos amarillos y graves
Atrás vayan dejando amapolas de gracia.

Yo una flor, yo un olivo, yo una sierra. Yo Nada...
Aire dulce en la noche melancólica y negra.
Peso blanco del cielo sobre el alma del agua.

25 Nieve y carmín.
Fuego y azul.
Clepsidra santa
Que mida un tiempo

→

---

11 Ms: Que [1]en dulces / [2]por estos caminos se *estremezca* derrame mi alma,

Hemos optado por la segunda versión que es la última en redacción.

12 Ms: *Que se enrede* Que se duerma

14 Ms: *e*llev*a*en

18 Ms: Que mi ojos se pierdan en las tardas

21 Ms: A*o*tras

22-23 Ms: Yo una flor, yo un olivo, yo una sierra. / Yo Nada...

23 Ms: noche melancol*í*ca

26 Ms: *o*y

27 clepsidra: reloj de agua.

Que nunca acaba.
30 Camino largo.
Vereda blanca
De margaritas
Bellas guardada.
Yo peregrino de luz y aroma
35 Que va dejando sangre cuajada
Por los caminos llenos de polvo
En triste busca de la mañana.
¿No sabré nunca que los caminos
Tienen un alma que nunca acaba?

40 ¡Campos divinos llenos de sangre!
Dadme una copa para guardarla,
Y sacerdote pobre del campo,
Yo hacia los cielos la tendré alzada
En el silencio lento del aire
45 Entre los gritos de las guitarras.

¡Campos divinos llenos de espigas!
¡Dadme el incienso de tus mañanas!
Toma mi cuerpo para tu vida
Pero sostenme elevada el alma.
50 ¡Campos divinos llenos de sangre!
¡Dadme una copa para guardarla!

No se acaba el camino.
Van dejando mis plantas

⟶

32 Ms: margaritas *ble*
33 Ms: Bellas *be* guardada
34 Ms: lu*r*z
35 Ms: cuaj*oe*ada
42 Ms: Y*o*
44 Ms: silenci*a*o
46 Ms: ¡Campo*s*
47-49 Hemos mantenido el texto a pesar de la incongruencia singular-plural.
48 Ms: *D* Toma

Escrituras heridas
55 Como Cristo dejara.
Y el camino padece
El dolor de mis ansias.

57/ Ms: 4 de Julio 1918.
Asquerosa

102
MEDIODÍA

Pasional y encendido mediodía...
Está la vega abierta como una flor de oro.
Las montañas perdidas en los tronos del aire.
Las acequias se duermen y se callan los chopos.

5 El camino que gime todo plata deshecha
Enseña entre sus ondas unas huellas tan sólo
De un asno envejecido, aburrido y sangriento
Que humilde y fracasado va a pacer en el soto.

Un sonido suave se extiende en el ambiente
10 Del roce de las mieses y de espigas tronchadas
Que en el rojo silencio del paisaje semeja
Un estremecimiento del sol que se quejara.

6-VII-1918
80

---

4 Ms: acequ*a*ias
7 Ms: De un asno *que ha pasado* envejecido
8 Ms: *Que abrumado de moscas* Que humilde y fracasado
9 Ms: Un *quejido* sonido
11 Ms: *semejan* semeja

Entre las agonías resecas de los trigos
Unas manos asoman rudas piedras ahumadas
15 Que sostienen las hoces refulgentes y frías
Como rayos de luna, como curvas de plata.

En el hondo declive del secano amarillo
El viejo cementerio con sus muertos descansa,
Cercado por olivos añosos y robustos
20 Que siguen escribiendo la cobriza montaña.

El mesón arrumbado sin trajín ni gañanes
Con las puertas abiertas caminantes aguarda.
Una vieja sombría mece a un niño rollizo
En la sombra dormida de una húmeda parra.

25 Unas nubes macizas han vestido de nieve
A las sombras moradas del peñón de Zujaira.
El azul indeciso ha prendido sus velos
En la mole solemne de la Sierra Nevada.

Sol potente, quietudes inquietantes de fuego.
30 Remolinos de luces y cantar de cigarras.
Raros tonos de fa en trompetas enormes.
Gran espasmo de oro sobre un manto de grana.

---

14 Ms: asoman *como* rudas
21 Ms: *A*El - tragin
22 Ms: *al* caminantes
24 Ms: *parada* dormida
26 el peñón de Zujaira: domina una cortijada del mismo nombre en el pueblo de Pinos Puente (provincia de Granada).
27 Ms: indesiso
28 Ms: Ne*n*vada
30 Ms: remoli*bro*(?)nos
31 Ms: tronpetas

El sol canta la gloria del fruto y la vida,
La gloria de las eras de trigo embarazadas,
35 La gloria de los campos. ¡Oh patenas inmensas!
La gloria de la sangre. La gloria de las aguas.

El sol canta la gloria del amor y la vida.
La gloria de los surcos que en la Tierra son llagas
Donde brotan espigas. ¡Oh joyeles sagrados!
40 Rayos del sol. Lagunas de la luz hecha ramas.

Los caminos se mueren bajo el fuego de Julio.
¿Dónde vas, chique rubio, con tu asno y su carga?
A los pozos aquellos que relumbran de blancos
A llevar al que siega la frescura del agua.

45 ¿Por qué no vas más tarde cuando el sol ya se
[muera?
¿Por qué cantas tranquilo en el campo que
[abrasa?
Señor, que yo no temo ni al sol ni los caminos
Y canto por callar a las locas cigarras.

Queda con Dios, buen chique tostado y
[harapiento,
50 Ve a llevar al que siega la frescura del agua.
Quiera Dios que el camino te conduzca a una
[sombra
Donde puedas cazar mariposas y ranas.

---

33 Ms: y de la vida,
35 Ms: imensas!
39 Ms: *Para* Donde
40 Ms: *l*Lagunas de la luz hecha ramas
matas
42-49-57 chique: forma popular de *chico* (cfr. los diminutivos *chiquete, chiquetito...*)
45 Ms: Porque
46 Ms: Porque
49 Ms: con *d*Dios buen chique *torn* tostado
51 Ms: te *guie acompañe y te guie* conduzca a una sombra (?)
52 Ms: *A una* Donde

Y más sol y más sol en la Tierra que sufre
La pasión dolorosa que las trojes aguardan.
55 Y más sonido de oro en la vega ya ungida
Por óleo fecundo de unas nubes de paja.

Nadie va por la vega sino el chique y el asno,
Que el polvo del camino los finge sombras
[blancas,
Y un mastín trashumante que viene de las sierras
60 Agitando con fuerza sus mohosas carlancas.
....

Mediodía. Silencio.
Se han dormido las aguas.

---

54 Ms: los trojes (¿trigos?)
55 Ms: sinido (?) de oro
56 Ms: oleo [?] fecundo
59 Ms: *que va por un sendero* que viene de las sierras
62/ Ms: 6 de Julio 1918
Asquerosa

En el margen derecho, más abajo, se lee: ¿Que será?

103

MOMENTO DE TORMENTA EN UNA TARDE DE JULIO

La tormenta se cierne profunda y pavorosa,
Apoyando en los montes sus garras de titán,
Dando al cielo una comba de cráneo formidable
O de cúpula negra de inmensa catedral.

5 Las cigarras se paran. Ya no lloran los trillos.
Detonante y solemne el cielo se quebró
Con el verde latir de un relámpago inmenso
Que por unos instantes a la vega hechizó.

En el muerto silencio del confín nebuloso,
10 En un triunfo de blanco asoma el claro sol
Que recorta en el negro del cielo a las choperas
Con sus verdes mojados, henchidos de pasión.

9-VII-1918
81

---

4 Ms: imemsa
5 Ms: *Se* Las
6 Ms: queb*l*ró
7 Ms: re*p*lampago imenso
8 Ms: v*a*ega
10 Ms: *Entre* En

Un aire fresco y niño se extiende por la vega.
Cantando entre los trigos descansa el segador.
15 Y en el limpio horizonte de cristal y tristeza
Las campanas de un pueblo sollozan la oración.

16/ Ms: Asquerosa 9 de Julio 1918
NO

104
[EN VERANO LA VEGA AMARILLA DEL TRIGO]

En verano la vega amarilla del trigo
Es un campo de oro que la tarde cuajó.
Y parece en las noches de luna silenciosa
Una hostia dormida con que comulga Dios.

5 ¡Oh vientre de la Tierra que canta la cigarra!
¡Oh pasión lujuriosa de oro y de carmín!
¡Oh rito de verano en la vega fecunda!
Cíngulos de esmeralda, casullas de marfil.

El altar es la sierra gloriosa ya sin nieves.
10 La misa la celebra el sacerdote sol.
El vino es un poniente sangriento y nacarado
Y el misal es el cielo teñido de arrebol.

El momento del gloria es el alba divina
Y los trenos solemnes de la consagración
15 Los canta el sacerdote en pleno mediodía
Cuando muere la espiga entregando su don.

12-VII-1918

---

7 Ms: en *el* la vega
11 Ms: nacarado (?) / morado (?): lectura hipotética.
16/17 Ms: *Las santas golondrinas son negros incensarios*
Que bordan el espacio con sus gritos de fe
Y el ite misae los

Las palabras divinas del santo sacrificio
Son ecos de campanas, cinceles de la fe,
Y el ite missa est mil zumbidos de abejas
20 Y sangrarse las rocas con panales de miel.

Misa maravillosa de la Naturaleza
En iglesia de oro con techo de cristal.

¡Oh vega de Granada bajo el sol de verano!
Que antes fue lago inmenso y ahora es fecunda.
25 Gloria a tus cabelleras de trigales marchitos.
Gloria a tus hijos rudos que nos hacen el pan
Con rayas de esmeralda y ráfagas de gris.
Patena florecida bajo el peso del cielo,
Pupila de la Tierra hacia el azul sin fin.

30 La vega de Granada es un cráter inmenso
Cuya lava es torrente de espigas del trigal,
Cuyo humo son nubes encendidas de tarde,
Triunfos de luz maciza en ara de cristal.
Y balar de rebaños por los secos caminos.
35 Y derrumbarse el cielo como inmenso panal
De nácar invisible que cayera en la Tierra.
Y coplas andaluzas de muerte y de soñar.
Y ruidos de remanso, corazón de las aguas.
Y llantos de alamedas...
40 Y voces de zagal...
Y sombras y aromas...

⟶

---

19 Ms: ite misae ets
21 Ms: Nanutraleza
24 Ms: ahora *y* es
27-33 Ms: en la hoja [5] al lado y a través de los vv. 27-33 se halla, en sentido vertical:

Oro y azul.
El suelo de la vega de
marfiles viejos.

30 Ms: imenso
31 Ms: *del* de
35 Ms: imenso

Que se van...
Llanura ensombrecida por la sierra de nieve,
Túmulo cadencioso, dosel plata y azul,
45 Llanura que es un templo de riqueza y potencia,
Copa enorme y profunda, desbordada de luz.

Grave nido de aromas misteriosos y dulces
Donde el ave sonido sus alas desplegó,
Iniciando en el dulce secreto de los cantos
50 A las aguas profundas y a los rayos del sol.

Rezuma tu riqueza que es gloria
De los mundos divinos.
¡Oh llanura gloriosa! Copa, nido y altar,
Que en las faldas obscuras de la sierra de plata,
55 Guardada por cipreses, te mira la ciudad.

---

43 Ms: en*b*sombrecida
51 Ms: ques es gloria
55 Ms: cipreces
55/ Ms: 12 de Julio
1918 "Asquerosa"

105
RIBERA

Temblores de tisú viejo
En los álamos del río.
Palpitar de nieve viva
Entre los verdes umbríos.
5 Languideces de los chopos
Con el calor del Estío.
Álamos negros. Colmenas
De abejorros. Vocerío
De los mozones que siegan
10 Junto a las aguas del río.
....

¡Procesión de la ribera!
Donde van los chopos buenos
Como masas de cipreses
De unos jardines de ensueño.

⟶

17-VII-1918
82
De este MsB existe también un fragmento MsA *[Envueltos en luz de sangre]* que ofrece los vv. 30-51 con las variantes que indicamos.

---

6 MsB: *E*Con
7 MsB: *c*Colmenas
13 MsB: cipreces

15 Chopos del remanso verde,
Florecidos violonchelos
Animados por el viento.
Sibilinos, misteriosos,
Con la luna en vuestros senos.
20 Hendiduras amarillas
En paisajes del invierno.
Verdes palios de las aguas,
Torres de nidos ingenuos.
¿Qué pensáis del remanso
25 Y de sus cristales quietos?
¿Es un corazón que late?
¿Qué pensáis del sendero
Donde tantos peregrinos
Os vieron herir al cielo
30 Envueltos en luz de sangre?
Nadie sabrá los secretos.
¡Dulces chopos del camino!
¡Tristes chopos ribereños!
¡Ah, los álamos del río!
35 ¡Temblores de plata bellos!
¡Ah, los chopos del remanso!
¡Mansiones de negros sueños!

....

Honda ribera del río,
Cuerda enorme cuyo acento
40 Dice el viento, y la noche
Su silencio ...
Álamos blancos del prado

⟶

---

16 MsB: violonchellos
24 MsB: re*r*manso
25 MsB: Y *s* de
28 MsB: p*r*eregrinos
30 MsB: Envuel*a*tos (?)
34 MsA: almos
35 MsB: bello
39 MsA: *c*enorme
42 MsA: del rio

Con pústulas de oro viejo.
Vivas columnas de carne,
45 Arcas de mil hormigueros.
Entre vosotros mi sombra,
Cubierta por negros velos,
Camina llena de gracia
Rumiando su sufrimiento.
50 ¡Verde ribera del río,
Llévame con tu secreto!

---

44 MsA: columas sonoras
45 MsA: mil hormigas
45/46 MsA: ¡Chopos hermanos del agua
¡Reli*q*carios de senderos!
47 MsA: Atormentada por Eros
MsB: *Atormentada* por Eros
Cubierta por negros velos,
51/ MsA, MsB: 17 de Julio
Asquerosa.
Frente al paisaje.

MsB: No Nunca. Ya todo terminó
Sin embargo hoy aun pienso gratamente.

106
SALMO DE MAÑANA

Poema del llanto

El amanecer tiene olores blancos de fruta y de
[nieve.

....

La evocación fantástica
Del llanto
Recorre la llanura silenciosa y celeste
5 Con grave paso tardo.
El llanto es una niña
De marfil y azabache.
¡Oh, el marfil! Cosas viejas e imposibles,
Toda el alma de los hombres que se fueron
10 Por senderos.
Intangibles.
¡Marfil!

⟶

19-VII-1918
83

---

1 Ms: frut*o*a
4 Ms: *r*celeste
7 Ms: ma*l*rf*r*i*nl*(?)
8 Ms: ma*l*rf*r*il(?)
9 Ms: alma *que* de
12 Ms: Marf*r*i*l*(?)

¡Memento de carne!
Espejo de siglos,
15 Pavana de la Muerte
Con el anciano Abril.
La marquesita cana
Que recuerda su aurora
Con el duque senil.
20 ¡Antigüedad!
¡Tristeza!
Tenemos que morir.
¡Azabache! ¡La noche!
Nada sabemos ni
25 Podemos saber nunca
Del espantoso fin.
¡Azabache! ¡La vida!
Obscura y deplorable.
El polo del carmín
30 Que es el ansia admirable
De cantar y reír...
El llanto es una niña.
No sabe por qué viene
Ni sabe dónde ir.
35 El cuerpo es de azabache.
La noche sin estrellas
Y los ojos y el alma
Son de viejo marfil.
Una niña y es vieja
40 Tal Cupido gentil.
....
Va el llanto en la mañana,
Hollando la llanura,
Siguiéndole una rara y vaga procesión.
Los cipreses inclinan sus dramáticas testas.

⟶

---

14 Ms: Espejo*s*
28 Ms: O*s*bscura
40 Ms: *c*Cupido
44 Ms: c*e*ipreces inclinas

45 La comitiva deja regueros de purezas
A costa de la muerte de tanto corazón.
¡Llanto puro y divino!
De la carne limpieza.
¡Oh fuente milagrosa
50 De la santa pasión!
....

Amanecer del alma
Con olor de blancura.
Repiquen las campanas
Del Amor y el Dolor.
55 Que el llano de la vida
Tiene un secreto inmenso.
¡El llanto!
Que es el alma
Hecha gotas y Sol.

---

45 Ms: purazas
50 Ms: Da
51 Ms: Amananecer
53-59 estos versos se leen también en el poema núm. 108 *Salmo de noche* (vv. 51-56).
56 Ms: imemso
58 Ms: Que el el alma
59 Ms: Heche
59/ Ms: No. Pero Si. 19 de Julio Asquerosa

107

MOMENTO DE LUNA

Luna verde sobre el campo.
Las eras están dormidas.

En la puerta de la iglesia
Unas viejas aburridas
5 Cuentan cosas de sus tiempos
A sucia chiquillería.
Una madre soñolienta
Da de mamar a su niña
Bajo el iris derretido
10 De la luna dolorida.
Un cantar lleno de pena
Llega de la serranía
De un corazón que entre encinas
Sus pesadumbres suspira.
15 Las niñas en los rondones
Cantan historia morisca

⟶

19-VII-1918
84
edic: PRG, pág . 92 (v. 1)

---

2 Ms: *E*Las
5 Ms: Cuentas cosas
7 Ms: so*l*ñolienta

De un cristiano caballero
Y de una mora cautiva
Que se encuentran en un prado
20 El día de Pascua florida.
El aire lleva en sus alas
Un dulce rumor de esquilas
Que lloran en los rediles
Tristezas no comprendidas.
25 La luna finge lagunas
De misterio en las umbrías.
Las tristezas de fracaso
Las tardas viejas meditan.
Los grillos pulsan sus cuerdas
30 Acompañando a las niñas
Que gritan desafinadas
Con sus secas vocecillas:
"Apártate mora bella,
Apártate mora linda."
35 Y en el campo frío y grave
Hondo silencio palpita
Sobre el bosque de sonidos
Que forman la ronca grita
De ranas, grillos y perros.
40 Esfumado en lejanías
Un reló dice las once
En una torre perdida.

Luna verde sobre el pueblo.
Las eras están dormidas.

---

20 Pascua florida: día de Resurrección.
28 Ms: *Medi* Las
33 Ms: morsa
42 Ms: *escondida* perdida
44/ Ms: Asquerosa 19 de Julio

108
SALMO DE NOCHE

¡Señor, a qué lloramos!
Si es la vida tan corta
Y todo tan inútil,
¡Y todo sin razón!
5 Lloramos por la carne
¡Y es un fuego que pasa!
En cuanto se reclina,
Ya muerto el corazón.
Lloramos por la vida
10 Y por nuestro destino
Que es un ave que vuela
Del Sí Dios al No Dios.
Lloramos por la muerte
¡Oh paso infranqueable!,
15 Mujer que sólo besa
La gran boca de Dios.
Lloramos por los niños,

⟶

19-VII-1918
85

2 Ms: lan vida
13 Ms: muert*a*e
17 Ms: *e*los

Por la luna y el cielo.
Lloramos por el mundo
20 Y lloramos de amor.
El que llore que mire
Por las noches al cielo.
O que piense asombrado
En la puesta del Sol.
25 Y después preguntarle
Por su carne o su alma,
Por sus penas de mundo.
¡Preguntarle por Dios!
Y es seguro que inclina
30 Su cabeza abrumado
Y que llora sufriendo
Un amargo dolor.
El dolor de saber
Que la ciencia y el arte,
35 Que la vida y la Muerte
Y la mano de Dios
Son ideas que pasan,
Que se agitan convulsas,
Por la Verdad aplastadas
40 Que nadie descubrió.
El llanto nos consuela
De la gran sinrazón.
Es respuesta solemne
A la pregunta: ¿Dios?
45 Es óleo de tristezas,
Serena posición,
Liturgia soberana

⟶

---

21 Ms: llor*a*e
23 Ms: piensa
29 Ms: segur*as*o
35 Ms: *Y la* Que la
37 Ms: *reptiles* que pasan,
39 Ms: *L*Por
45 Ms: ol*o*eo de tistezas,
47 Ms: liturgua

De la gran religión
Que profesan los hombres
50 Esclavos del silencio.
....

Repiquen las campanas del amor y el dolor.
Que el llano de la vida tiene un secreto
¡Inmenso!
¡El llanto!
55 Que es el alma
Hecha gotas y sol.

Envío — A algunos hombres

Llorad con gran silencio
Como los tristes hijos
60 Del fuerte Salomón
En las noches calladas
Oyendo al corazón.
Pero emprender cruzadas
Con espadas de amor
65 Contra los fariseos de tanta religión,
Contra leyes infames de dinero y honor,
Contra espirituales de altares y de harenes,
Contra los asesinos de ideas llenas de sol,
Contra la idolatría de la cruz admirable,
70 Contra los domadores de la santa pasión,
Contra los sacerdotes que sólo son de nombre,
Contra idiotas y frívolos de baile y de salón,
Contra las vanidades del oro y la belleza,
Contra necias teorías de civilización,

⟶

51-56 estos versos se leen también en núm. 106 *Salmo de mañana* (vv. 53-59).
52 Ms: secreto *in*
53 Ms: Imenso
56 Ms: He*l*cha
59 Ms: tistes

75 Contra la democracia que es sed de aristocracia,
Contra la hipocresía del truhán y el bribón.
Sed fieles caballeros de lo que no se sabe,
El cielo por techumbre, lo eterno por blasón.
Y marchad por caminos preguntando
[angustiados:
80 ¿Qué idea poseéis de vosotros y Dios?
¿Qué os dicen las liturgias sencillas y poéticas
Con que vive dormida la vuestra religión?
¿Qué pensáis del cielo cuyo fin no se sabe?
¿Qué idea poseéis de vosotros y Dios?
85 Y empujad a las gentes delante de vosotros
Con espadas del fuego de vuestro corazón.
Y hablarles en las noches mientras miren al cielo.
¿Qué idea poseéis de vosotros y Dios?
Y a los que se sonrían y os desprecien soberbios,
90 Amarradlos y hacedles que miren cara al sol.
Y que todos sollocen mirando a las estrellas
Esperando de ellas señas de solución.

En la Tierra los hombres han tomado una farsa
A Francisco de Asís.
95 Le han dado una mandrágora
Sus mismos partidarios
Como seña de amor.
Jesús crucificado
De perlas lo cubrieron,
100 Lágrimas que antes fueron

⟶

77 Ms: cabal*el*o*e*ros de lo que se no sabe,
80 Ms: *¿Y q* Que
82 Ms: *Que*Con
87 Ms: Y *de* hablarles
88 Ms: poseis
91 Ms: sollozen
92 Ms: *signo* señas
95 mandrágora: planta medicinal a la que se le atribuyen virtudes mágicas y maléficas.
98 Jesús crucificado: no hemos introducido la preposición que falta: *A Jesús*... por motivos de métrica (verso heptasílabo).

De su inmenso dolor.
El demonio temible fue el amor sin barreras
Y la santa palabra
De igualdad y perdón.
105 Mientras tanto Cupido
Quedóse encadenado,
Royéndole mil búhos
Su santo corazón.
Prometeo materno
110 Sin el fuego de Dios...
¡Caballeros errantes
Del amor y lo eterno!
Los caminos son largos.
Id con vuestra misión.

---

101 Ms: imenso
102 Ms: El domio
105 Ms: tanto*s*
109 Prometeo: cfr. nota al verso 106 del poema núm. 68.
Crepúsculo del 11 (o 17) de mayo de 1918.
114/ Ms: Asquerosa
19 de Julio

109
[JUNTO AL GRIS CLARO DEL AGUA ENTRE LOS MIMBRES]

Junto al gris claro del agua entre los mimbres
Dos álamos en tierra derribados
Enseñan sus heridas rezumantes
De su sangre y su dulce olor casto.

5 Es la puesta del sol cálida y roja.
Fingen sangre los hondos del remanso
Y en el seco sendero suenan graves
Las esquilas opacas del rebaño.

Tarde clara sin fe y sin esperanza.
10 Tarde turbia de niebla y de cansancio.
Un pájaro se mece entre las ramas
De una mimbre llorona, mientras tanto
Que la luna de Julio, ojo del cielo,
Sobre el río simula un temblor blanco.

⟶

20-VII-1918

4 Ms: *y de su aroma santo* y su dulce olor casto.
8 Ms: *sonoras* opacas
12 una mimbre llorona: *mimbre* es de género ambiguo (cfr. v. 1 *los mimbres*).
13 Ms: *sobre el* cielo ojo del cielo

15 ¡Ah, los álamos muertos junto al agua!
Como enormes reptiles sobre el prado,
Sin hojas que los lloren con el viento,
Sin la muda protesta de sus brazos.
Los que ayer entre chopos y mimbres
20 Como carne de plata temblaron,
Hoy ya muertos reposan gigantes
Con heridas de duros hachazos.
Esta tarde las aguas del río
Un azul de profundis cantaron.
25 Y las norias allá en la distancia
Sus rosarios de herrumbre lloraron.
¡Ah las dulces víctimas del hacha!
Qué tristeza tan grande en el prado.

---

16 Ms: *p*sobre
17 Ms: Sim
28/ Ms: Asquerosa 20 de Julio

110
MOMENTO DE INQUIETUD

Ha llegado un pobre hombre
Mal herido de las sierras.
En el pueblo hay mil rumores
Que propalan malas lenguas.
5 Dicen que robó a su amo
Y por eso éste lo hiriera.
Pero nadie sabe cierto
Lo que de esto aconteciera.
Vino puesto sobre un asno
10 Dando lamentos, que era
Una compasión oírle,
Al decir del que lo oyera.
Ha pasado el señor cura
Y de temer es que muera
15 Pues tiene el costado hundido
Y partida la cabeza
Por un cuchillo de monte

→

25-VII-1918
86

2 Ms: la sierras
4 Ms: mala*ns*
7 Ms: nadiee
10 Ms: era*n*

Y por golpes con las piedras.
Los chiquillos de la calle
20 Se empinan en una reja
Donde se ve al pobre herido
Por donde salen sus quejas.
Unas vecinas ventrudas
Comentan en una puerta:
25 Pobrecito, qué amarguras
Pasamos aquí en la Tierra.
Y mientras tanto en la calle
Pasa una vieja carreta
Tirada por vacas rubias
30 Majestuosas y lentas.
Tarde en que el pueblo pequeño
Está lleno de tristeza.
Ha llegado un pobre hombre
Mal herido de las sierras.

---

18 Ms: *de*con
20 Ms: *inclinan* empinan
24 Ms: puerte
25 Ms: Probetico (?)
32 Ms: tisteza
34/ Ms: Julio 25 1918

111
LOS CAMPESINOS

Caravanas sombrías
De los labriegos.
Sombras de tierra.

...Y bajo los crepúsculos,
5 Cuando vienen balando las ovejas
Y los álamos sueñan en brazos de la tarde
Eternas cosas viejas
Y estallan los florones de la melancolía,
Pasa por los caminos la gente campesina
10 Con andar lento y grave
Ya muerto el claro día.

Son rocas animadas de una fuerza solemne
Y de un ritmo severo lleno de gravedad.
Son rudas esculturas ahumadas y resecas
15 Descolgadas de un viejo retablo medioeval.

25-VII-1918
87

---

6 Ms: *l*alamos
9 Ms: Pasan
10 Ms: l*l*ento
15 Ms: Desgolgadas

Perfiles sarmentosos de carmines obscuros,
Cabezas de azabache en cuellos de titán,
Corpachones deshechos, amasijo de miembros,
Estallidos de carne en pieles de azafrán.

20 Procesiones robustas de potencia y trabajo
Que sordamente lentos por el camino van,
Semejando los troncos rugosos y dormidos
De los álamos muertos que tiene el pastizal.

Caravana tronchada que se traga la aldea,
25 Friso tosco y revuelto que huyó de un encinar
Fabuloso y arcaico. Rebaños formidables
De pasión primitiva que quiere vida y paz.

En las rígidas casas tostadas y rugosas,
Rosas que sólo se abren con Lujuria o con Sol,
30 Ostentan los abismos morados de los ojos,
Ojos con inquietudes del árabe español,
Religiosa añoranza del harem y el desierto
Que la raza divina en sus almas dejó.
¡Comitivas obscuras de tardos campesinos!
35 Arabes disfrazados que esperan con valor
La venida gloriosa del fuerte Abén Humeya
Que vendrá por la sierra agitando el pendón
Con sus manos de fuego

⟶

---

16 Ms: de *perfiles* carmines obscu*l*ros,
17 Ms: *y* en
19 Ms: pieles de coral/azafran. Hemos optado por la última versión.
22 Ms: *unos* los
23 Ms: que tiene el pastizal *junto al camino real*
25 Ms: revueto
26 Ms: formidab*e*les
34 Ms: osbcuras
36 Ms: *al* Aben
Abén Humeya: rey morisco del siglo XVI. En las Alpujarras dirigió varias insurrecciones moriscas contra la soberanía española.
38 Ms: maños

Y vertiendo la sangre
40 De su gran corazón.

¡Ojos de campesinos que parece que esperan
El fin de una leyenda que jamás existió!
¡Hormiguero de hombres sobre el camino blanco
Cargados con azadas y con hoces brillantes!
45 Sin mirar las estrellas y el vespertino albor
Parecen entre el polvo pastoso de la Tierra
Promesas infantiles de futuros Gigantes
O tropel silencioso de una fosca visión.

Un día y otro día,
50 Un sol y otro sol,
Siempre igual en la tarde
La procesión.
Las gentes de los campos
Se matan la ilusión de volar a lo lejos.
55 Son trozos de la Tierra
Y tienen como ella
Su oculto corazón.

....

Un cantar mana hondo
Entre un aire dulzón.
60 Y graba en el paisaje
Una sentencia roja
De un imposible amor.
....

---

43 Ms: h*a*ombres
46 Ms: Tieerra
47 Ms: de [*?*] futuros (?) gigantes
48 Ms: fos*b*ca
58 Ms: Un cantar *grave* mana *el aire grave* hondo
60 Ms: Y *co* grava

Caravanas sombrías
De los labriegos.
65 Sombras de tierra.

---

64 Ms: lagriegos
65/ Ms: 25 Julio
Asquerosa

112
[¿QUÉ TIENE EL AGUA DEL RÍO?]

¿Qué tiene el agua del río
Esta tarde tan sentida
Que parece que mirando
Al claro cielo suspira?
5 Cielo chico y tembloroso,
Viejo espejo de las vidas,
¿Qué romance vas cantando
Entre los lirios cautiva?
¿Te has enamorado acaso,
10 Al pensar que eres tú misma
Las nubes blancas del cielo
Y el verdor de la campiña?
¿Piensas que tus ondas claras,
Eterna leyenda lírica,
15 Son llantos de tus entrañas
En vez de profundas risas?
Agua mansa. Cementerio

⟶

27-VII-1918
edic: OC, págs. 983-984; OAk, págs. 457-458

---

2 Ms: *de verano* tan sentida
3-4 Ms: un solo verso
10 Ms: Al pensar al pensar que eres
15 OAk: llanto

De las mimbres carcomidas
Que se ponen epitafios.
20 Incensarios de algas vivas.
Azul sendero de ranas,
Flautas verdes de tus linfas.
Alumna sabia del cielo,
Alma honda y adormecida,
25 ¿Qué tienes en el remanso
Donde te paras tranquila,
Mostrándonos la alameda
Con nieblas de aparecida?
¿Qué tienes en tus corrientes,
30 Transparente maravilla,
Que te llenas de burbujas,
Bocas por las que suspiras?
Acaso pienses soñando
Algo que el hombre no olvida.
35 Acaso nos vayas dando
Al pasar tu despedida,
Porque lenta vas pasando
Con unas gotas distintas.
¡Qué suspiros se te escapan
40 Bajo la tarde tranquila,
A la par que ruiseñores
Entre los álamos trinan
Y el sol amarillo y viejo
En el monte se reclina!
45 ¡Cómo sientes la llegada

⟶

18/19 Ms: *Incensarios de algas vivas*
19 OC: os pone
23 Ms: Al*ma*umna
24 Ms: y dormecida,
28 Ms: *luces* nieblas
29 Ms: tu corrientes
33 OC: pasas OAk: piensas
33-34 Ms: un solo verso
34 OAk: no [...]. El editor dejó el verso incompleto. En nota sugiere: *duda* (?).

De la noche, que es tu amiga!
¡Cómo esperas a la luna
Que te embruja y acaricia!
¡Agua santa del remanso,
50 Con qué tristezas caminas!
Se diría que eres mártir
De una gran melancolía,
Agua fría de este río
Que en la vega va sin prisa.
55 Si Dios te da corazón,
De fijo que no podrías
Estancarte en los remansos.
Agua dulce de la umbría,
Quisiera por tu camino
60 Irme a la ventura un día.

---

53 Ms: a/gua
58 Ms: Aagua
60/ Ms: 27 Julio Junto al agua.

113
NUBLADA

Los nublos blancos, mármol del cielo,
Llenos de calma y de majestad,
Forman remansos de azul divino
Entre matices de tempestad.

5 En la llanura van descendiendo
Mantos de sombras, íntima paz.
Y los silencios de las umbrías,
Gnomos del prado y del zarzal,
Danzan envueltos en polvo blanco
10 Acompañados del vendaval.

Las eras solas. La vega inquieta,
Llena de hondura y de un compás,
Tempo rubato de plata y niebla
Con fortes plenos de luz solar.

28-VII-1918
88

---

4 Ms: tenpestad
8 Ms: *altar* zarzal,
9 Ms: evueltos
13 tempo rubato: en la terminología musical italiana (cfr. también v. 14: *fortes*): movido, desigual.

15 ¡Oh nubes blancas en el cielo!
Semejan torres, arcos, pegasos,
Tropel con grifos de soledad,
Formas extrañas que en las leyendas
De santos monjes toma Satán.

20 Apoteosis fuertes de cosas ignoradas
Con ritmos de tanagras o ceños de huracán.
Babeles con el agua de los mares formadas.
Catedrales solemnes. Esfinges esfumadas
En un desierto mudo de azul inmensidad.

25 ¡Oh nubes, blancas lámparas
Del templo de la Tierra
Con cadenas de estrellas
Y esencias de la mar!
¡Cómo esperan los campos
30 Ponerse el aderezo
De perlas que enviáis
Como un llanto inmortal!

---

17 Ms: griffos
17/18 Ms: *Formas raras que en leyendas de santos*
18/19 Ms: *Toma el rojo Satan*.
21 tanagra: figurilla griega antigua, de barro cocido, fabricada en Tanagra de Beocia; *ritmos de tanagras*: sinécdoque para designar un baile gracioso, en oposición con *ceños de huracán*.
24 Ms: imensidad.
28 Ms: de*l* la mar
30 Ms: Ponenerse el aderez*a*o
32 Ms: imortal
32/ Ms: 28 de Julio Asquerosa
1918.

114

LA VÍBORA

Momento de inquietud

Me aparté del sendero
Donde estaba la víbora
Escribiendo en el polvo arabescos enigmas
Como negra embrujada por los rayos del sol.
5 Sentí sobre mi carne peso de escalofrío
Y un vago pensamiento de los hombres y Dios.
El ciego animalejo sobre el camino rojo
Espirales y curvas en el polvo grabó
Que en el suelo del alma grabadas me quedaron
10 Por la daga invisible de una gran emoción.
Llené con mi tristeza la copa de los campos

→

30-VII-1918
89
De este MsB existe otro MsA, de la misma fecha pero sin título, con las variantes que indicamos.

---

t MsA: ϕ
3 MsA: enig*na*mas
7 MsA: *pobre* ciejo - MsB: El *p*ciego
8 MsA, MsB: gravó
9 MsA, MsB: gravadas

Al pensar que el reptil que me causaba horror
Tenía el mismo aliento de potencia y de vida
Que guardaba yo mismo dentro del corazón.

15 Me aparté del sendero
Donde estaba la víbora
Pensando en no pensar en la gran sinrazón.
....
Mi alma iba muy sola esperando del cielo
Un milagro de paz
20 Entre rosas de olor.

---

12 MsA: me inspiraba horror
12/13 MsA: *Tenia la*
15-16 MsA: un solo verso
15 MsA: vivora
18 MsA: *de Dios* del cielo
19-20 MsA: un solo verso
20 MsA: rosas de amor
20/ MsA: 30 Julio - MsB: 30 Julio 1918

115
[LA ORACIÓN BROTA DE LA TORRE VIEJA]

La oración brota de la torre vieja,
Como voz lejana que al rebaño llama,
Como los quejidos de unas piedras muertas.

Es el silencio la tarde que sueña.
5 El sol ha caído por rojos abismos
Cuando las campanas suaves ordeñan
Sus leches ocultas de roncos sonidos.
Manantial de bronce es la torre oculta
Y las campanadas burbujas de ecos
10 Que se asientan dulces sobre los sembrados
O escalan los hondos remansos del cielo.

30-VII-1918
90
Del MsA existe una copia-fragmento MsB, de la misma fecha pero sin título, que da los vv. 31-54 (págs. 3-4) con las variantes que indicamos.

---

t MsB: ϕ
1-30 MsB: ϕ
2 MsA: rabuño(?)
5/6 MsA: *Cuando las campanas de las torre suenan*
6 MsA: suaven *su* ordeñan
8 MsA: ocuta

Gabriel el Arcángel que vio Fray Angélico
Y con oro y rosa en lienzo copió
Desciende entre nubes suave y profético,
15 Mensajero íntimo de nuestro Señor.

Las campanadas son como ramos de flores
Errantes que se pierden en su mismo rumor,
Como ruido de faldas que los ángeles llevan,
Como negras palomas que se van con el sol,
20 Como unas manos de santo prestigio .
Regidas tan sólo por un corazón.
Al campo entre sombras cerraran los ojos
Contándole un cuento adormecedor.

Como si al conjuro de las campanadas
25 Gotas de silencio obscuro y zumbón,
Los árboles todos pararan sus ramas
Y el campo divino quedara sin voz.

¡Lluvia de temblores en la tarde clara!
¡Cuántas cosas hondas
30 Dice la oración!
....

Mas para mi alma
Dice realidades de un ensueño lírico
¡Que ya desfiló!
Un encaje roto guardado en un arca
35 Que en tiempos lejanos
Carne acarició.
Unos besos viejos
Cubiertos de herrumbre
Sobre el rictus vivo

⟶

---

14 MsA: *de aroma y fuego* suave y profetico,
20 MsA: Como a unas manos
28 MsA: *sonidos* temblores
/31 MsB: un gran NO encabeza el MsB

40 De una boca en flor.
Un ¡ay! de pena frente a muros rotos
Que una niebla amiga bendijo y guardó.

La rosa del ensueño
Que guarda mi alma
45 La deshoja con sus manos la oración.

Que las vidas nuestras son momentos cortos
Y en algunos queda preso el corazón.
¡Ay de nuestra carne! ¡Ay de nuestros ojos!
Si rota tenemos el alma de amor.

50 Siento por la vega pasión de belleza
Pero el alma mía de aquí se voló.
....

La oración brota de la torre vieja
Como voz lejana que al rebaño llama,
Como los quejidos de unas piedras muertas.

---

41 MsA: *al* frente a
42 MsB: Que una niebla amiga / Bendijo y guardó.
43 MsB: de ensueño
48 MsB: ¡Ay de nuestros ojos! / ¡Ay de nuestra carne!
51 MsB: *que* de aqui
53 MsA: Como voz *que llama* lejana - MsB: Como voz *que* lejana
54 MsB: piedras viejas
54/ Ms A: 30 de Julio
Ms B: 30 de Julio Frente al paisaje
1918

116
[¡CIGARRA!]

¡Cigarra!
¡Canta con el mediodía
Tu melodía!

¡Cigarra!, dichosa tú
5 Que sobre lecho de tierra
Mueres borracha de luz.

Tú sabes de las campiñas
El secreto de la vida,
Y el cuento del hada blanca
10 Que nacer hierba sentía
Quedó vivo entre vosotras,
Rojas cantoras del día.

3-VIII-1918

El poema *¡Cigarra!* publicado en *Libro de poemas* (LP) es una versión posterior, abreviada (cuenta sólo 64 versos de los 78 del Ms) y con numerosas variantes (textuales, distribución versal, dedicatoria, etc.) que señalamos.

---

d LP: A María Luisa
1-3 LP: ϕ
4 LP: ¡Cigarra! / ¡Dichosa tú!
9 LP: hada vieja
10 Ms: *Que oir la hi* Que nacer la hierba
11-12 LP: En ti quedóse guardado.

Cigarra, dichosa tú,
Pues mueres bajo la sangre
15 De un corazón todo azul.

La luz es Dios que desciende
Y el sol brecha por donde se filtra,
Oro que todo lo enciende,
Agujero al infinito,
20 Visión
De la gloria omnipotente.

Y tú, cigarra, te enciendes
Con llamas de tus sonidos
Que son luces estridentes,
25 Locos violines dormidos
En una nota inconsciente
Que acaba con un quejido.
Y cuando el sol os distingue,
Os lanza rayos macizos
30 Que vosotras sostenéis
Con la fuerza de los gritos,
Hasta que al fin os aplasta
La mano del oro vivo.

¡Cigarra! ¡Dichosa tú!
35 Pues sientes en tu agonía
Todo el peso del azul.

Todo lo vivo que pasa
Por las puertas de la muerte
→

---

13 LP: ¡Cigarra! / ¡Dichosa tú!
14 Ms: ~~f~~mueres
17 LP: Y el sol / Brecha
18-33 LP: ϕ
26 Ms: incosciente
27 Ms: quegjido
30-31 Ms: un solo verso
34 LP: ¡Cigarra! / ¡Dichosa tú!

Va con la cabeza baja
40 Y un aire blanco y durmiente.
Hablando de pensamiento,
Sin sonidos,
Tristemente,
Cubierto con el silencio
45 Que es el manto de la muerte.

Mas tú, cigarra encantada,
Mueres cantando potente,
Quedando transfigurada
En sonido y luz celeste.

50 ¡Cigarra! ¡Dichosa tú!
Pues te envuelve con su manto
El propio Espíritu Santo
Que es la luz.

Cigarra, estrella sonora
55 Sobre los campos dormidos,
Vieja amiga de las ranas
Y de los obscuros grillos.
Tienes sepulcros de oro
En los rayos tremolinos
60 Del sol que dulce te hiere
En la gloria del estío.
Y el sol se lleva tu alma
Para hacerla luz y brillo.

---

40 LP: blanco durmiente.
41 LP: Con habla de pensamiento,
42 Ms: Sin sonidos. *Tristemente*.
43 Ms: tr*s*istemente
44 Ms: Cubiertos
47-48 LP: Derramando son te mueres
Y quedas transfigurada
50 LP: ¡Cigarra! / ¡Dichosa tú!
54 LP: ¡Cigarra! / Estrella sonora
61 Ms: la glorias LP: En la fuerza del Estío
62 Ms: *l*se
63 LP: Para hacerla luz.

Sea mi corazón cigarra
65 Sobre los campos divinos
Que muere lento cantando
Por el cielo azul herido.

Y cuando esté ya expirando,
Una mujer que adivino
70 Lo desangre con sus manos
Por el polvo del camino.
Y mi sangre sobre el campo
Sea rosado y dulce limo
Donde limpien sus azadas
75 Los cansados campesinos.

¡Cigarra, dichosa tú!
Pues te hieren la espadas
Invisibles del azul.

---

66 LP: muera cantando lento
68 Ms: espirando
70 LP: derrame
71 LP: Por el polvo.
74 Ms: linpien s*in*us LP: Donde claven
76 LP: ¡Cigarra! / ¡Dichosa tú!
77-78 Ms: estos vv. se leen al lado del v. 76.
LP: espadas invisibles / Del azul.
77/ Ms: *Que mueres directamente (?)*
Herida

3 de Agosto - en el campo

117
[LOS CREPÚSCULOS REVELAN]

Los crepúsculos revelan
Espíritus dormidos
Que el sol hundió.
Una mano de auroras
5 Los acuesta en la tierra.

Las sombras son el alma de las cosas.
¡Id a los bosques a puestas del sol!
Los árboles acuestan sus formas en el suelo
Enseñando a sus ramas
10 Que sólo tierra son.

Todo lo que pretende escalar los espacios
Se derrumba en los llanos
Con el hondo negror.
Las sombras de las aves,
15 Las sombras de los montes
Se sumen en el lago profundo
De la noche,

→

4-VIII-1918

1 Ms: revelan *espiritus*
14 Ms: las *agu* aves

Después de haber besado
El llano con amor.

20 Madre Tierra recibe
El alma de las cosas.
¡Todo es mío! exclama.
¡Todo es mi corazón!
¡Ay de los que me miran
25 Como enseña de muerte,
Pretendiendo alejarse de mí
Con su dolor!
¡Ay de los que suspiran
Por el cielo estrellado,
30 Sin pensar que una estrella
De ese cielo soy yo!
¡Ay de los que no saben mirar,
Porque las cosas
Sobre mí se recuestan
35 En la puesta del sol!
Porque yo soy el alma
Que anima toda el alma
De los hombres que sueñan
En lo Eterno de Dios.
40 Pues soy transformadora
De las carnes en alma,
Y las almas en vida corporal
Y en pasión de infinito
Por el propio infinito,
45 A las carnes en rosas,
A las almas en sol.
Que las tumbas del hombre
Que yo guardo en mi seno
No son profundos antros

⟶

---

18 Ms: *pisado*(?) besado
32 Ms: de do los
39 Ms: En lo *lo* Eterno
42 Ms: *En*Y

50 De angustias y de horror.
Son purificaciones de carnes
En mi alma y de almas en sangre
Del azul triunfador.
Que las almas no marchan
55 Sino a mi corazón.

Tan azul es la Tierra
Como el cielo estrellado,
Pues sólo es Uno y Vivo
¡El mundo Corazón!
60 Y el azul lo alcanzamos
Lo mismo en las estrellas
Que a la Tierra abrazados,
Llenos con las querellas
De inmortal ilusión.

65 ¡Todo es volar!
¡Sabiendo la misión
De nuestro más allá,
Nos lleva entre sus alas
Nuestro propio huracán!
70 Acaso el condor negro
Que hacia las nubes va
No vuele hacia lo eterno.
Como la hormiga irá
Por su sendero humilde
75 Llena de bien y paz.
Caminos al azul
Tenemos en la tierra.
Lo que no hay son alas

→

---

56 Ms: Ta*l*n azul e*l*s
57 Ms: ciel*t*o
60 Ms: Y *a*el *cie*azul
62 Ms: En a la Tierra
63 Ms: l*o*as *abelos* querellas
64 Ms: imortal
68 Ms: lleva*n*

Para poder volar,
80 Que las alas requieren
Fe gloriosa de alma,
Que la vida nos salva
De la muerte inmortal.

Yo mirando a las rosas
85 Voy por largo sendero
En espera suave
Del azul alcanzar.
Las rosas son estrellas.
Las estrellas son rosas.
90 La tierra es una nube
Del mundo universal
Y yo soy Todo ahora
Pues Todo lo comprendo.
Soy estrella y montaña
95 Y rosa de rosal.

Yo dos ojos alados
En mi espíritu tengo
Que al saber de mí mismo
Saben de lo demás.

100 Por un sendero voy
Lleno de luz solar
Y como yo no quiera
No dejaré de andar.

81/82 Ms: *A través de la muerte*
Que es la vida imortal
83 Ms: imortal
87 Ms: Del aazul alcarzar
93 Ms: Pues *lo*Todo
95/96 Ms: *Pues el*
96 Ms: *un*dos
97 Ms: *Sobre mi alma* En mi espiritu tengo
103/ Ms: 4 de Agosto

118
MAÑANA

Y la canción del agua
Es una cosa eterna.
Es la savia entrañable
Que madura los campos.
5 Es sangre de poetas
Que dejaron sus almas
Perderse en los senderos
De la Naturaleza.
¡Qué armonías derrama
10 Al brotar de la peña!
Se abandona a los hombres
Con sus dulces cadencias.
La mañana está clara.
Los hogares humean
15 Y son los humos brazos

⟶

7-VIII-1918
El poema *Mañana,* publicado en *Libro de poemas* (LP) con idéntica fecha de composición, ofrece una versión posterior, algo abreviada y con variantes textuales que indicamos.

---

d LP: A Fernando Marchesi
1 Ms: Y *el* la canto /canción del agua
Hemos optado por la última versión ya que vuelve a repetirse (vv. 27,98).
4 Ms: *f*madura

Que levantan la niebla.
Escuchad los romances
Del agua en las choperas!
¿Son pájaros sin alas
20 Perdidos en las hierbas?
¿Son arpas imposibles
Que sólo tienen cuerdas?
Los árboles que cantan
Se tronchan y se secan.
25 Y se tornan llanuras
Las montañas serenas.
Mas la canción del agua
Es una cosa eterna.
Ella es luz hecha cantos
30 De ilusiones románticas.
Ella es firme y suave.
Ella es niebla y es rosa
De la eterna mañana,
Miel de luna que fluye
35 De estrellas enterradas.
¿Qué es el santo bautismo
Sino Dios hecho agua
Que nos unge las frentes
Con su sangre de gracia?
40 Por algo Jesucristo
En ella confirmóse.
Por algo las estrellas
En sus ondas descansan.
Por algo Madre Venus
45 En su seno engendróse

→

19-20 LP: ¡Son.../...hierbas!
21-22 LP: ϕ
27 Ms: [?] Mas
29 LP: canto
31/32 LP: llena de cielo y mansa
33 Ms: mañaña
43 Ms: dencansan.

Que amor de amor tomamos
Cuando bebemos agua.
Es el amor que corre
Todo manso, divino.
50 Es la vida del mundo,
La historia de su alma.
Las religiones todas
Tienen por base el agua.
Ella lleva secretos
55 De las bocas humanas,
Pues todos la besamos
Y la sed nos apaga.
Es un arca de besos
De bocas ya cerradas.
60 Es eterna cantora
Del corazón hermana.
Cristo debió decirnos:
"Confesaos con el agua
De todos los dolores,
65 De todas las infamias."
¿A quién mejor, hermanos,
Entregar nuestras ansias
Que a ella que sube al cielo
En envolturas blancas?
70 Cristo no dijo esto
Y cometió una falta
De amor con los humanos.
Confesaos con el agua
Que es viva y siente y oye
75 Nuestras quejas amargas.

→

---

49 LP: manso y divino
52-53 LP: ϕ
66 Ms: *Con* A
68 Ms: *Ay* Que si a ella
69 Ms: evolturas
70 Ms: Cisto
70-79 LP: ϕ
74 Ms: siente (?)

Pero el hombre inconsciente
No vive sin amarla,
Teniendo al poseerla
Un éxtasis de calma.
80 No hay estado perfecto
Sino al tomar el agua.
Nos volvemos más niños
Y más buenos y pasan
Nuestras penas vestidas
85 Con rosadas guirnaldas,
Y los ojos se pierden
En regiones doradas.
¡Oh fortuna divina
Por ninguno ignorada!
90 ¡Agua dulce en que tantos
Sus espíritus lavan!
Nada hay comparable
Con la orilla de un río
Si una tristeza honda
95 Nos ha dado sus alas.

Se deshacen las torres
Y las campanas viejas.
Mas la canción del agua
Es una cosa eterna.

---

76 Ms: Pero el el hombre incosciente
81 Ms: Sino *bebiendo* al beber/tomar el agua.
Hemos optado por la última versión.
LP: Como al tomar el agua
89 Ms: ingorada!
92-93 LP: No hay nada comparable
Con tus orillas santas
96-99 LP: ϕ
99/ Ms: Junto al rio 7 de Agosto

119
SOBRE UN LIBRO DE VERSOS

Dejaría en el libro
Este toda mi alma.

Este libro que ha visto
Conmigo los paisajes
5 Y vivido horas santas.

¡Qué pena de los libros
Que nos llenan las manos
De rosas y de estrellas
Que se esfuman y pasan!
10 ¡Qué tristeza tan honda
Es mirar los retablos

→

9-VIII-1918
91
El poema publicado por OC (págs. 993-995) y OAk (págs. 459-461), entre los *Poemas sueltos,* con el título *[A las poesías completas de Antonio Machado],* con fecha idéntica, presenta algunas variantes que indicamos.

---

t OC, OAk: [A las poesías completas de Antonio Machado]
1-2 OC, OAk: Dejaría en este libro / toda mi alma.
6-7 Ms: un solo verso
9 Ms: Que se *llentamente* esfuman y pasa*ra*n
OC, OAk: y lentamente pasan.

De dolores y penas
Que un corazón levanta!

Ver pasar los espectros
15 De vidas que se borran,
Ver al hombre desnudo
En Pegaso sin alas,
Ver la Vida y la Muerte,
La síntesis del mundo,
20 Que en espacio profundo
Se miran y se abrazan.

Un libro de poesías
Es el Otoño muerto.
Los versos son las hojas
25 Negras en tierras blancas,
Y la voz que lo lee
Es el soplo del viento
Que los hunde en los pechos
—Entrañables distancias—.

30 El poeta es un árbol
Con frutos de tristeza
Y con hojas marchitas
De llorar lo que ama.
El poeta es el médium
35 De la Naturaleza
Que explica su grandeza
Por medio de palabras.

El poeta comprende
Todo lo incomprensible

→

14-15 Ms: un solo verso
17 Ms: pegaso
20 OC, OAk: espacios profundos
24-25 Ms: un solo verso
27 OC: Y la voz que los lee OAk: Y la voz del que los lee
28 Ms: Que los und*es* en los pechos OC: Que les hunde

40 Y a cosas que se odian
Él hermanas las llama.
Sabe que los senderos
Son todos imposibles
Y por eso en lo obscuro
45 Va por ellos con calma.

En los libros de versos,
Entre rosas de sangre,
Van desfilando tristes
Y eternas caravanas
50 Que hirieron al poeta
Que lloraba en la tarde,
Rodeado y ceñido
Por sus propios fantasmas.

Poesía es Amargura,
55 Miel celeste que mana
De un panal invisible
Que fabrican las almas.

Poesía es lo imposible
Hecho posible. Arpa
60 Que tiene en vez de cuerdas
Corazones y llamas.

Poesía es la vida
Que cruzamos con ansia

⟶

41 OC, OAk: amigas
44 OC, OAk: y por eso de noche
45 Ms: *p* Va OC, OAk: en calma
48-49 Ms: un solo verso
48 OC, OAk: van pasando las tristes
50 OC, OAk: que hicieron
51 OC, OAk: cuando llora en las tardes
52-53 Ms: un solo verso
53 Ms: pro*b*pios
54 Ms: *a*Amargura
59 Ms: Hecho posible. / Arpa

Esperando al que lleve
65 Sin rumbo nuestra barca.
Libros dulces de versos
Son los astros que pasan
Por el silencio mudo
Al reino de la Nada,
70 Escribiendo en el cielo
Sus estrofas de plata.

¡Oh, qué penas tan hondas
Y nunca remediadas,
Las voces dolorosas
75 Que los poetas cantan!

Como en el horizonte
Descanso las miradas.
Dejaría en el libro
Este, ¡toda mi alma!

---

64 OC, OAk: al que lleva
66 Ms: dulc*s*es
68 Ms: el *cielo* silencio
69 Ms: Al *ruido* reino
76-77 OC, OAk: ϕ
77 Ms: mira*n*das
79/ Ms: 9 de Agosto 1918
Asquerosa

120
GOLONDRINAS

¡Viejas golondrinas sobre la tarde!
La sed de azul
Es con vosotras.
Estrellas errantes sobre ciudades.
5 Negros heraldos
De las sombras.

Mariposas de luces invisibles
En rebaños,
Sedientas de infinito.
10 Campanillas del palio de los cielos
Injertadas con la sangre del Cristo.
Extendéis por las tardes sangrientas
Una lluvia de jazmines sonoros
Y las madres campanas os contestan
15 Con sus broncos surtidores a coro.

⟶

22-VIII-1918
93

1 Ms: tard*ae*
3 Ms: vosotros
4 Ms: sobre *las* ciudades.
11/12 Ms: *Tejeis sobre los aires ilusiones*
15 Ms: brncos (?)

¡Taumatúrgicas!
¡Taumatúrgicas!
Buscáis en el cielo
Una solución,
20 La oculta palabra,
El abracadabra
Del hombre y de Dios.
Círculos extraños hacéis con las alas.
¡Abrete sésamo!
25 Y el silencio:
¡¡NO!!
A que nunca se seca la rosa del tiempo,
Fuente inaccesible para el corazón.
Los blancos Pegasos en él se han hundido.
30 En vano os alumbran los rayos del sol.
Y las golondrinas:
¡Abrete sésamo!
Y el silencio:
¡NO!

35 Dulces golondrinas,
Líricas y vagas,
Sabéis del encanto de los ojos negros
Cargados de amor,
Llevando en las alas
40 Rocío de Cristo.
Asombrado y grave el Oriente os vio.

---

21 Ms: abracadarbra
27 Ms: del Tiempo*s*
28/29 Ms: *Y el tiempo*
Pegasos immensos sepulto en mi seno
38 Ms: *G*Cargados
40-45 el nexo tradicional (v. 43) y popular entre las golondrinas y la figura de Cristo coronado en la cruz (vv. 40, 44) se halla, por ejemplo, en estos versos populares:

En el monte Calvario
las golondrinas
le quitaron a Cristo
las cinco espinas.

¡Negras golondrinas errantes y tristes,
Personajes santos de la tradición!
¡Poned en mi frente la vieja corona
45 De espinas que tengo sobre el corazón!

44 Ms: la *roja* vieja corona
45/ Ms: 22 de Agosto. 1918.
Granada

121
AURORA DEL SIGLO XX

¡La aurora!
Sobre el ensueño de la noche
Brota un remanso de estrellas.
La antorcha del sol responde
5 Al llanto de las florestas.
¡¡La aurora!!
Tiemblan los cirios que lucen
Ante las manos cruzadas
De los muertos.
10 Sobre las frentes yacentes
Pasan las sordas bandadas
De los sueños.
¡La aurora!
Hora de estrellas perdidas
15 En que suenan las campanas del silencio.
Hora del ciprés que sangra
Aromas que lleva el viento.
Tristeza limpia y sagrada.
Hora de los pensamientos

→

3-IX-1918
94

5 Ms: *E*Al

20 Que como rosas levantan
Sobre sus túnicas blancas
Los espectros.

Pasa la muerte en su carro.
Se estremece el firmamento.
25 El can de Hades ha aullado
Y Satán ha comulgado con la noche
En el infierno.

La guadaña abre una herida
Sobre el vientre de la Tierra.
30 En los negros cementerios,
Entre hondas soledades,
Una luz que brilla inquieta
Oscila con los salterios
De tremendos aquelarres.

35 Hora de ojos cerrados,
De furores sexuales.
El macho cabrío resopla
Levantando por los aires
A las brujas y los duendes
40 Y a los trasgos fantasmales.

---

25 Ms: El ca*m*n
el can de Hades: (Can)Cerbero, guardián del infierno en la mitología griega.

26 Ms: ha fornicado / comulgado - Hemos optado par la última versión.

28 la guadaña: sinécdoque para la muerte.

29 Ms: vientre la Tierra.

30 Ms: En *e*los *dulces* negros

31 Ms: soledad*a*es

34 aquelarre: reunión de brujas (v. 39). La etimología contiene una referencia al macho cabrío (v. 37).

40 trasgos: seres fantásticos e imaginarios, comparables a los duendes (v.39).

¡Luz!
Se inicia el dolor de la Idea.
La ilusión comprende que sus torres
Se han perdido en las nieblas del alma.
45 Y están lejos las rojas estrellas
Del amor. Y muy cerca las flores
Que la diosa Tristeza derrama
En el turbio cerebro del hombre.
Cada estrella que brilla en el cielo
50 Es un cáliz de plata que esconde
El licor que mantiene y derrumba
Los castillos de las ilusiones.
Y la Aurora derrumba y esfuma
Lo que había levantado la noche.

55 La estrellas se van y las almas
Se refugian en los corazones.
¡La aurora!
Los espectros pasan a esconderse
En la tumba.
60 Los ensoñadores eternos,
Los poetas y los pensadores
Pulsan sus liras y sus mentes,
Saludando inconscientes
Los primeros resplandores.
65 Tiemblan todos los árboles en la tenue luz blanca,
Luna viva y deshecha en la sombra morada.
Tiemblan los fuegos santos del entusiasmo
[intacto,
Tiemblan las soledades del pensamiento sacro,
Tiembla lo que germina sobre el lecho del agua.

---

46 Ms: las f*r*lores
53 Ms: Y *que* la *los* Aurora
58 Ms: *ya* pasan
63 Ms: incoscientes
64 Ms: premeros
68 Ms: Sol*o*edades
69 Ms: sob*l*re

70 Tiembla el desierto hondo de la pasión potente.
Se ha abierto el evangelio rezumante de savia,
Y han temblado las voces de Lázaro que vive
Y de la Magdalena, la loca enamorada.
La sombra de la cruz se ha extendido en los [mares.
75 Las muchedumbres cantan con voces de [embriagadas.
El Pegaso es amigo de la virgen Locura.
La lucha ha comenzado.
Nadie podrá ganarla.
Lleva el hombre la antorcha de un abismo futuro.
80 Adán se come a solas la bíblica manzana.
La serpiente se enrosca en la cruz formidable
Y se pierde el sermón de Cristo en la montaña.
El evangelio dulce se pierde en el abismo
Mientras Satán se ríe al escuchar sus páginas.
85 Un día y otro día dice el tiempo impasible
Que nunca tienen fin los fuegos de mis aras.
La humanidad va en busca de una idea que es [suya.
No teme pues Satán es inferior al alma,
Y Miguel el Arcángel bellísimo y valiente

⟶

---

70 Ms: tiem*p*bla

71 Ms: r*u*ezumante

72 Lázaro: personaje del Nuevo Testamento, resucitado por Jesucristo (ver S. Juan, XI).

73 la Magdalena: María Magdalena, otro personaje bíblico, una de las mujeres que siguieron a Cristo (Lc. VIII, 2) y que le vio después de resucitado (S. Juan XX, 1-18). A menudo identificada con María, la pecadora (Lc. VII, 36-50).

74 Ms: C*u*ruz

78 Ms: podr*iá* *c*ganarla

81 Ms: se enrrosca

82 el sermón de Cristo: largo discurso de Cristo (ver Mat.V-VII), llamado "el sermón de la montaña" y que contiene la esencia del mensaje evangélico.

84 Ms: Santan

85 Ms: tiemplo

86 Ms: tiene*m*n

87 Ms: *M*La

90 Tiene sus brazos fuertes atados en la espalda.
Cristo está en el desierto en oración constante.
Sobre su comba frente hay un tropel de águilas.
Simón llega y le dice: “Nadie te busca. En nada
Oyeron tus acentos. ¡Oh lírico Rabino!”
95 Y Jesús ha inclinado su cabeza ya cana.

Se cimbra el porvenir como un arco de acero.
Cuando cese su curva, ¿quién sabe dónde irá?
Puede ser que se clave en los pechos sin miedo
O que rasgue los velos sobre la eternidad.
100 Dios está soñoliento en su propia grandeza.
El rayo se ha apagado en manos de Hurakán.
Ni Moisés en la cumbre con sus ruegos despierta,
Ni el Anticristo vivo lo logra despertar.

La desorientación de la conciencia ha brotado.
105 Hay en la aurora sangre y gritos de pavo real.
Las palomas sin ramas de olivos han marchado
Tímidas y asustadas en busca de la paz.

¡La aurora! ¡La aurora!
Hora divina del beso y del amor.
110 Liturgia sin altar del corazón.
Hora de dulce bienestar.
Hora de eterna iniciación.

⟶

---

90 Ms: esp*l*alda.

91 Ms: Cisto

99 Ms: velos *que* sobre

100 Ms: so*l*ñoliento

101 Hurakán: dios maya supuestamente relacionado con el viento impetuoso del huracán.

102 Moisés en la cumbre: las referencias veterotestamentarias a Moisés situado en lo alto de un monte son muy numerosas. Ver, por ejemplo, como legislador en el monte Sinaí o el Horeb: Ex. XXXIV, Deut. VIII-IX, o esperando la muerte en el monte Nebo: Deut. XXXII-XXXIII.

103 Ms: Anticisto

111 Ms: bienentar

La sangre te hace negra,
Te cubre de dolor,
115 Y en vez de alondra el cuervo
Anuncia el claro sol.
La guerra es la armonía del mal,
Es la pasión del ciervo y el gusano,
Del humo y el tambor,
120 El fracaso del alma
Y el fracaso de Dios.

¡La aurora!
El mundo de las lámparas
Estremece al negror.
125 Los búhos pensativos de la sabiduría
Con Palas y Minerva se van en procesión.
Suspiran los apóstoles en el monte Calvario.
Solloza el pitagórico
Viendo a Napoleón.

130 ¡¡La aurora!!
Los poetas pasan por los jardines
Meditando su obra de inútil redención,
Y sobre el catafalco de la amada poesía
Hay guirnaldas de rosas todas un corazón.

135 La aurora.
¡La aurora! Hora antigua de Apolo.
Hoy es hora de Horror.

---

117 Ms: *s*mal

119 Ms: *El* Del

126 Palas y Minerva: aquí se consideran como dos personajes diferentes lo que de hecho son dos nombres diferentes de Atenea.

128 Ms: S*l*olloza el pitagorigo

el pitagórico: en sentido estricto, discípulo de Pitágoras. Con toda probabilidad se refiere al discípulo por antonomasia, el filósofo Platón, cumbre de la cultura clásica, aquí en total oposición con Napoleón (v. 129), prototipo de la cultura política moderna.

129 Ms: Vi*a*endo

132 Ms: *Con* Meditando

137/ Ms: Federico 3 de Septiembre. 1918

122
LA MUERTE DE OFELIA

Fue sobre el agua verde.

Un oculto remanso
Entre las ondas claras de un río de ilusión.
El crepúsculo muerto puso en las ondas hojas
5 De luz que Ofelia enciende
Con su carne de rosa,
De oro blanco y de sol.

Como vaga corola de una flor religiosa
Se hunde y el Amor
10 Ha tronchado su arco sobre una encina vieja
Hundiéndose en las sombras. Hamlet con su [siniestra
Mirada ve al espectro que lleva el corazón

⟶

7-IX-1918
95
edic: AC, págs. 64-67

t Ofelia: personaje tomado de *Hamlet,* de W. Shakespeare. Por motivos de amor, después de enloquecer, se tira al agua. El tema de la muerte-suicidio por agua es recurrente en la obra de Lorca y merecería detenido estudio. Varios detalles de este poema juvenil apuntan hacia el *Romance sonámbulo* del *Romancero gitano.*

12 AC: ve el espectro

Herido y a una daga
Que sangra en las tinieblas.

15 Se acerca la Venganza
En negra procesión.

Y Ofelia dulce cae
En el abismo blando.
Todo sacra tristeza
20 Y palpitar de tarde.
Sobre el tenue temblor
De las aguas, su pelo
Se diría una vaga y enigmática sangre,
Unas algas de oro
25 Que cayeran del cielo
O un ensueño de polen
De azucena gigante...
No queda en el remanso sino la cabellera
Que flota. ¡Un gran topacio!
30 Deshecho por el ritmo
De eterna primavera
Que agita el dulce espacio
De las aguas serenas.

¡Es noche!
35 Los corderos ya vuelven a los tristes rediles.
Las flores sobre el agua beben alma de Ofelia.

→

---

13 Ms: Herido y y a a una daga
14 Ms: *Que en las tinim* sangra en las tinieblas
17 Ms: cae *en el abismo blando*
23 AC: se se diría
24 Ms: de oro o
26 Ms: O *O un* Un ensueno
27/28 Ms: *O los dul labios pistilos*
De una grandiosa rubia flor
29 Ms: f*ol*lota
30 Ms: desecho
32 Ms: *es*agita
35 Ms: *d*rediles
36 Ms: Los flores

Ya está el bosque sombrío con sones pastoriles.
La balada se cubre con un manto de niebla.

¡Margaritas! ¡Robles!
40 A lo lejos campanas
Llenas de noche negra,
Bandadas de palomas sin rumbo,
Portadoras de rosas invisibles que huelen a
[inocencia,
Cabezas pensativas llenas de rubio encanto,
45 Con los ojos azules ¡coronados de yedra!
Clavicordios que lloran sonatas imposibles,
Claustros llenos de rosas,
Una anciana y su rueca cuyo copo de nieve
Es la eterna leyenda.
50 El lobo se ha perdido.
Hamlet pensando sueña.
Bajo el cielo impasible
El agua duerme a Ofelia
Como una madre... y canta el viento
55 En la floresta.

¡Con qué santa dulzura
Se muere la doncella!
Shakespeare tejió con vientos
La maravilla tierna de la mujer extraña
60 Que pasa en la tragedia del príncipe fantasma
Como un sueño de nubes
Recogidas y castas,

→

---

37 Ms: *L*Ya el bosque
Adopto la corrección de AC.
41 AC: llenan
46 Ms: C*a*lavicordios
48 Ms: c*o*uyo
53 Ms: *mece* duerme
54 Ms: madre... *y*... y canta
56 Ms: dulzura *se*
59 Ms: extra*t*ña

Hecha de espigas rubias
Y estrellas apagadas,
65 Que se fue sonriendo por los reinos del agua
Como una luz errante
Que encuentra al fin su lámpara.

¡Ofelia muerta!
Remolino de nieve soleada.
70 Un montón otoñal de rosas blancas,
Una antorcha de mármol en un ara
Profunda, inagotable de misterio,
Que tiembla con los vientos
Y que canta...

75 Los árboles del bosque son los cirios.
La luna los enciende con su brasa.

Ofelia yace muerta coronada de flores.
En el bosque sombrío
La llora la Balada.

80 Fue sobre el agua verde de un oculto remanso,
En la puesta del sol de una tarde lejana.

71/72 Ms: *Que tiembla*
72 Ms: misteroio,
77 Ms: coronade de
78 Ms: el bsosque
80 Ms: oculto remso(?)
81/ Ms: Federico 7 de Septi. 1918
Granada

123
MADRIGAL INTERIOR

Es posible que el gris me posea
Y se muera mi abril.
Es posible que el ave de la idea
Me hunda en su confín.

5 Pero sus ojos serán míos.

Es posible que el agua de mi pena
Desborde al corazón
Y mis rosas se tornen azucenas
Bajo un rayo de sol.

10 Pero sus ojos serán míos.

Es posible que olvide una mañana
A la novia ilusión.
Es posible que pare la campana
De mi vida interior.

16-IX-1918
96

---

2 Ms: Y *que* se muera mi abri*r*l.
3 Ms: de *mi* la idea
7 Ms: Desbord*a*e
9 Ms: un rajo
13 Ms: pa*s*re

15 Pero sus ojos serán míos.

Es posible que el alma de las cosas
Se tronche sobre mí.
De seguro que cortaré las rosas
Sin fragancia del gris.

20 Pero sus ojos serán míos.

Yo seré como un vago ritornelo
De un nevado sentir
Y tendré sobre el alma un tenue cielo
Ideal de marfil.

25 Pero sus ojos serán míos.

---

18 Ms: De *res*eguro
22 Ms: ne*g*vado
23 Ms: sobre el *pe*alma un *vago* tenue cielo
25/ Ms: *2*16 de Sep 1918

124
BALADA

Cementerio de horas
Es el pasado oculto.
El presente la rosa
Del eterno rosal.
5 Y el porvenir la nube
Que forja la esperanza,
Capullo que en la danza
Del tiempo se hundirá.
Pero una mano dulce
10 Ha rasgado los velos.
"El corazón es algo
Lleno de eternidad."
Si se rompe la lira,
Estrellas pulsaremos
15 Y sin velas ni remos
La nave partirá.
Tenemos las estrellas

→

31-X-1918
97

---

6 Ms: Que *la esp* forja
6/7 Ms: *Para ser rosa blanca*
13 Ms: Si *no* si rompe*n*(?)
15 Ms: *Que* Y

Sobre nosotros mismos.
El corazón es mano
20 Que las puede cortar
Y el surtidor del alma
Las tendrá suspendidas,
Mojándolas de ideas
Y de esencias de vida
25 Bajo la luna blanca
De un amor inmortal.

Cementerio de horas
Es el pasado oculto.
Y el presente la rosa
30 Del eterno rosal.

Las estrellas son nuestras,
Mas el alma se duerme
Y el corazón se para
Y los cantos se van.
35 En las bocas marchitas
La sonrisa se pierde.
Las miradas se borran
Y la víbora muerde
Las ubres ya vacías
40 Del recuerdo ancestral.
Y el amor fue un engaño
O un dolor imposible.
Y la aurora un momento
De ilusión nada más.

→

19-20, 21-22, 23-24 Ms: un solo verso
24 Ms: de *estrell* esencias
25-26 Ms: un solo verso
26 Ms: imortal
34 Ms: Y *las rosas* los cantos
35-36, 37-38 Ms: un solo verso
39 Ms: *En* las
40 Ms: ancentral

45 La sonata del tiempo
Nos da su ritardando
De nieve. Y el camino
Que atrás vamos dejando
Tiene semilla muerta
50 Que fruto no dará.

Cementerio de horas
Es el pasado oculto.
Y el presente la rosa
Del eterno rosal.

55 Tiene el parque una sombra
Honda y aparecida.
Abandono y Otoño
Oro triste le dan.
La tristeza sin rumbo
60 En que flota mi vida
Tiene henchidas sus velas
Hacia el raro ideal.
Tengo el alma bordada
Con puñales de noche
65 Y no sé a la ventura
Qué camino tomar.
El cielo y la campana
De mi tarde de ausencia
Son el libro de horas
70 Que reza mi dolencia.
Fuiste siempre crepúsculo,
Crepúsculo serás.
¡Ay de mí que no tengo

⟶

45 Ms: La *no*sonata del tiempo d*ea*
45-46 Ms: un solo verso
47-48 Ms: de nieve / Y el camino
59 Ms: si*m*n
60 Ms: *Donde* En que flota
70 Ms: *dice* reza
72 Ms: Crepusculo *solo* seras.

Mediodía ni aurora!
75 (Venus y Apolo ceden
Su trono a Baco y Pan.)
Mas el Pegaso tiende
Su vuelo hacia los astros
Y en su divino templo
80 De cedros y alabastros
Mi corazón reposa
En gris sentimental.

El parque se ha esfumado.
Los silfos se adormecen.
85 Oberón quita al niño
Cupido su carcaj.
Y las frondas marchitas
Del bosque legendario
Derraman sobre el césped
90 Su llanto milenario
Como un sueño de cuerdas
En arpa de cristal.

Cementerio de horas
Es el pasado oculto.
95 Mi corazón se siente
Allí para llorar.

75-76 Venus-Apolo / Baco-Pan: dos imperios, dos modelos de vida y dos estéticas en oposición.

77-78, 79-80 Ms: un solo verso

81 Ms: reposa *en*

84 Ms: *se han* se adormecen

85 Oberón-Cupido: en *Sueño de una noche de verano,* de Shakespeare, representan los dos polos del amor: Oberón, rey de las hadas, administra un amor ordenado, generoso y recíproco, mientras que Cupido, con sus flechas caprichosas, no provoca más que el caos y el desorden en los corazones que hiere.

86 Ms: car*j*caj

87-88, 89-90 Ms: un solo verso

89 Ms: cespep

96/ Ms: 31 Octubre

125
LUX

La luz del otoño
Tiene el dulce encanto de las madres buenas.
Mece a los paisajes
En rosa sonoro
5 Con nanas de frondas
Y manos de niebla.
Tiene en los crepúsculos las modulaciones
Cobrizas y rotas
De una lira vieja.
10 Parece que quiere tapar los rebaños
O cuajarse en alma
O borrar la senda.
Sobre las montañas y sobre los valles
Pone un ritmo casto
15 De amor y tristeza.
Es luz casi de agua
Que el alma nos moja
Revelando sueños
Y sembrando ideas.

⟶

1-XI-1918
98

---

6 Ms: Y man*a*os

20 La conoce el dulce ciprés extasiado
Y los ojos secos del viejo poeta.
El Amor se llena de rosas lejanas
Y llueve oro y sangre
En las alamedas...
25 Luz madre que tiene
Terciopelo y beso
De sombra escondida y de voz que se aleja.
Luz de reino blando,
Luz toda de tarde
30 Que ama el abandono
Que tienen las yedras.
Casi se parece por lo densa y clara
A la luz exhausta de la luna llena.
....
El sol. A lo lejos rosales y cantos.
35 Brillan los senderos llenos de azucenas.
El agua ha dejado de llorar y habla
Con la luz divina de la Primavera.
Luz novia del campo
Que acaricia tenue
40 Corazones vivos de la gente nueva.
Viene franca y virgen, llena de cantares,
Tejiendo tapices sobre las praderas.
Es un incensario lleno de azahares,
Con humos de risas y ascuas de colmenas.
45 Luz de labios rojos,
Pubertad insigne
Del sexo genial de la naturaleza.
Los caballos corren sin freno ni silla.
Es luz toda alas,
50 De ilusiones llena,

→

25 Ms: Lu*x*z
33 Ms: exashusta
34 Ms: *a* A lo lejos
36 Ms: *bro*(?)hablar
43 Ms: lleno azahares,
46 Ms: insig*me*ne

Bordada con claros cantares de aves
Y miradas tenues de rosas abiertas.
Carabela inmensa de silfos y genios
Que duerme en los bosques
55 Y en las fuentes sueña.
Gran cristal de aumento
Que agranda en las noches
Los cielos azules
Cuajados de estrellas.
60 Es luz de esperanza
De cierta ventura.
La novia inviolable
Que aguarda la eterna
Caricia tronchada
65 Antes que naciera.
La conocen todos sobre los caminos.
Es la aurora.
El arpa.
Y es la fruta tierna.
70 Peina con sus manos los cabellos rubios
De los niños chicos
Que en el parque juegan.
Es la luz que siembra deseos y llantos.
En las hondonadas duerme a la pereza.
75 Y en el horizonte lleno de inquietudes
A la sombra hendida de Apolo despierta.

El sol.
A lo lejos rosales y cantos.

→

---

51 Ms: con *can* claros cante*s*res
53 Ms: imensa
54 Ms: *rie* duerme en *un*los
57 Ms: *y acerca* en las noches
60 Ms: esp*e*anenza (?)
64 Ms: *increada* tronchada
68 Ms: El arpa y
73 Ms: siem*p*bra
74 Ms: *Un*En
76 Ms: *esfumada* hendida

Brillan los senderos llenos de azucenas.
....
80 Es la luz del verano
El sexo. La Potencia.
Sus vibraciones chocan
Sobre las altas sierras.
Con sus manos de flores
85 Y amapolas sangrientas
Lleva espigas de oro
Al vientre de las eras.
Es la gloria y el triunfo
Que hace gritar las lenguas
90 De las roncas campanas.
Es la luz de la ciencia
Que sabe a azul, a trigo
Y a entraña de la Tierra.
Maciza como el oro,
95 Toda crines deshechas,
Luz de sangre, de fuego,
De gritos con la fuerza
Divina de los soles
Y horror de la tormenta.
100 Nos muerde, nos aplana,
Y nos deja sedienta
La ilusión que tuvimos
Con luz de Primavera.
Luz que es dolor y Vida
105 De la cópula inmensa.

Luz fría del invierno,
Luz del hogar que humea,

⟶

---

81 Ms: *l*La Potencia.
83 Ms: Sobre *la muda Tierra* las altas sierras.
88 Ms: E*l*s
92 Ms: azul, *y* a trigo
95 Ms: desechas,
99 Ms: tormrenta.
105 Ms: imensa.
106 Ms: invie*r*rno,

Que casi te adormeces
Como una vieja enferma.
110 Luz arrugada y blanca
Con nieve por tus venas,
Que lates indecisa,
Llena de miedo y niebla.
Luz que quiere al establo
115 Y a la tarda carreta
Poblada de fantasmas
Que cuentan sus leyendas.
Tú acaricias cansada
Las ilusiones nuestras,
120 Hilando escarcha y lluvia
En tu marmórea rueca.
Tú imprimes en los vientos
La funeral crudeza
Del gris hondo y solemne
125 Que obscurece la pena
De las ramas sin hojas
En las frondas desiertas.
Tienes todo el encanto
De las pasiones viejas.
130 ¡Luz fría del invierno!
¡Luz del hogar que humea!
....
Pero, ¡oh luz del otoño!
Tú eres la luz que piensa,
La humilde, la escondida,

→

---

108 Ms: a*l*dormeces
111 Ms: nieve*s* por *la* tus venas
112 Ms: inde*s*cisa,
113 Ms: niebla*s*
112-113 Ms: un solo verso
116 Ms: Pob*al*l*l*ada
117 Ms: cuantan
122 Ms: impremes
127 Ms: abriertas
133 Ms: er*a*es
134 Ms: la *romantica* escondida*s*

135 Como las madres buenas.
Dulce como una leche
Ordeñada a una estrella.
Luz olorosa y casta
Que llora, mece y reza.
140 Los campos y las almas
Como las madres buenas.
Mi corazón herido
Camina por tu senda
A que tú lo recojas
145 Con tus manos de niebla.

¡Oh luz entre las luces,
Tú eres la luz que piensa!

---

136 Ms: leche *or*
137 Ms: O*o*rdeñada
139 Ms: me*c*ze
143 Ms: *Marcha por el camino* Camina por la senda
147/ Ms: 1 de Noviembre

126
[TODO SE SIEMBRA]

Todo se siembra
¡Hasta la poesía
Que brota del herido corazón!
¿Quién sembró las estrellas y las flores,
5 Y a Dios quién lo sembró?

Todo da fruto
Hasta el beso rojo
En que el alma se torna toda flor.
¿Qué fruto formidable fue la causa
10 De donde Dios nació?

Todo es tangible
O intangible todo
Porque tenemos manos e ilusión.
¿Somos de barro y de negrura eterna
15 O un sueño de color?

Noviembre 1918
92
edic: CPI, págs. [3-6]

---

3 Ms: *sen*herido
7 Ms: rogjo

Todo se muere
Y a la sombra marcha
Menos el hombre que descansa en Dios.
¿Y las palomas y las rosas blancas
20 No tienen solución?

Lo mejor es mirar a las estrellas
Y sentir todo el Yo.

21/22 Ms: *Y sentirse uno Dios*
CPI: *Y sembrar uno Dios*
22 Ms: *d*todo
22/ Ms: Noviembre 1918.

127
GRITO DE ANGUSTIA ANTE LA CRISIS ESPIRITUAL DEL MUNDO

¡A vosotros los que tenéis en el corazón la balada
[y el grito!,
Los que abrigáis la semilla de la inmortalidad,
Los que cantáis con un arpa de estrellas el Amor
[infinito
Y dudáis del Amor y de la eternidad.

5 ¡A vosotros los limpios de lo necio y lo feo,
Que lleváis en las copas el fuego contra lo
[vulgar,
Y tenéis en el pecho dolores como Prometeo
Mas rosas en la frente y en la boca el cantar.

¡A vosotros, hermanos de pasión y de muerte!,
10 Llegue mi voz doliente, llena de Luz y Gracia,
Y al sentirla vibre vuestro espíritu fuerte,
Lleno de sol, de cielo y eterna aristocracia.

Noviembre 1918
99

---

7 Ms: *p*Prometeo
Prometeo: ver nota al v. 106 del núm. 68 *Crepúsculo*.
8 Ms: *En las*Mas
11 Ms: sentirla *vosotros* vibre
12 Ms: sol *que* de cielo

Ante el torrente fiero de humanidad hambrienta
Que anhela el pan, la Carne y el dulce bienestar,
15 Sed como rocas madres bajo una gran tormenta
Y encended los recuerdos del cielo en vuestro
[hogar.

Vuestras almas que sean arcos de Vida y Ciencia,
Con flechas de Poesía que rasguen el Azul,
Y del Azul herido nos llueva la evidencia
20 De que Dios está vivo y es el Bien y la Luz.

La humanidad tan sólo de Materia solloza.
El espíritu muerto no puede sollozar.
En el fondo del Mundo claramente se esboza
La muerte de la idea de un Amor por Amar.

25 Nos preocupa la vida del cuerpo miserable
Y cubrimos de nieblas la luz del mas allá,
Y en un momento el río no se hace navegable,
Que está la barca rota en un pozo insondable
Y el alma toda plomo en sombra la hundirá.

30 Tenemos la amargura de no saber de Nada
Pero la Luz existe y existe la Verdad.
Sócrates nos enseña en su muerte pausada
Una lección de fe para la humanidad.

---

14 Ms: el *P*pan / bienhestar,
16 Ms: encedded (?)
20 Ms: es *la*el Bien
21 Ms: sollo*r*za.
22 Ms: no *qu*pued*a*e
24 Ms: Amor por Amar (subrayado)
25 Ms: *Lo*Nos preocupa - cuerpo *mini*(?)serable
25/26 Ms: *Lo que preocupa fuerte es la vida del cuerpo*
Jesus tienes los ojos vendados por Satan

El amor es un beso que llega de muy alto,
35 Es el Todo en nosotros un momento no más.
Es posible que el ritmo se nos acabe falto
De ilusión o agobiado por el Dios Satanás.

El Mal está en el alma que tiene lo Visible,
Es gozo de lo bajo, es fuerza y movimiento
40 De la vida que tiene límites de moral.
Somos nosotros mismos con nuestro
[pensamiento.
El Bien está en el alma de todo lo intangible,
Que es fácil y posible si la fe nos da aliento
Para llegar a Dios con alma de cristal.

45 Falta la fe y falta la ilusión por los cielos.
Pocos llegan al Bien, casi todos al Mal.
Y en la contradicción se acaban los anhelos
Gloriosos de ser centro del ritmo universal.

Indaguemos llorando el porqué de las cosas
50 Aunque nos falten bríos y se acabe la fe.
La luz tiene sentidos y perfume las rosas,
Nosotros una estrella sutil que nadie ve.

Ante todo es el alma con su pasión tan santa,
Y los reinos del Arte donde sus flores da
55 La aurora, y el rocío es del que sufre y canta,
Mirando a un sol de oro seguro que a él irá.

---

36 Ms: *No* Es
38 Ms: *M*Visible
38/39 Ms: *Es fuerza, movimiento*
41 Ms: Somo*mos*s notros mismos
42 Ms: lo *imposible* intangible,
45 Ms: los *suelo* cielos.
47 Ms: an*l*helos
48 Ms: univeral,
55 Ms: el rocio es del sufre
56 Ms: Mirando *al cielo azul* a un sol de oro seguro que a a el ira.

Dad el pan al hambriento con piedad y dulzura
Mas permaneced y dejarlos pasar.
La humanidad cavando su propia sepultura
60 Ni mira a las estrellas ni ya os quiere escuchar.

Los poetas seremos viejos y solitarios.
Bajo el olivo añoso cantaremos la Paz.
Tendremos encendidos de amor los incensarios
Buscando al Bien seguros de ser eterno Mal.

65 Y si la multitud llegara suspirando
Buscándose a sí misma con intranquilidad,
Cantaremos la Muerte y diremos llorando:
Ese es el gran camino de la felicidad.

A vosotros los que tenéis en el corazón la
[balada y el grito,
70 Los que abrigáis la semilla de la inmortalidad,
Los que cantáis con un arpa de estrellas y Amor
Lleve un aire doliente mi cantar. [infinito,

---

58 Ms: *Besadlos con amor* Mas permaneced y dejar*d*los pasar.
60 Ms: *No quiere vuestros* Ni mira a las estrellas
61 Ms: seremos *mudos* viejos
62 Ms: el oliv*ao*r
64 Ms: seguroros
66 Ms: *y* con intranquilidad,
67 Ms: d*a*iremos
68 Ms: camin*a*o
70 Ms: imortalidad,
71 Ms: Los que *que* cantais / Amor *y* infinito,
71/72 Ms: *A vosotros ll*
72/ Ms: Noviembre 1918

En la vuelta de la hoja 6 se lee: Administracion *de* Central de correos. Madrid, sin sello.

128
EL DESPERTAR

Humean los pueblos sobre la llanura
Y el horizonte gris
Desangra luz de nieve melodiosa
Que como vaporosa
5 Lluvia cubre al confín.

Hay tristezas sobre los caminos.
Nieve en las cumbres. Lunas sin abrir
Son las aguas entre los sembrados.
Los colores están semiapagados
10 En espera de Abril.

Blanda desolación idealizada
Que parece sentir
Todo el peso del cielo hecho neblina
Que presta a los sonidos su sordina
15 Turbia, lejana, gris.

Todas las cosas tienen
Tono menor de Enero.

(¿Noviembre-Diciembre?) 1918
100 bis

---

t/1 Ms: *Humeaban*
1 Ms: l*e*lanura
9 Ms: semi apados - Nuestra versión *semiapagados* es hipotética.
14 Ms: su sordida

129
EL POETA Y LA PRIMAVERA

La primavera (llegando)

¡Alegría de los campos!
Fuentes pintadas de cielo.
¡Mirad la luna y el río
Y las flores del sendero!

5 ¡Bravo ritmo el de las rosas!
¿Se os quitaron los anhelos
De subir a la montaña?
¿Qué campana es la que siento?
La campana de la muerte
10 Agitada por tu sueño.
Primavera, no te sigo.
Muere la ilusión y temo
Que el Amor que al fin me espera
Cuando llegue se haya muerto.
15 Mira la luna y el río
Y las flores del sendero.

→

Noviembre 1918

3 Ms: Mira*n*d
10 Ms: *por el viento* por tu sueño
13 Ms: A*o*mor
14 Ms: muert*e*o

Ante el confín azulado
Abre las rosas del sueño
Y caiga sobre la sombra
20 Del alma tu pensamiento
Como una estrella de sangre,
Para que surja una Venus
De Harmonía que destruya
La fatal palabra Tiempo
25 Y Espacio. Sobre tu carne
Ponga el infinito fuego
Del Amor por lo que vive,
Por la forma y el aliento
De esta vida. ¡A qué aspiras
30 Si resume el Universo
Esa rosa junto al agua
O el tibio dolor de un beso!
¡Alegría de los campos!,
Sigue mi alegre cortejo.
35 Ve con los niños que cantan
O allá con los hombres buenos.
Corónate de azucenas
Y ve cantando con ellos.
Van a la felicidad.

40 Los llevas al sufrimiento.

Mira el sol siempre encendido.

El corazón no es eterno.

Mira el rocío brillar
En las rosas del sendero.

---

22 Ms: surgja
23 Ms: *que te lleva* que destruya
24 Ms: p*la*alabra *t*Tiempo
25 Ms: *e*Espacio
31 Ms: Ese rosa junt*a*o
34 Ms: alegr*ia*e
40 Ms: *sentimiento* sufrimiento.

45 Mira mis lágrimas hondas
Sobre el jardín de mi pecho.

El sollozar es inútil
Exista o no lo supremo.
Baila en mis prados y olvida
50 Las torturas del infierno.
¡Que tu juventud se apaga!

Sobre el corazón la tengo
Como una bandera rota
En guerras del sentimiento.

55 ¿Y tus cantos?
¿Y las rosas de tu lira?

Se murieron.
Que mi amor las fue tronchando
Como secó mis acentos.

60 Y sin embargo, ¿qué esperas
De tus amores?

Espero
Un éxtasis de tristeza
O el Amor Único.

65 Creo que llegarás a la Muerte
Antes de llegar al beso.
Busca la boca y expira.

---

50 Ms: Las tortura
55/56 Ms: *Y el amor*
58 Ms: *cortando* tronchando
59 Ms: *corto* seco
60 Ms: es*f*peras
64 Ms: *a*el Amor
67 Ms: Bus*q*ca la boca y exspira.

Mi vida no es de este reino.
El hombre no tiene alas.

70 ¡Sí! las alas del deseo.

La alegría tiene alas
De risas y de conciertos
Fantásticos, nubes, aguas,
Cantos de los hombres buenos.

75 La Tristeza es perfección
De la bondad y el silencio
La música más sonora.

Escucha el grito del viento
Y el canto del agua clara
80 Entre los lirios en celo.
¡¡Canta el amor en el campo!!

Mi vida no es de este reino.
Por la mujer fui al astro.
Por el astro al Universo.

85 Te desvías del Amor.

¡Fue por el Amor!

Enfermo de pasiones imposibles
Sigue alegre mi cortejo.
Ve cantando con los niños.

---

68 Ms: reyno. A pesar de una posible intención arcaizante hemos modernizado la grafía.
71 Ms: al*a*egria
75 Ms: La*s* Tristeza*s* es
81 Ms: Canta*n*
82 Ms: reyno.
83 Ms: *vole* fui

90 Mañana serán mancebos
Y el Amor los herirá.

Tú ve cantando con ellos.
La rosa de mi presente
No tiene sangre.
95 El viento y el agua lloran tristezas
De amores que se murieron.

Mira el rocío brillar
En las rosas del sendero.

Mira mis lágrimas hondas
100 Sobre el jardín de mi pecho.

¡Mira los niños que cantan!
¡Mira los campos serenos!

No llevas contigo a nadie
Con la nieve en sus cabellos.

105 La aurora siempre es de sangre
O de oro. Los que llevo
Son el alba de la vida.

¿Qué campana es la que siento?

La campana de la muerte
110 Agitada por tu sueño.

Tomad flores, mis amigos,
En la montaña está el templo
Del Amor.

---

94 Ms: sangre. *E*
101 Ms: Mira*n*
110 Ms: *el* tu sueño.

¡Ah Primavera!
115 Que la noche llega presto
Y las rosas se marchitan.

Sigue alegre mi cortejo.
Mira los niños que cantan
Y ve cantando con ellos.
120 ¡Van a la felicidad!

Los llevas al sufrimiento.
Ese monte es el otoño.
Te hundirás con tu cortejo.
Las alas de tu alegría
125 No podrán tender el vuelo.
Serás una golondrina
Muerta en la nieve de Enero
Y mis alas de dolor
Me llevarán a lo Eterno.

130 Tengo sol en mis entrañas.
Los niños miran al cielo.

Cuando vuelvan no verán
Pues tendrán los ojos muertos.

Van a gozar del Amor.

135 Cuando vuelvan serán viejos
Y como errantes Tannhäusers
Llorarán por los senderos
Sus deshechas ilusiones.

---

128 Ms: *Mas* Y mis alas de *an*dolor
130 Ms: Tengo *los* sal
136 Ms: Thanhausërs

Tannhäuser: héroe literario medieval alemán y personaje central de una célebre ópera de R. Wagner del mismo nombre. Encarna la tensión vital entre las aspiraciones hacia el ideal y la atracción de la carne. La calificación de "errante" se refiere a las peregrinaciones del héroe entre Roma y la montaña de Venus.

¿Qué campana es la que siento?

140 La campana del Otoño
Que está sonando en tu templo.

Tu dolor es imposible.

Mi dolor es verdadero.

¡Tu tristeza es tan inútil...!

145 ¡Pero mi amor es eterno!

Coronaos con mis rosas.
Siga adelante el cortejo.
Que las espadas relumbren
Con el sol. No oigáis el reto
150 Que os da la tristeza inútil.

(¡Pero mi amor es eterno!)

¡Abrazaos y cantad!

¡Oye el sonido del trueno!
¡Voy hacia la juventud!

155 Pero al Otoño irás luego.

Mas yo volveré triunfante.

Para morir en el hielo.

Y tú no volverás nunca.

¡El corazón no es eterno!
160 Pero el Amor me dio alas

⟶

146 Ms: con *la* mis rosas.

Para hundirme en lo supremo.
Primavera sigue alegre.
Y con mi dolor me quedo.

(Pasa la Primavera.)

165 Alegría de los campos.
Fuentes pintadas de cielo.

Mira mi amor desangrando
Por la espina del deseo.

---

161 Ms: supre*no*mo.
163 Ms: co*m*n
168/ Ms: Noviembre 1918.

130

EL MADRIGAL TRISTE DE LOS OJOS AZULES

El madrigal que yo hiciera a tus ojos
Tendría la humildad y el sentimiento
Que tienen los rebaños en las tardes
Dormidas y nublosas del invierno,
5 La castidad ignorada de las aguas,
El perfume del trigo bajo el cielo
Profundo de las noches de verano,
La ingenuidad pagana del incienso
Y el olor de una lluvia muy lejana
10 Que llega enmarañado con el viento.

Eres tan niña que mis amarguras
Las oyes distraída y sonriyendo,
Con la boca entreabierta y la mirada
Escondida en tu propio pensamiento,

⟶

6-XII-1918

t Ms: triste*s*
1 Ms: *El canto* El madrigal *Las can*
4 Ms: invie*rn*rno,
10 Ms: enmarañad*a*o
12 sonriyendo: cfr. v. 16 del poema núm. 51 y la nota al v. 54 del poema núm. 8 *Tentación*.

15 Como si mi pasión llena de noche
Fuera plata clarísima de espejo,
Como si mi relato turbio y hondo
Fuera tomado de algún viejo cuento.
Tus ojos, miniaturas de los lagos,
20 Miran como sumidos en un sueño.
Rayos de luna son a mi penumbra,
Cadenas a mis brazos y a mi acento.
Cada destello azul de tus pupilas
Abre un pozo de amor sobre mi pecho.
25 Mas no puedo beber del agua santa
Aunque me abrasa el sol de los deseos.
Te ríes de mi canto gentilmente
Aspirando las rosas de tus senos,
Sin pensar en el ritmo de mi canto
30 Que tiene la humildad y el sentimiento
De los rebaños en atardeceres
Dormidos y nublosos del invierno.
Tienes el alma intacta, adormecida,
Y por eso tus ojos están muertos.
35 Desconoces el beso y la inquietud.
No has derramado espíritu por ellos.
Cuando sepas de amor comprenderás
La tristeza divina que ahora tengo,
Tristeza de claveles andaluces,
40 De olivo añoso y de bordón sangriento
Que llora la esquivez de tu mirada.
Ojos azules que os abrís tan lejos,
Llenos de nieve y de azucenas mustias,
De los míos pasionales y negros,

→

15 Ms: *vida d*noche
16 Ms: Fuera *como* plata ta clarisima
20 Ms: *Viv*Miran como sumid*a*os un sueño.
33 Ms: intacta *y virginal* adormecida,
33/34 Ms: *Y por Virgen de amor y de soñares tiernos*
36 Ms: No*s*
37 Ms: Cuand*as*o
42 Ms: ab*í*ris

45 Que saben de saetas y de noches
Junto al mar bajo los limoneros.
Quebraré mi pasión contra una estrella.
Ante ti he de guardar hondo silencio,
Murmurando mi madrigal doliente
50 Como un monje que reza en el convento.
Y he de rezar así hasta que tenga
Paz en el alma, nieve en los cabellos.
Pero mi amor por ti, mujer lejana,
Dará su rosa eterna con el tiempo.
55 Cantará mi paloma mientras tanto.
La raíz del ciprés quiebre mis huesos.
Mi madrigal no lo sabréis nunca,
Ojos azules que mirar no quiero,
Pero que sin mirarlos dan la muerte
60 Con el puñal azul de su recuerdo.
Os cerrará una mano sin saber

⟶

46/47 Ms:

Y eres tan niña que mis amarguras
las oyes distraida y sonriyendo.
Y debo hacer bajo tus ojos dulces
Un madrigal que tenga en sus acentos
La castidad ignorada de las aguas
El perfume del trigo bajo el cielo
Profundo de las noches de verano
La ingenuidad pagana del incienso
Y el olor de una lluvia muy lejana
Que llega enmaranado con el viento.

Estos 10 vv. van enmarcados por una línea que los separa del resto. Parte del fragmento que damos en letra cursiva está además atravesada por una raya.

Los versos suprimidos corresponden a los vv. 11-12 y 5-10 del poema.

49 Ms: *Y he de decir Repitiendo suspirando* murmurando

50 Ms: el *silencio* convento.

53/54 Ms: *No lo*

58/59 Ms:

Porque los mios mueren y se embriagan.
Pero mi pensamiento va con ellos

61 Ms: *Y tu mujer te iras sin que adivines* Os cerrara *la muerte* una mano

Mi tristeza de corazón enfermo.
Por eso el madrigal que yo os hiciera
Tendría la humildad y el sentimiento
65 Que tienen los rebaños en las tardes
Dormidas y nublosas del invierno.

66/ Ms: 6 de Diciembre
1918
Noche
Federico

131

[EN LA NOCHE SIN LUZ JOB VA POR EL SENDERO]

En la noche sin luz Job va por el sendero.
Tiene herida la frente y los ojos borrados.
Al pasar deja un dulce rocío de mañana
Y una meditación sobre el alma del campo.

5 El confín se derrama de silencio apacible.
El santo peregrino se detiene. Sus brazos
Se clavan en el cielo tocando a las estrellas.
Es la hora solemne en que medita el santo.

Junto al humilde brilla un agua soñolienta
10 Preñada de recuerdos. En la sombra del llano
Despiertan las pasiones antiguas y las ansias
De las razas hundidas por Dios en lo ignorado.

¿1918-1919?

---

1 Ms: *lejana* sin luz
2 Ms: *Lleva* Tiene
3 Ms: Al pasar *va dejando* deja un dulce rocío de *aurora* mañana
4 Ms: Can*em*po
4/5 Ms: *Junto al agua dormida se detiene El silencio*
5 Ms: se derra*na*ma de silencio apaciple
6 Ms: Sus *manos* brazos
7/8 Ms: *O descansan en tierra dolientes y cansados*
8 Ms: Es la la hora solenne
9 Ms: *el* un agua
9/10 Ms: *Este mira en las ondas los pliegũes de su manto*
12 Ms: razas hendidas

132
[EL ESPECTRO DIVINO DEL DE ASÍS]

El espectro divino del de Asís
Por el sembrado pasa.
Las estrellas admiran desde el cielo
El brillo de sus llagas.
5 Va dejando en el polvo del camino
Un rocío de plata,
Impregnando de luces inefables
A las dormidas plantas
Con el tenue dulzor de sus andares
10 Y la azul mansedumbre de su cara.
Transcurría la noche lentamente
Cuando Francisco llega a la montaña.
Y sentándose en tronco carcomido
Frente a la vega exclama:
15 "En el nombre de Cristo vengo a hablaros,
¡Oh tristes alimañas!
¡Despertaos del sueño, que yo os traigo
La bienaventuranza!"

→

¿1918-1919?

9 Ms: el ten*em*ue dulz*a*or
10 Ms: mans*a*edumbre
11 Ms: Transcuria

En el hondo silencio de la noche
20 El viento convertía a las palabras
En grandes gotas de una miel celeste
Y en tenues lirios como estrellas blancas.
Al conjuro piadoso de Francisco
Levantóse la grey despreciada.
25 Y vinieron los sapos doloridos,
Los gusanos humildes, las arañas,
Los murciélagos torvos y sombríos
Y los cuervos profundos en bandadas.
Muchedumbres de insectos venenosos
30 Las sendas tapizaban
Subiendo por los árboles dormidos
Hasta las altas ramas.
Muy detrás y sumidas en la sombra
Las verdosas serpientes se arrastraban
35 Con un miedo infinito de ser vistas
Y anatematizadas.
Un buho caminante que venía
De unas tierras extrañas
Mudo y suspenso contempló la escena
40 Calándose las gafas.
San Francisco de Asís arrodillóse
Y tendiendo sus manos a las almas
Que lo escuchaban dijo:
Vengo del cielo a daros la bienaventuranza.
45 Sé que el hombre os desprecia, os odia y os
[maltrata.
Sé que todos lloráis vuestras vidas humildes,
⟶

19 Ms: *Y* En el *muerto* hondo silenci*aro*
25/26 Ms:
Los gusanos, los cuervos, la arañas
Murcielagos y mil tristes insectos
Parados en las yerbas y las ramas
26 Ms: hu*lim*mildes,
33 Ms: en las sombra
36 Ms: a*ta*natematizadas.
44 Ms: biena*t*venturanza.
46/47 Ms: *En las*

Vidas buenas que el hombre hace tan
[desgraciadas.
La humanidad no mira que aunque sois muy
[pequeños
Podéis gozar en Dios de la perfecta calma.
50 A vosotros gusanos os despreciaron siempre
Porque purificáis la condición humana,
Porque volvéis al polvo lo que polvo había sido
Haciendo que la muerte sea ritmo y esperanza.
Mas yo os digo a vosotros, abejas del silencio,
55 Que llenáis el panal de la tierra sagrada
Con la miel de la arcilla que cubre nuestros
[huesos
Para que siempre quede virgen, pura e intacta.
¿Es justo que el poeta os maldiga?, oh gusanos,
Si luego sois vosotros los que apagáis sus
[llamas.
60 Mas yo os digo,¡oh divinos poetas!, que tenéis
Corazón, rosa, cráneo o fonte por morada.

---

48 Ms: anque
49 Ms: *d*Dios
53 Ms: *Y haceis* Haciendo
54 Ms: a vosotros *a.* Abejas
56 Ms: arcilla que robo nuestro cuerpo / que cubre nuestros huesos.
Hemos optado por la última versión.
58 Ms: ¿Es justo(?)
Nuestra lectura es hipotética.
61 Ms: o fonta por morada

133
[ERA EL TIEMPO DIVINO]

Era el tiempo divino
De Francisco de Asís.
Sobre un dulce camino
Esfumado en el gris,
5 Junto al agua fragante
Del remanso perdido,
Un búho caminante
Descansa adormecido.
Tiene el aire doliente
10 Que da la mucha ciencia
Y una huella evidente
De ayuno y penitencia.
Su mirada amarilla
Parece entre el ramaje

⟶

¿1918-1919?

1 Ms: divino *de f*
2 Ms: Francisco de A*n*sis(?)
3 Ms: *Junto* Sobre
5 Ms: fra*n*gante
5/6 Ms: *Junto*
6 Ms: *De un* Del remanso *escondido* perdido,
12 Ms: pinitencia.
13/14 Ms: *Deja sobre el la reman*
14 Ms: el ramje

15 Un topacio que brilla
Perdido en verde encaje.
El búho pensativo
Como esfinge miraba
El camino desierto
20 Florido por Abril.
El agua del remanso
Llena de azul mostraba [...]

---

15 Ms: Un *p*topacio
17-18, 19-20, 21-22 Ms: un solo verso
19 Ms: El camino *esl camino* desierto
20 Ms: *perdido en el confin f*lorido por Abril.

134
POEMA

La primera aurora
Fue como un ojo inmenso
Con párpados de sombra
Que enseñó la pupila
5 Del sol.

Sabían las hojas
Del bosque el gran secreto
De las tinieblas donde estaban
Los nidos del pensamiento...
10 El manantial conocía
Los almacenes del misterio
Y las niñas estrellas
Se contaban cuentos.
La luna estaba en mantillas
15 Y Jehová soltero.
Eran los principios
De este mundo viejo.

→

¿1918-1919?

/t: *Eva* (?)
3 Ms: Com par*d*pados
10 Ms: *Que* El
15 Ms: Jeová

Todo era armonioso y visible
Y todo era sincero.
20 Las plantas y las cosas
Guardaban sus secretos.
Las vides meditaban el vino
Y el trigo el pan tierno.
El agua presentía la sed humana
25 Y el perfume el viento.
Todo sobre la tierra,
La planta y la montaña,
Temblaban de miedo.
Los lirios presentían la retórica
30 Y se marchitaban sobre el mar inmenso.
Mitos impacientes jugaban ansiosos
De poblar de niebla al primer cerebro...
Las rubias cascadas de miel copulaban
Con los torrentes de veneno.
35 Era la paloma
Amiga del cuervo.
Y la planta de la filosofía
La guardaba Dios en invernadero.
Era todo maravilloso
40 Porque nada tenía objeto,
Ni el agua de la muerte,
Ni la rueda del tiempo.

II

El Jehová de los seis días
No tenía barba.
45 Era joven y sonrosado,

→

22 Ms: vid*a*es
27 Ms: *el incecto* la montana,
29 Ms: present*e*ian
30 Ms: immenso.
32 Ms: nie*bl*bla(?)
36 Ms: am*a*iga del cuerv*a*o.

Sin arrugas en la cara.
Llevaba un manto de niebla tejido
Con hilos del Todo y ribetes de Nada.
Tenía dos cuernos de fuego en la frente
50 Y el cabello rizado
Le caía en la espalda...
Escupía luceros y lloraba diamantes.
Era aficionado al canto y al arpa.
Había domado sus fuertes pasiones
55 Pero todavía miraba a las ángelas...
Era el Jehová guapo de los ojos dulces.
El gran escultor de la estirpe humana.

III

El sol estaba en la cúpula del azul.
Era la primera mañana.
60 Bajo el árbol de la ciencia
Adán y Eva dormitaban.
Un rayo de sol los despierta
Y juegan entre las ramas.
Sobre el césped primitivo

⟶

---

49 Ms: dos cuer*do*nos *en su frente pura* de fuego en la frente
51 Ms: esp*l*alda
52 Ms: llor*r*aba
53/54 Ms:
Y si alguna vez.
(Pocas) se sonaba
Dejaba el pañuelo lleno de topacios
de crisoberilos, perlas y esmeraldas.
56 Ms: E*l*ra el Jeova
58 Ms: azu*al*l
59/60 Ms:
Desde el balcon del cielo se veia
El fondo de las aguas.
62 Ms: rajo
62/63 Ms: *Y dan y corre*
64 Ms: cespe*p*d

65 Se ve el corazón de una manzana.
Aquella fruta les ha dado
El don divino de la palabra,
La ciencia del beso y la desobediencia,
Y la independencia del alma.
70 Adán y Eva son horribles.
Adán es negro y Eva es blanca.
Son sus cabellos pedernales,
Sus carnes rudas y atigradas.
Miran y llenan la floresta
75 De sombra. En la primera mañana
Y acabados de nacer comieron
La manzana...
La vid les dijo sus secretos
Y el agua.

IV

80 En los ámbitos del cielo
Resuenan las trompetas
(Alguna desafina) de la obediencia.
"Acudid todos, ángeles y arcángeles,
Tronos y dominaciones, a la asamblea."
85 Ya se han comido la manzana
Adán y Eva.

En medio del silencio
La gran sesión comienza.
Jehová está presidiendo
90 Y la sala está llena.

---

83 Ms: todos, *sub* angeles
85 Ms: la manza
86 Ms: Eva*n*
87 Ms: Emmedio de *un*l silencio
88 Ms: *Co*La gran

135
SPLEEN

Dentro del corazón tardío
Hay una cavidad morada.
Única.
Imposible...
5 Es de amor intangible.
Eco de vida helada.
Una cosa que se va para siempre.
¿Dónde irá?
Nadie nunca sabrá
10 Qué camino sereno o revuelto
El espíritu bueno herirá...
¡Resplandores! ¡Amor...!
Pero nunca podremos llorar
Este mal que es de luna escondida,
15 Este mal que es de gris otoñal.

¿1918-1919?

---

t Ms: S*l*pleen
5 Ms: Es de *de*amor in*te*angible.
6 Ms: Eso de *de* vida
10 Ms: sere*o*no *o*u revuelto
11 Ms: El *reposo* espiritu

136
[¡TE HE HERIDO DEMASIADO!]

¡Te he herido demasiado!,
Pobre alma mía silenciosa y tierna.
Te lancé al vendaval de las pasiones
Sin la coraza puesta.

5 Has sido sin saberlo
Un prado de descanso a la Quimera
Y han comido tus flores los pegasos
De los otros poetas.

¿1918-1919?

/1 Ms:
Para huir de la sombra
Necesito unas botas de mil leguas.
Entre en la casa del dolor. la Muerte
Me cerrara la puerta.
Esta sombra es mi alma
Destrozada de amor que me pesen
Un abismo

***

¡Oh que suplicio horrible!
horrible suplicio
El querer sollozar y tener puertas

1 Ms: Te herido
6 Ms: descanto

Los niños que yo amaba
10 Te quitaron los nidos. Las doncellas
Enturbiaron tus lagos con reflejos
De sus bocas sangrientas.

11 Ms: lagon
12 Ms: De *e*sus

137

[HAY VECES QUE PENSAMOS SOLLOZAR]

Hay veces que pensamos sollozar
Y se ríe sin querer el corazón.
Hay veces que pensamos ensoñar
Y se muere lejana la ilusión.

5 Somos antorchas desconocidas
Que nos enciende una mano inconsciente.
Somos negruras que sueñan perdidas
Que despierta una luz refulgente.

Y llora el corazón...
10 Protestamos de nosotros mismos
Y la luz nos invade armoniosa
Con olor de esperanza y de rosa...
Y llora el corazón.

¿1918-1919?

1 Ms: *llorar* sollozar
3 Ms: ensoñanar
4/5 Ms:
Y es que no somos
Sino lo que manda
6 Ms: incosciente
8 Ms: despierda
12 Ms: esperan*dza*

138
ORACIÓN DEVOTA A SANTA MAGDALENA

¡Magdalena!
Yo escucho tu voz de escalofrío,
El temblor de tus senos y tu llanto en la Cruz.
¡Magdalena!
5 Yo siento tu espíritu en el mío
Segándome las sombras
Con guadaña de luz.

Tengo el alma amarilla y el corazón vibrante.
Mi libro es el Ocaso.
10 Mi Cristo es de marfil.
Mis cantos vienen todos de un punto alucinante.
Son palabras de Otoño
Con antifaz de Abril.

¡Magdalena!
15 Mi campo tiene lirios malditos.

⟶

¿1918-1919?
edic: CPI, s.p.; IG, pág. 206 (vv. 1-7)

1 Ms: Magdale*ta*na
6 Ms: *Que me siega las sombras* Segandome las sombras
10 Ms: cristo
13/14 Ms: *Magdalena tu que vistes el crepusculo santo*

Mis ojos agotaron todo su manantial.
¡Mira mis pies sangrantes
Y mis labios marchitos!
¡Dame tu cabellera para cubrir mi mal!

16 Ms: todo *mi* su manantial.

Oración devota a Santa Magdalena.

¡Magdalena!
Yo escucho tu voz de escalofrío
El temblor de tus senos y tu llanto en la Cruz
¡Magdalena!
Yo siento tu espíritu en el mío
Segándome las sombras
~~Que me sieguen las sombras~~
Con guadaña de luz.

Tengo el alma amarilla y el corazón vibrante
Mi libro es el Ocaso
Mi cristo es de marfil
Mis cantos vienen todos de un punto alucinante.
Son palabras de Otoño
~~Con antifaz~~ de Abril.

¡~~Magdalena que sentiste el esposo santo~~ tu

¡Magdalena!
Mi campo tiene lirios malditos
Mis ojos agotaron todo su manantial.
¡Mira mis pies sangrantes
Y mis labios marchitos.
¡Deja tu cabellera gruesa cubrir mi mal!

139

NIDO DE RUISEÑORES

¿Qué es lo que guarda el alma en estos
[momentos tristes?
¡Ay! ¡quién tala mis bosques
Dorados y floridos!
¿Qué leo en el espejo de plata conmovida
5 Que la aurora me ofrece
Sobre el agua del río?
¿Qué gran olmo de idea
Se ha tronchado en mi bosque?
¿Qué lluvia de silencio
10 Me deja estremecido,
Si a mi amor dejé muerto
En la ribera triste?
¿Qué zarzales me ocultan
Algo recién nacido?
15 ¡Di corazón! ¿Qué nuevos ruiseñores ocultas?
Has sido tumba y quieres coronarte de nido.

⟶

¿1919?
El poema *Nido* de *Libro de poemas* (LP) se compone, con las variantes que indicamos, de los vv. 1-14 de *Nido de ruiseñores*.

---

1 Ms: guarda el alma *el* en est*a*os *horas* momentos
LP, OC: ¿Qué es lo que guardo en estos
Momentos de tristeza?
4 LP, OC: ¿Qué leo en el espejo / De plata commovida

Yo te llené de estrellas
En ambiente de luna.
Y ahora tú las conviertes
20 En pájaros cautivos.
¡Quién pudiera soltaros,
Prisioneros del alma!
Con vuestros aleteos
Alejáis al olvido.
25 Yo sufro por vosotros
Que cantáis en silencio
Sobre la noche triste
Del pensamiento mío.
Quién pudiera soltaros,
30 Prisioneros del alma,
Esta clara mañana
Con el azul tan limpio.
¡Quién os viera subir
Cantando a las estrellas!
35 ¡Ya cubierto de flores
Y con el cuerpo frío!
Ay, corazón vibrante
De cantos juveniles,
Enramada sangrienta
40 De pájaros divinos.
Tú sueñas en la luz
Mas vibras en la sombra.
Tú eres fuerte y seguro
Y estás por siempre herido.
45 El lirio del remanso
No cuenta sus tristezas.
El agua de la fuente
Piensa en Dios nada más.

---

27 Ms: tiste
34 Ms: *volan* cantando a las estrella
37-44 Ms: estos ocho vv. se hallan añadidos al lado de los vv. 19-23.
44 Ms: herido (?)
45-48 Ms: estos vv. están enmarcados en un cuadro.
48 Ms: n*u*ada

El álamo caído sobre el prado sereno
50 Tiene la omnipotencia
De un patriarca herido.

---

49 Ms: alam*ao*
50 Ms: omnipotencia *de un patriarca*

140
LA MUERTE DE PEGASO

En el jardín marchito que besaron los siglos
Una fuente rebosa con el agua del sueño.
Hay un tenue sembrado de lirios amarillos
En su verde pupila siempre fija en el cielo.

5 Tiene el agua profunda de esta fuente encantada
Pergaminos soñados escritos por luceros,
Perfumes de las rosas que marchitó el otoño,

⟶

23-I-1919

t En este poema mitológico Lorca reformula, adaptándolo, el mito de Pegaso tal como figura en las fuentes clásicas y en la tradición ulterior (cfr. la *Teogonía,* de Hesíodo, la XIII *Oda Olímpica,* de Píndaro, las *Metamorfosis,* de Ovidio...): la alusión etimológica a su nombre (vv. 2ss.), su nacimiento de la sangre de Medusa (v. 51), muerta por Perseo (v. 34), el surgimiento de fuentes (como Hipocrene, la fuente del caballo) al contacto de sus cascos con la tierra (vv. 30-31), su viaje al Olimpo (vv. 35 ss.), su simbolismo lírico más reciente (vv. 41 ss.). Lorca sin embargo da a Pegaso un destino final bastante diferente del que cuenta la tradición.

3 Ms: Hay *un sembrado tenue* un tenue sembrado

4 Ms: En *la* su verde pupila

5-10 Ms: estos versos están enmarcados por una línea en forma de cuadro.

Algas grises de niebla y un solemne secreto,
El secreto fatal del amor y la muerte
10 Que aprendió de los hombres con el ritmo del
[tiempo.

Bajo el temblor dorado del sol de la mañana
Y bajo las caricias grises del aguacero
El agua tiene siempre mutismo de infinito,
Nublada de tristeza y turbia de silencio.

15 El agua del arroyo se pierde lentamente
En la gris lejanía del crepúsculo muerto,
Turbia ya con la sombra de la noche vecina,
Perfumada y rendida con las rosas del sueño.
¡Agua que las estrellas, arañas imposibles,
20 Rayaron con sus hilos de luz y pensamiento!

***

Por el aire doliente del paisaje marchito
Viene el blanco Pegaso con el alma del viento.
Va dejando una estela de espuma en el espacio.
De las alas le nacen mariposas de ensueño.
25 Sus resoplidos tienen los colores del iris
Y en sus crines se enredan los crepúsculos
[muertos.

---

8 Ms: grises de de niebla y *el* un solemne

8/9 Ms: *Del amor que los hombres al pasar por su lado*

9 Ms: amor y *e*la muerte

10 Ms: *A*Que aprendio de los hombres *a traves de los tiempos* con el ritmo del tiempo

11 Ms: *Y b*Bajo *los coloroes* el temblor dorado

15 Ms: arro*j*yo

15-18 Ms: Estos cuatro vv. se hallan en la vuelta de la hoja 1 a la altura de los vv. 19-20 en la hoja 2.

19 Ms: ¡¡Agua*s en* que

20/21 Ms: una cifra romana I

21 Ms: Po*l*r

22 Ms: *p*Pegaso

Todo el jardín se llena de una luz ignorada
Que multiplica formas y apaga los senderos.
Las alas de Pegaso tronchan árboles firmes.
30 Y cuatro manantiales han brotado del suelo
Al herir con sus cascos el jardín reposado
Que ahora tiene el encanto divino de lo inquieto.

Los ojos de Pegaso están casi apagados.
Hace tiempo escapóse de manos de Perseo.
35 Quiso llegar sin nadie a las blancas estrellas
Y contemplar el ritmo de todo el universo.

Fue en busca del amor y de la paz serena
Con el alma encendida por un suspiro eterno
Mas no vio las cadenas con que estaba amarrado.
40 Al querer escaparse fracasaron sus vuelos
Y encadenado ha sido caballo de poetas
Que mataron sus ansias con el trágico freno.
Nunca vio realizadas sus ideas nativas.
Siempre tuvo prestados virtud y sentimientos.
45 Su corazón cambiaba como cambian los aires
Pero en su fondo había algo mudo y siniestro.

¡Pobre Pegaso blanco en que todos cabalgan,
Hoy llegas al jardín angustiado y enfermo!
De todo tu prestigio sólo queda la pena
50 De tu verso interior borrado por el tiempo,
El verso que soñaste al salir de Medusa

⟶

---

28 Ms: agpaga
30 Ms: ma*ti*nantiales
32 Ms: *e*inquieto
33 Ms: *p*Pegaso
36 Ms: comtemplar
40 Ms: *Y a*Al
41 Ms: poëtas
43 Ms: idëas
49 Ms: *te*la pena
50 Ms: *olvidado por* borrado por el tiempo,

Sin saber que llevabas en tu lomo a Perseo.
¡Pobre Pegaso blanco en que todos cabalgan,
Hoy llegas al jardín angustiado y enfermo!

55 La poesía un momento se ha dormido en las
[almas
Y por eso Pegaso se escapa hacia lo eterno.
Mas al pasar vio el agua dormida de la fuente
Y descendió a calmarse su corazón sediento.

Toda el agua profunda ondulaba harmoniosa
60 Ante sus ojos grises y su ardoroso belfo.
Los lirios inclinaban sus vestiduras de oro
Dejando sobre el aire temblor amarillento.
Y el Pegaso rendido olvidando sus ansias
Bebióse gota a gota toda el agua del sueño
65 Sin pensar que al beber la ilusión imposible
Le daría mil alas de distintos deseos.
¡Pobre Pegaso blanco en que todos cabalgan,
Ya no sabes qué rumbo tomar ni qué sendero!

* * *

Ha llegado la noche sobre el jardín marchito.
70 El alma de Pegaso se abruma ante lo eterno.
Ve todos los caminos sin solución ninguna
Y sobrándole fuerzas no quiere recorrerlos.

⟶

---

52 Ms: llevavas *cabalgando* en tu lomo
53 Ms: Pobre*s*
54/55 Ms: *La poesia se ha muerto sobre el alma del hombre*
55 Ms: um momento
58 Ms: descencio *a se la calmar a inundarse el cora* a calmarse
59 Ms: ondulabla
62 Ms: el aires
64 Ms: *al*del sueño
66 Ms: distin*os*tos
68/69 Ms: una cifra romana III
71 Ms: solocion ningun*o*a

Canta el viento en la sombra y la luna aparece.
Una dulce tristeza lo invade por momentos.
75 Se extiende sobre el césped del jardín y sus alas
Se abaten lentamente con suavidad de beso.
Después las hiedras llegan cubriendo su blancura
Que robara la nieve una noche de invierno.

¡Oh mariposa inmensa de un deseo imposible!
80 ¡Alada carabela de los humanos sueños!
Al llegar a los reinos de la sabiduría
Quisiste encontrar un reino más perfecto.
Nunca el sueño podrá conocerse a sí mismo
Ni podrá el corazón descansar satisfecho.

85 Pobre Pegaso blanco en que todos cabalgan.
Hoy mueres silencioso en el jardín del sueño.

---

73 Ms: Cante
76 Ms: Se *tronchan* abaten
78 Ms: Que *bo*robara
79 Ms: imensa
80/81 Ms: *Nunca el sueño podra conocerce a si mismo*
81 Ms: *ge*llegar
85 Ms: Po*p*bre Pegaso *B*blanco en que todo cabalgan.
86/ Ms: Federico.
23 Enero. 1919
1919
Granada

141
SOMBRA

Pensando silencioso ante el mar de mi pena
El corazón doliente se transforma en espejo
Que recibe las luces marchitas de la tarde
Y las proyecta al fondo para formar luceros.

5 Mi mar tiene el acento de ritmos ignorados
Bajo la humilde noche de mi espíritu bueno.
Sus tormentas producen una espuma de estrellas
Donde dejan sus nidos las palomas del sueño.

El crepúsculo triste en que vivo sumido
10 Pone en sus ondas tenues matices de silencio.
El otro corazón es una carabela
Que lo surca empujada por aire del recuerdo.

28-I-1919
edic: HAM, pág. ?

---

1 Ms: el *ritmo del mar* mar de mi pena
2 Ms: *Mi* El corazon HAM: Mi corazón
3 Ms: *Le*Que
4 Ms: *produciendo un lucero* para formar luceros.
5 Ms: de *un silencio* ritmos ignorados
8 Ms: Donde *dejan*(?) ponen dejan
10 Ms: Pone*s*n HAM: Ponen
12 Ms: Que l*o*a surca empujada por aire*s*

Como Juan de la Cruz quisiera sobre el agua
Contemplar la visión de sus ojos serenos
15 Y quisiera poder preguntarle a las cosas
Por las blancas escenas que para siempre
[huyeron.

En mi báculo crece la flor de la inconstancia.
Donde quiera que vaya llevo mi mar inquieto.
Me bebo sin pensarlo las luces del Ocaso
20 Que me dejan un llanto fatal por sedimento.

He de llorar por siempre cruzando los caminos
Sin una voz amiga que calme mis anhelos.
Mi copa rebosante de miradas antiguas
Será la hiel que beba mi corazón sediento.

25 Pensando silencioso ante el mar de mi pena
El corazón doliente se transforma en espejo.
Y el espejo retrata los dos ojos marchitos
De mi esfinge que mira el camino desierto.

---

14 Ms: Co*ng*mtemplar

15 preguntarle a las cosas: mantenemos la incongruencia gramatical a causa de la métrica (dos hemistiquios heptasílabos por verso).

19 Ms: *a*Ocaso

20 Ms: *Por* Que

21 HAM: cruzado

22 Ms: c*l*alme HAM que clame

24 Ms: hiel *donde* que beba

28/ Ms: 28 Enero 1919.

En el reverso de la segunda hoja se lee: Miron.

142
LA BALADA DE CAPERUCITA

I

En la tarde abrumada de luz fascinadora
Caperucita roja se ha perdido en el bosque.
La sombra taladrada de estrellas se aposenta
Sobre el césped ingenuo. En el vago horizonte,
5 Desmayándose humildes sobre la azul montaña,
Quedan trozos del día que el cielo sacudióse.

30-I-1919 (I)
4-II-1919 (II)
(¿Enero-Febrero?) 1919 (III-IV-V)

Hemos juntado bajo un solo título cinco grupos dispersos de manuscritos con un total de 28 hojas. Las partes I y II cubren dos veces 7 hojas numeradas, escritas a tinta y fechadas. Las que llamamos III-IV-V son también 14 hojas (respectivamente, 5, 6 y 3) numeradas, pero escritas a lápiz y sin fechar.

De las partes I-II (vv. 1-269) existe un apógrafo (APO) mecanografiado, autorizado por algunas correcciones de Federico. Señalamos algunas variantes y correcciones importantes.

---

t/1 Ms: ϕ
3 Ms: aposente
4 Ms: *En el agua que corre* En el vaga horizonte,

Por los caminos mansos que la tarde ha nevado,
Cantando a sus hogares van los trabajadores.
Caperucita roja, llorosa y asustada,
10 Marcha junto al arroyo y en el agua que corre
La luz de sus miradas pone un temblor de luna
Que hace abrir sus corolas a las dormidas flores.
Un grupo de amapolas dice a la dulce niña:
"Caperucita roja perdida por el bosque,
15 ¿Quieres que te enseñemos a ser como nosotras?
Si nos das tu mirada que ilumina la noche
Pondremos en tu cuello rayos de sol cuajados
Y en tu cuerpo esmeraldas de nuestros
[corazones.
Te enseñaremos gratos danzares con el viento.
20 Es el viento muy bueno. ¡Ay!, tú no le conoces.
Nosotras no tenemos perfume y él nos trae
Los perfumes divinos que exhalan otras flores.
Si tú vieras qué cuentos tan bonitos nos dice.
Sabe todas las cosas de la yerba y los robles,
25 Y mira que los robles no cuentan nada a nadie.
Son hoscos y terribles. Nos asustan sus voces.
Plántate junto al agua, que nosotras haremos
De la Caperucita perdida por el bosque
Una amapola inmensa como nunca ha existido,
30 Si nos das tu mirada que ilumina la noche."

La pobre niña queda toda sobrecogida
Ante las amapolas y murmura: "¡Oh flores!,

⟶

7 Ms: la tard*a*e ha nevado (?)
15 Ms: te ensemos
17 Ms: de*l* sol
20 Ms: *tan* muy APO: tan bueno
21 Ms: y el *el*nos
22 Ms: exalan
26 Ms: *Son terribles y hoscos* Son hoscos y terribles.
28 Ms: Caperucita *roja*
29 Ms: Una a*p*mapola imensa *nu*como nunca
30 Ms: tu*s* mirada
31 Ms: *d*toda sobrecogica

¿Por qué queréis que sea como una de vosotras
Si sois las prisioneras más humildes del bosque?
35 ¿Por qué me seducís con las danzas del viento
Si el viento es una mano que troncha vuestros
[goces?
Dejadme que me vaya." Las amapolas gritan:
"El viento no nos troncha, es la muerte."
["Entonces
(Dice Caperucita)... el viento trae la Muerte.
40 Y temo que ese viento terrible me deshoje."

Los musgos entre sombra han dicho muy bajito:
"Caperucita roja perdida por el bosque,
Si nos das tu mirada de luz desconocida
Te daremos un manto de tenues resplandores
45 Bordado con los hilos de plata que poseen
Las arañas astutas, los tardos caracoles."
"Ven pronto a nuestros brazos y danos tu mirada",
Gritan las yedras." "Toma nuestro ritmo sin
[nombre,
¡Caperucita!, ¡niña!, entréganos tus ojos",
50 Braman en la penumbra los corpulentos robles.
"¿Para qué los queréis si son muy pequeñitos,
Y yo me quedo ciega por siempre si los doy?
No veré nunca más a mi abuela y su gato.
¡Oh!, ¿qué tienen mis ojos para que así os
[arroben?
55 Decidme qué sendero conduce a mi casita.
Mirad que viene el lobo y seguro me come.

⟶

---

34 Ms: mas hunldes(?)
35 Ms: las dan*d*zas
37 Ms: *dicen*(?) gritan
48 Ms: sin nombra
49 Ms: Caper*i*ucita
50 Ms: B*a*raman
51 Ms: so*m*n
54 APO: para que *ansias os den* asi os arroben.

O viene el Tío Camuña o los butes tan malos."
Todas las hojas tiemblan y gritan en la noche:
"Danos tus ojos bellos, danos tus ojos bellos,
60 Caperucita roja perdida por el bosque."
Los ojos de la niña tienen fulgor extraño
Con matices de lunas y acento de mil soles.
Las mariposas vuelan fascinadas y locas
Sobre su cabecita toda dorada y noble.
65 Un trémolo azul de alas sigue a Caperucita
Que se diría una colmena de ilusiones
Que en vez de abejas rubias tuviera mariposas,
Libando de las hebras del pelo sus dulzores.

"Queremos abrasarnos en la luz de tus ojos,
70 Caperucita roja perdida por el bosque.
Queremos en las luces divinas que ellos tienen
Esfumarnos las alas, fundirnos los colores.
Queremos ser tu vida y volar en tus besos.
Aspiramos al reino de tu inocencia pobre."
75 "Retiraos de mis ojos. No veo, mariposas."
Y mil bocas de hojas murmuran en la noche:
"Danos tus ojos bellos. Danos tus ojos bellos,
Caperucita roja perdida por el bosque."

---

57 Ms: tan *negros* malos

APO: el Tio Camuñas [1] o los *buitres* butes tan malos [2] o *viene el coco malo* el coco que es tan malo

el Tío Camuña(s): personaje imaginario de la tradición popular, especie de coco con el que se quiere dar miedo a los niños.

bute (ver también el v. 289): en Andalucía, fantasma, persona o cosa que mete miedo.

57/58 Ms: *Las ho*
58 Ms: tiem*p*blan
62 Ms: acento*s* de *los* mil sol*os*es.
63 Ms: fascina*n*das
70 Ms: roja *que* perdida
72 Ms: Esfumarnos *el cuerpo* las alas
73 Ms: tu *alma* vida
74 Ms: tu inocencia *noble* pobre
75 APO: [1] Retiraos [2] Apartad de mis ojos
76 Ms: Y mi*s*l bocas

Todos los animales de la selva dormían.
80 Sólo las mariposas, las yerbas y las flores
Persiguen a la niña pidiéndole los ojos.
Caperucita llega junto al agua que corre
Y el agua del arroyo susurra blandamente:
"Caperucita, vente conmigo sin temores."
85 "¿Tú no quieres mis ojos?" suspira la perdida.
"Los llevo ya en mis ondas claras sin que lo
[notes."
"¿Para qué los querrán, agua mansa y amiga?"
"Para saber tu cuento dulce que nunca oyen,
Para tener secretos de inocencia serena
90 Y entender lo que dicen profetas ruiseñores.
Porque tienes el alma más perfecta que existe.
La planta como el hombre tiene malas pasiones
Y maldades y vicios. En la naturaleza
Sólo eres tú sin mancha. Yo desciendo por
[montes
95 Y he sido muchas veces perversa sin saberlo
Destruyendo sembrados y ahogando a los
[pastores.
Y es que en mí se había de cumplir la sentencia
De que todo lo vivo tiene malas pasiones."
"¿Seré también yo mala cuando llegue a mujer?"
100 "Tú serás siempre niña perdida por el bosque.
Yo voy hacia la muerte pues soy un agua vieja.
Caperucita, vente conmigo sin temores.
Te llevaré a la gloria para que veas los santos."

⟶

---

80 Ms: *bl*as mariposas
83 APO: *murmura* susurra
86 Ms: Los llevo *en* ya en
86/87 Ms: *Porque quieren mis ojos agua mansa y amiga*
92 APO: [1] la planta como el hombre [2] La flor com lo humano
93 Ms: *crue*maldades
95 Ms: muchas *p* veces
97 Ms: e*m*n mi APO: Y es *que en mi* porque en mi
102 Ms: commigo
103 APO: [1] para que veas los santos [2] y verás a los santos

En la vuelta de la hoja 5 se lee:

"¿Agua abuelita, allí se vive y no se come?
105 ¿Me pedirán los ojos allí como en la selva?"
"Te pedirán el alma." — "¿Qué es el alma?" —
[“Unas flores
Que tienes escondidas debajo de la carne."
"¿Son bonitas, abuela?" — "Son auroras sin
[noches."
"Agua, me voy contigo para ver a los santos."
110 "Los verás cuando hayamos pasado el horizonte."

Y en el agua se marcha Caperucita roja,
En un lecho de espumas, de lirios y canciones,
Dejando todo el bosque manchado de miradas
Como gotas de luna o de estrellas sin nombre.

115 Llévame con el agua, Caperucita dulce,
Arráncame del pecho la flor de mis pasiones.
Hazme que viva el cuento de tu vieja casita.
Desde niño me encanta tu aventura del bosque.
Búscame las perdidas botas de siete leguas
120 Para escapar del reino trágico de los hombres
Y aguárdame sentada en la gloria del cuento
Junto con Pulgarcito y Cenicienta. Y gocen
Mis ojos contemplando tus ojos candorosos

⟶

Tanto se ha dicho del Amor y tanto hemos querido llegar a expresarlo *que sent* que ha acabado siendo *mas enigmatico que nunca. lo mas enigmatico de la tie* el sentimiento mas enigmatico del hombre.

106 Ms: "Te pediran el alma" / "¿Que es el alma?" / "*Las* Unas frlores"

108 Ms: "¿Son bonitas abuela?" / "Son auroras sin noches." APO: sin noche*s*

111 Ms: Y En el agua se *va* marcha

111/112 Ms: *Con el*

115 Ms: Cap*u*erucita

116 Ms: Arran*q*came

122 Ms: *Y gocen* Y gocen

123 Ms: comtemplando APO: tus ojos *los tuyos* candorosos

Que no tuvieron nunca enfermedad de amores.
125 Llévame con el agua, Caperucita dulce,
Arráncame del alma la flor de las pasiones.

II

Caperucita duerme sobre el lecho del agua.
Es el amanecer de un día de verano.
El arroyo riente traspasa el horizonte
130 Y se para en el cielo donde forma un remanso.
La niña se despierta, y admira la extensión
Azulada que pisa. En el celeste campo
Hay trigales de estrellas, arroyos de luceros,
Montañas de diamantes y fuentes de topacios.
135 Por las sendas formadas con rayos de la luna
Los ángeles conducen las almas en rebaños.

⟶

---

126 Ms: Arancame del alma / La flor de las (¿mis?) pasiones
APO: Y arrancame del *alma* pecho
126/ Ms: 30 Enero 19[19]

En la vuelta de la hoja 7 se lee:

a las altas simas. Dieron de los montes
Fiero pastor del estrago.
Que mientras vives y reinas señor tu sola presencia adormece mi corazon en el sueño tragico de la desesperacion.
Si no es como las golondrinas que tienen un habla barbara e ignorada mis (¿...?)
Escylla (¿...?) de escollos y (¿...?)

130/131 Ms: *La niña se despierta en la orilla del ci*
131 Ms: la extencion
133 Ms: Aroyos
134 Ms: diamentes APO: diamante*s*
137/138 Ms:
Labran el campo azul con immensos arados
En el azul entierran las miradas y el llanto
De los hombres que sufren pasiones celestiales
Cuyos frutos son luego los crepusculos vagos

Patriarcas pastores con sus bueyes de niebla
Labran el campo azul con inmensos arados.

La niña va perdida como en el bosque obscuro
140 En busca de la cara de Dios, y andando,
[andando,
Se encuentra con un viejo dormido que tenía
Unas llaves de plata en sus pálidas manos.
"Viejecito, decidme dónde vive la Virgen,
Porque dentro del pecho tengo un precioso ramo
145 De flores que ofrecerle. ¿Es la Virgen tan rubia
Como dice mi abuela?" San Pedro ha despertado.
Y aún mojado de sueño dice inconscientemente:
"¿Quién eres, alma? ¿Vienes exenta de pecados?
En la casa de Dios no cabe lo imperfecto.
150 O vete al Purgatorio a vivir por si acaso
Te queda sin saberlo un resto de maldades."
"Yo soy Caperucita y el agua me ha empujado
Hasta aquí. Soy la niña de un cuento. [¿No lo
sabes?
Vivo en un tronco viejo, junto a un arroyo
manso].
155 Y siempre he sido buena; no he matado
[hormigas
Ni he roto mis juguetes. Hace ya muchos años
Unos hombres que tienen melenas, los poetas

---

138 Ms: immensos

140 APO: *cara* casa

141 APO: que [1] tenía [2] sostiene

142 Ms: ll*e*avas (?)

146 Ms: Como dice mi abuela? ... / *El viejo ha despe*... San Pedro ha despertado APO *ha despertado* se despierta

147 Ms: incoscientemente APO: *inconscientemente* gruñón y brusco

153 Ms: de un cuento *del pasado No hago dano* muy (?).

Entre corchetes doy la lección de APO que ofrece una solución autorizada tanto para la corrupción del final del verso 153, como para la falta de un verso en asonancia.

154 APO: *no he matado;* nunca maté

Les dicen, me perdieron en un bosque ignorado."
"Mala yerba son esos poetas, hija mía.
160 Fascinan a los hombres con sus perversos cantos
Y juegan con estrellas, encendiendo pasiones
En los pechos que estaban puros e inmaculados.
El Señor se disgusta muchas veces con ellos
Pues dicen que no existe o que es infame y malo.
165 Que más quisieran ellos tener su poderío
O una silla tan sólo de su espléndido estrado.
Y es demasiado bueno. Yo le aconsejé un día
Que rompiera la cuerda de la vida. Mas Pablo
Mi amigo pronuncióle discursos y sentencias,
170 Diciéndole que obrara en el modo contrario.
Y mi iglesia peligra por ellos. Esto mismo
Opina un tal Platón con quien de esto he tratado.
No te dejo pasar pues eres la poesía
Y no quiero que alteres a los dormidos santos.
175 El Señor me regaña." — "¡Viejecito, dejadme!",
Gime Caperucita. "¿No os conmueve mi llanto?
Decidle a Dios que tengo flores dentro del
[pecho.
Además sé rezar." San Pedro se ha quedado
Soñoliento. En el fondo suave del espacio
180 Bandadas de querubes semejan tenues hojas
De rosas que se fueran en azul deshojando.
Ante Pedro dormido llora triste la niña
Cuando por la pradera viene un hombre
[cantando.

⟶

---

159 Ms: poëtas,

162 Ms: imaculados.

165 APO: [1] ¡Que más quisieran ellos [2] ¡Ay, bien quisieran ellos

166 Ms: tan solo solo

172 Ms: Opitna - desto APO: de *esto* ello

173 APO: pasar, [1] pues eres [2] que eres

176 Ms: commueve

178 Ms: "Ademas de rezar"... / San Pedro se ha quedado

179 Ms: Soñoliento. *Del fondo del lespacio surgen* En el fondo suave del espacio

182 Ms: Ante *Pedro* dormido

Lleva rosas campestres en su frente arrugada
185 Y tremolar de estrellas en los pliegues del manto.
Su voz dice el conjunto divino de la vida
Y el amor uno y solo. San Pedro le ha gritado:
"¡Oh, Francisco de Asís, siempre inquieto y
[vibrante!
¿Por qué sin decir nada del cielo te has fugado?
190 ¿Es que ya tu trompeta no suena?" San Francisco
Enseña entre sus dedos un nido de gusanos.
"Fui a coger el alma de este nido que ha muerto.
Los animales tienen sus almas. Los gusanos
La tienen más perfecta puesto que sufren
[mucho."
195 San Pedro dice: "Esta niña roja ha llegado
Pretendiendo escalar la casa de la Virgen."
(San Francisco acaricia a la niña y sus manos
Dejan en su vestido violetas olorosas.)
"Entrarás en la gloria. Tú verás a los santos
200 Y Vicente de Paúl te dará caramelos
Si despierto se encuentra cuando los dos
[llegamos.
Además San Antonio es muy amigo mío.
Te enseñará a su niño. Y quizá te dé un nardo
De su vara florida. Caperucita, vamos
205 A entrar que ya san Pedro se ha quedado
[dormido.
¡Mírale cómo ronca! La gloria es un palacio
Que tiene unos salones preciosos. ¡Ya verás
Cuánta gente tan buena! Todo está relumbrando."
San Francisco descorre cortinas de silencio

→

186 Ms: Su voz [*alta?*] dice
192 Ms: este *q*nido APO: Fuí a recojer
196 Ms: excalar(?)
198 Ms: en *el* su vestido
199 Ms: gloria. *Y* tu verás APO: tú entrarás
203 Ms: Ten enseñara
204 Ms: vamos *a entrar* a entrar
206 Ms: *El cielo es un* La gloria es un palacio

210 Y con la niña pasa por salones de mármol
Que tienen frisos negros de noches ya pasadas,
Columnatas de nubes veteadas por rayos
Y techumbres formadas con nácares del viento,
Con oros de las tardes y con iris trenzados.

215 Por anchas avenidas que se pierden en brumas
Hay una multitud que entona dulces cantos.
Los obispos severos con las capas pluviales
Tienen sobre las mitras pedrerías de salmos.
Hay un brillar inmenso de casullas y joyas
220 Entre la podredumbre de grasientos harapos:
A báculo de plata, bordón de peregrino,
A copa cincelada, la concha de ermitaño.
Todos los justos tienen unas alas de pluma
Y en las frentes la gracia luminosa de un halo.
225 Tocando en sus trompetas triunfales melodías,
Los ángeles recorren las estancias volando.
San Francisco y la niña llegan a un nicho rosa
Donde un hombre desnudo y seco está sentado.
A través de su piel amarilla los huesos
230 Se dibujan con fuerza. Mas sus ojos son claros
Y dulces. En su frente hay un lema que dice:
"¡Dios lo trajo a su seno; por desprecios fue
[santo!"
"¿Quién es?" dice la niña. Y San Francisco
[exclama:

→

---

213 Ms: *aire* viento,
217 Ms: opispos severos con las cap*l*as
219 Ms: imenso
221 Ms: *b*plata *p*bordon
223 APO: [1] Todos los justos tienen [2] Los bienaventurados tienen
224 Ms: las frente
227 Ms: *Y* San Francisco
229 Ms: A traves a de su piel amarillas APO: sus huesos
231/232 Ms: Fue santo por
233 Ms: excla*na*ma

"San Perico Palotes el siempre despreciado."
235 "¿Me quieres dar un beso, Perico?" — "Vente, hija,
No distraigas al justo que en Dios está pensando."
"¿Y la Virgen, Francisco?, ¿cuándo veré a la
[Virgen?
¿Estará con el niño Jesús en el establo?
¿O tendiendo pañales en el verde romero?"
240 "La Virgen tiene ya un trono en el palacio.
Y está tan viejecita que apenas si sostiene
Con sus manos temblonas el pesado incensario."
"¿La Virgen será rubia, verdad, Francisco bueno?"
"Hija mía, la Virgen tiene el cabello blanco."
245 "¿Por qué, si aquí en la gloria nadie se pone
[viejo?"
"La dejaron así sus dolores humanos."
"¿Quién es éste que llega envuelto en
[llamaradas?"
"¡San Agustín!" — "¡Es feo, Francisco!" — "Pero
[es santo
Que mantiene la casta disciplina del cielo."
250 "¿Por qué no te saluda?" — "Porque es un
[hombre huraño
A fuer de buen filósofo y de buen polemista.
El filósofo es hombre que nunca habla. Es raro.
Son amigos de Dios." — "Y, ¿qué es filosofía?"
"Una ciencia que quiere descubrir lo ignorado.
255 Y ya ves: Agustín conociendo ya todo
Me parece que busca un Todo más lejano

⟶

---

234 San Perico Palotes: otro personaje de la tradición popular, indeterminado, aquí cómicamente santificado.
235 Ms: Per*co*ico
238 Ms: *j* Jesus
240 Ms: dos versos hexasílabos
251/252 APO: Los filosofos no hablan casi nunca: son raros
252 Ms: que *no* nunca
253 APO: pero amigos de Dios
255 Ms: *a*Agustin APO: conociendo ya *todo* el Todo

Sin saber que el Amor es la sola verdad.”
“¿Quién es aquél que lleva todo el cuerpo
[llagado?”
“Es Job y de sus llagas brotan rosas de vida.”
260 “¿Y aquél otro que tiene una estrella en sus
[labios?”
“Es José el carpintero y esa estrella que lleva
Es la misma que un día alumbrara a los Magos.”
“¡Yo quiero esa ovejita que bala, San Francisco!”
“Es de Inés, la doncella de los bucles dorados.
265 Y como se alimenta con almas marchitadas
Tú no podrías darle las yerbas de tu prado.”

La niña y el de Asís se pierden por las nieblas
En busca de un retiro para seguir hablando.
Los justos se van yendo a dormir a sus nichos.
270 Por un fondo de gris va Agustín solitario.

III

Todo se convierte en espuma y aroma.
Una gran quietud se extiende en el cielo.
San Francisco llega con Caperucita
A la verde orilla de un lago sereno.
275 Con luceros rotos y puntas de estrella

→

257 APO: Sin [1] saber [2] pensar
259 Ms: *Y* Es Job - b*l*rota*s*n
260 Ms: aquel otro*s*
263 Ms: b*l*ala
265 Ms: Y*a* como se alimente
266 Ms: no p*ue*odrias darle las yer*d*bas
267 Ms: La ni*cb*ña
270/ Ms: 4 de Febrero 1919.
270/271 Ms: ϕ
272 Ms: Una gran quietud / Se extiende en el cielo.
273 Ms: Capericita
275 Ms: de estrella*s*

Juegan a las bolas tres ángeles viejos.
Un cíclope enorme sentado en la yerba
Enseña en la frente su gran ojo abierto.
La niña se esconde detrás de Francisco
280 Y grita: "El diablo". Francisco riyendo
Le dice: "El demonio no está con los santos
(Aunque yo una vez le enseñé los cielos)."
"¿Tú ves ese negro gigante? ¡Qué susto!"
"El es el bufón del Señor. En un tiempo
285 Anduvo en la tierra matando a las gentes,
Mas fue perdonado." — "¿No hace daño?" — "Es [bueno.
Ahora cuenta historias a nuestro Señor
Que lo trajo aquí tan sólo por eso..."
"¡Cómo anda tan triste! ¿Y cómo se llama?
290 ¿Coco o Bute?, ¿cómo?" — "Hija, Polifemo.
Por cierto que nunca pude conseguir
Del Señor la gracia de que entrara Homero
Su padre en la gloria... ¡Vamos al desván!"
Francisco y la niña toman un sendero
295 Guardado por chopos gigantes de niebla
Entre cuyas ramas anidan los ecos.
"¿Te quieres quedar en la gloria conmigo?"
Dice San Francisco, y la niña: "Sí, quiero.
¿No tendré muñecas?" — "Tendrás angelitos."
300 "Se escapan." — "Las alas ya les cortaremos."
"¿Jugaré también con el niño Jesús?"
El santo poeta se queda en silencio.
"¿Por qué lloras, dime?" suspira la niña.
"¡Es que ha tropezado en mis ojos un Eco!
305 Y se me saltaron las lágrimas, hija.
¿Ves aquellas puertas de cobre?" — "Las veo."

→

---

276 Ms: *los* tres angeles
278 Ms: en *su* la frente
288 Ms: Que lo lo trajo aquí / Tan solo por eso...
292 Ms: *Que*Del *e*Señor
293 Ms: goloria
302 Ms: poëta *se queda solloza* se queda

"Por allí cayeron los ángeles malos.
¡Aquellas dos puertas son las del infierno!"
"¿Quién es aquel hombre que hay junto a una
[de ellas?"
310 "Es Santo Tomás que anda discutiendo
Por una mirilla con los condenados.
Y ayer arrancóle una oreja a Lutero
Que está hecho carbón." — "¡Vámonos Francisco!"
Una virgen cruza cantando el sendero.
315 Lleva en una luna sus ojos azules
Y deja un aroma tranquilo de incienso.
"Con esa doncella que es Santa Lucía
Jugarás también." — "¿Me contará cuentos?"
"Te dará sus ojos para que los ruedes."
320 "Yo me sacaré una flor del pecho
Para regalársela, ¿verdad, Francisco?"
"¡Mira ya llegamos al desván del cielo!"

El Santo y la niña penetran callados
En la claridad de un salón inmenso,
325 Todo abarrotado de santos dormidos,
Momias herrumbrosas de ojos soñolientos.
A un monje le nacen musgos en la barba.
Las yedras oprimen a un santo guerrero
Y las lagartijas corren sobre el báculo
330 De uno que bendice con mano sin dedos.
Las arañas tienden sus hilos de luna
Entre las cabezas dormidas y el techo.
Un ángel anciano con las alas rotas
Toca una trompeta sentado en el suelo.

---

318 Ms: Jugarás tambien. / "¿Me contará cuentos
319/320 Ms: *¿Y podre rodarlos? Te ayudará el viento*
320 Ms: "Yo me sacaré / Una flor del pecho
324 Ms: En la claridad *de* / De un salon imnenso,
326/327 Ms: *en lo*
327 Ms: un monje*s*
329 Ms: *unas*las lagartijas

335 La niña del rojo capuchón pregunta:
"¿Por qué están tan sucios? ¿Por qué son tan feos?"
"Estos son los santos antiguos tan raros
Que la humanidad no se acuerda de ellos.
No les rezan nunca y Dios les concede
340 Este gran retiro donde están durmiendo.
Aquél de la boca sin dientes fue grande.
Vivió como justo, murió en el tormento,
Mas nadie se acuerda de su santidad.
Es San Policarpo de Smirna. Su sueño
345 Es dulce y tranquilo." — "Vámonos Francisco.
Un Santo me mira. Tengo mucho miedo.
Llévame muy pronto a casa mi abuelita."
"¡No temas, no temas, que estás en el cielo!"

Salen y se encuentran con San Apapucio,
350 Un obispo gordo que viene comiendo
El tocino clásico de aquellas campiñas,
Lleno de manchas, y les dice: "Os advierto
Que no paséis cerca de las puertas tristes
Pues hay marejada dentro del infierno.
355 Luzbel descuidóse y ha dejado abierta
La cueva terrible de los pensamientos,
Cueva donde estaban penando los hombres

⟶

---

336 Ms: ¿Por que estan tan sucios? / ¿Por que son tan feos?

337 Ms: antiguos *y* tan raros

344 San Policarpo de Smirna: santo obispo de Esmirna (siglo II), discípulo de los Apóstoles; tiene fama de haber vivido muchísimos años (cfr. v. 340); muerto como mártir (cfr. v. 342).

345 Ms: Es dulce *como el agua que te trajo a la gloria* y tranquilo "Va*n*monos Francisco

345/346 Ms: *Y así todos.*

347 Ms: pronto casa

348 Ms: no temas *hijita* no temas

349 San Apapucio: santo de fantasía, burlesco y glotón, creado a partir de la raíz *papa* (como, por ejemplo, en los verbos *empapuciar*, em*papuz*ar, etc).

355 Ms: y *dejose* ha dejado

357 Ms: estaban *sufriendo* penando

Que pensado habían contra el Señor nuestro.
Y estos condenados se metieron todos
360 En la gran caldera de Pedro Botero.
Ya sabes, Francisco, que esa gran caldera
Es la más temible de todo el infierno."
El gran Santo dice: "Sólo con amor
Cesarán las luchas entre los espectros."
365 "Yo creo, Francisco, que para acabarlas
Tan sólo hace falta ¡fuego!, ¡fuego y fuego!"
Dice estas palabras muy enfurecido.
Y San Apapucio toma otro sendero.

Caperuza roja dice: "¿Dónde vamos?"
370 Y el de Asís responde: "Vamos al museo."

IV

"Quiero ver a la Virgen, Francisco. ¡Quiero verla!"
"Veremos el museo e iremos a buscarla."
"Ella estará vestida de seda, ¿verdad? ¿Tiene
Un manto largo y fino con estrellas de plata?
375 ¡Si mi abuela supiera que estoy contigo!" El santo
Va silencioso... Llegan a una puerta de nácar.
Sobre el muro de nubes hay un friso de rosas,

⟶

---

360 Pedro Botero: nombre jocoso del diablo, cuya caldera es el infierno.
361 Ms: que esa*n*
362/363 Ms: *San Francisco di*
366 Ms: hace falta !fue*e*go! fuego y f*e*uego!
367/368 Ms: *Y congestionado con estas palabras*
368/369 Ms:
Toma San Apapucio otro sendero.
Capericita roja pregunta ¿Donde vamos?
Y San Francisco dice. Te llevare al museo
370/371 Ms: φ
372 Ms: mueseo
376 Ms: *D*Va
377 Ms: el *friso* muro

Las madres del rocío que tiene la mañana.
"Abrid deprisa", grita San Francisco. La puerta
380 Gira y entran radiantes. Un ángel con espada
Pregunta bruscamente: "¿No tienen contraseña?"
Y Francisco solemne responde: "Ve mis llagas."
"¡Pasa, capitán santo!" — "¿Mas, el Señor no
[quiere
Que entren en este sitio todos?" — "¿Ves esta sala?
385 Pues aquí están atados los dioses que existieron
Antiguamente. ¡Cientos de cientos!" — "¡Cuánta
[estatua!
Dime, Francisco bueno, ¿están vivas?" —
["Algunas
Tienen culto en la tierra y aún conservan la llama
Del espíritu! Mira cómo mueven las Venus
390 Sus ojos." — "Y aquel niño, Francisco, grita y
[salta.
¿Quién es? ¡Ay, qué bonito! ¿Por qué tiene una
[venda
En los ojos?" — "Hijita, es el Amor, e intacta
Tiene la brasa viva con que nació. Quisieron
Cargarlo de cadenas por ver si se apagaba.
395 Pero todas las noches suben desde la Tierra
Miles de lucecitas que la avivan y agrandan.
¡No han podido matarlo!" — "¡Desátalo,
[Francisco!
¡Quítale las cadenas que me da mucha lástima!
¡Mírale cómo tiembla, parece un pajarito,
400 Con el cuerpo dorado y las alitas blancas!
¡Ay siquiera las manos!" — "¿Le quitasteis las
[flechas?"
⟶

---

378 Ms: tiene*n*
380 Ms: *solemnes* radiantes
383 Ms: *No*Mas el Señor
384 Ms: Que *este sitio se* entren en este sitio todos? *Pues* Ves
389 Ms: Del *su* espiritu
394 Ms: *G*Cargarlo
396 Ms: Miles de de lucecitas
398 Ms: las cadenas *para* que

Grita Francisco al ángel. "Se las quitó una Santa
Que le dicen Teresa. Por cierto que las tuvo
Largo rato en la mano viéndolas y besándolas."
405 "Desataré sus manos, ¡pero no llores tanto!"
San Francisco a Cupido las manos le desata.
Y éste rápido y brusco lanza a la dulce niña
Una flecha pequeña que en las manos guardaba.
Diez ángeles acuden para atar a Cupido.
410 Al grito de la niña despiertan las estatuas
Y una esfinge gozosa se restriega los ojos
Verdosos con las uñas de su temible garra.
"Tened misericordia de la inocencia herida,
!Señor de las estrellas! No permitas que un alma
415 En tu mismo palacio se llene de pecados.
Haz que la horrible flecha de su corazón salga."
"¡Me duele el corazón, Francisco!, ¿qué me han
[hecho?
Llévame con la Virgen o llévame a mi casa.
¡Arráncame este hierro de aquí! Me duele mucho.
420 ¡Cuánta sangre! ¡De fijo moriré!" La sala
Se ha llenado de santos, de vírgenes y estrellas,
De luces amarillas y de palomas blancas.
El guardián irritado se mesa los cabellos
Gritando fuertemente: "¿Por qué dejé que
[entraran?"
425 Santa Inés ha tomado en sus brazos la niña

⟶

403 Teresa: a Santa Teresa de Ávila se la suele representar con las flechas de su transverberación.

404 Ms: *m*rato

407 Ms: Y est*i*e

408 Ms: que las manos guardaba

411 Ms: restrie*l*ga

412 Ms: *re*temible

413 Ms: Te*b*ned

417 Ms: ¡Me duele el corazon / ¡Francisco que me han hecho

420 Ms: De fi*f*jo

421 Ms: Se *ha llena se* ha llenado

424 Ms: *locamente* fuertemente ¿Porque deje

Y unos santos ofrecen a San Francisco agua.
"¿Qué haremos? Ay, ¿qué haremos?" suspira el
[Santo grande.
"Ya no tiene remedio", dice una monja santa.
"La niña está marchita para siempre", comenta
430 Un ápostol muy viejo que por la escena pasa.
Hay una confusión de sayales y túnicas,
De gritos juveniles y de voces cascadas.
"¡Arrancadle la flecha!" — "No me atrevo,
[Francisco,"
Dice Inés. "Pon tus labios sobre la herida." —
["Sangra
435 Tanto que es imposible dar besos sin mancharse
Los labios. Ay, ¿qué haremos? ¿Quién podría
[curarla?"
Santa Cecilia dice: "Llevémosla a la Virgen.
Tan sólo de su boca puede salir la gracia
De volver a ese herido corazón puro y limpio."
440 Caperucita roja suspira desmayada
En los brazos de Inés. "Vamos a los salones
De la Virgen", ordenan voces en la distancia.
"Arropad a la niña con mi manto", suplica
Una Reina que lleva corona de esmeraldas.
445 Ya todos van saliendo tristes y silenciosos.
Y mientras de la Tierra suben rojizas llamas
Que acarician el cuerpo desnudo de Cupido,
Las voces de Francisco se sienten muy lejanas:
"Tened misericordia de la inocencia herida,
450 ¡Señor de las estrellas!, Sagrario de las almas."
....

⟶

427 Ms: ¡hay que *qu*haremos?
432 Ms: *voces* gritos
433 Ms: Arancadle la fle*j*cha
434 Ms: Pon tus tus labios
436 Ms: *Y* Quien podria
442 Ms: ordena*s*n
448 Ms: sienten *a lo lejos* muy lejanas

Todo el cielo se pone en conmoción. El grupo
De justos se detiene ante la puerta santa
De la Virgen. Un ángel les entra en el recinto
Y todos muy callados esperan la llegada
455 De la Virgen. La niña se despierta y llorando
Dirige sus ojitos hacia la dulce Clara.
"Tú eres la Virgen", dice. "Cúrame de esta herida.
El corazón me duele." — "Yo no puedo curarla.
460 Mas ya viene la Virgen y te curará ella."
En el salón asoman ángeles con las arpas,
Serafines cantores con vestidos de perlas,
Obispos con librotes y querubes con flautas.
Sobre las nubes de oro ángeles sin trompetas
Tejen con luz y flores olorosas guirnaldas.
465 "Yo no veo a la Virgen, Francisco. ¿Dónde está?
¿Es aquella que tiene una cruz en la espalda?"
"Ya sale, mira aquélla." Bajo un palio de seda
Llega una viejecita con la cabeza blanca.
Trae un pesado incensario en sus pálidas manos.
470 Rodeándola vienen viejos de luengas barbas
Y todos se han postrado de hinojos. Caperuza
Dice: "¡Pero la Virgen es vieja! Yo pensaba
Que era rubia y bonita como dijo mi abuela.
Y no tiene corona ni la luna a sus plantas.
475 De seguro que el niño Jesús ya se habrá muerto.
¡Me duele el corazón!" Francisco se levanta
Y a la Virgen explica lo ocurrido tan sólo
Con mirarla...
La Virgen va acercándose despacio a la niña.

⟶

---

452 Ms: *santos* justos
453 Ms: Un *justo* angel les *franquea la entrada* entra en el recinto
456 Ms: sus *miradas* ojitos hacia la *virgen* dulce Clara.
458 Ms: *Me* El corazon
461 Ms: con *guirnaldas* vestidos de perlas,
466 Ms: una *gr* cruz *a* en la espalda (?)
468 Ms: *Vi*Llega
474 Ms: ni la la luna a las sus plantas.

480 Muy vestida de blanco, sobre un viejo apoyada,
Tiembla cual si tuviera mucho frío y suspira
En un tono de aurora que recogen las arpas.
Pone sus labios mustios en la herida de amor
Y desprende la flecha con su mano arrugada.
485 Caperucita extiende sus bracitos al aire
Y queda soñolienta otra vez. Sin palabra
Se va yendo el cortejo de la Virgen. Resuena
Más allá de las nubes el eco de las flautas.
San Agustín se acerca a Francisco y le dice:
490 "Baja y deja en el bosque a la niña curada.
No quiero que se entere el Señor de estas cosas."
"¿Y por dónde me voy?" — "Vete por la vía láctea.
¡Y que este gran escándalo no se repita!,
[¿entiendes?
Ya habrá sus comentarios fuertes..." — "Dame
[unas alas
495 Resistentes y grandes que corten bien los vientos.
Y otras para la niña." — "Ve a mi nicho a
[buscarlas."
"¿Vamos Caperucita?" — "¿Adónde San
[Francisco?"
"Donde te encuentren siempre los niños y las
[hadas."

V

El sol cierra los ojos en el ocaso. Cantan
500 Los árboles añosos de la tranquila selva.
Una hadita gruñona pasa por el arroyo,
Mojándose en el agua sus zapatos de seda.
En el fondo tres gnomos miran fijos al cielo.

⟶

480 Ms: *en* sobre un viejo
482 Ms: recojen
486 Ms: palab(?)
489 Ms: acer*a*ca a Francisco y la dice
498/499: [?]

Se tocan con los codos y hacen al hada señas.
505 El hada mira y huye presurosa. Los gnomos
Se esconden aterrados. Con ímpetu y presteza
Caen del cielo volando San Francisco y la niña.
Cogidos de la mano los dos se tambalean
Hasta que al fin se paran en firme sobre el
[césped.
510 Caperucita mira temblorosa a las yedras
Que se agitan, al musgo, y dice: "Me pidieron
Los ojos. No te vayas que ya la noche llega
Y tengo mucho miedo de las flores." Francisco
Pensativo y doliente inclina su cabeza.
515 "Yo no puedo vivir en el bosque, hija mía,
Y he de llegar al cielo a la hora de la cena.
Mira ya cómo brillan los verdosos luceros."
"¿Y hemos estado allí, Francisco? ¿Cuántas leguas
Habrá de aquí a la luna?" — "Muchas para la pobre
520 Humanidad maldita. Mas para tu inocencia
Con sólo dar un salto llegarás a los astros."
De la entraña del bosque nacen profundas
[nieblas.
Y la noche desciende con sus garras de sombra
Sobre la masa enorme de los robles. Las yerbas
525 Empiezan a pedirle sus ojos a la niña.
San Francisco enojado dice con voz severa:
"¡Callad todos! Yo os mando que la dejéis
[tranquila
Reposar en el bosque. ¡Qué serían sin ella
Estos prados serenos donde vivís vosotras!
530 Estos sitios obscuros donde jamás se oyera
La humana risa loca. Sitios de paz dormida
⟶

508 Ms: Cojidos
514 Ms: Pensativo y doliente / inclina su cabeza.
518 Ms: l*ie*guas
520 Ms: *P*Mas
521 Ms: l*e*legaras a *la luna* los astros
523 Ms: *C*Y
525 Ms: pidirle *los* sus ojos a la*s* nina.

Donde el silencio es virgen de palabras y fiestas.
Dejadla que repose sin turbar sus ensueños.
¡No pedirle sus ojos! Y no hagáis que os entienda
535 Porque esta niña tiene un espíritu casto
Más allá del amor y la Naturaleza.
Debe quedarse aquí con vosotros por siempre.
Yo la encontré en la gloria y la traje a la selva
Para que la recuerden los niños en sus cunas
540 Al conjuro amoroso de las tardas abuelas,
Para avivar el fuego que la razón apaga
Y que exista en el mundo la divina Inocencia,
Para que Dios reluzca sobre las frentes malas,
Para que el agua brote, y brillen las estrellas."
545 El césped se ha llenado de insectos silenciosos,
De caracoles niños y gusanos de seda.
Un lobo y una liebre están acurrucados
Escuchando cohibidos la divina conseja.
"¡No te vayas, Francisco, que me da mucho
[miedo!"
550 "¡Tú, lobo y liebre amiga! Cuidad vosotros de
[ella.
Acompañarla siempre por los sitios obscuros."
La liebre se ha acercado muy graciosa y resuelta
A la niña que llora desconsolada. El lobo,
Enseñando los dientes y sacando la lengua,
555 Acaricia las blancas manitas infantiles,
Manso como una oveja.
Francisco hace una cruz bendiciéndolo todo.

⟶

534 Ms: Y *o*no hagais que os *comprenda* entienda
538 Ms: en *el* la gloria
546 Ms: y *de* gusanos
547 Ms: Un lobo una liebre
552 Ms: La liebr*a*e
553 Ms: *e*El lobo
554 Ms: sa*n*cando
555 Ms: *las manos crispadas de la niña* las blancas manitas infantiles,
557 Ms: *San Francisco bendice el bosque tenebroso* Francisco hace una cruz bendiciendolo todo.

Y besando a la niña le dice: "En esta selva
Sólo entrarán a verte los niños que son buenos,
560 Los que crean en dragones y en haditas princesas,
Los niños que se visten con hojas del Otoño
Y en las noches de invierno suspiran tu leyenda.
Tu corazón dormido no sabrá de pecados.
¡Tú tendrás, hija mía, la juventud eterna."

565 Y el gran santo se esfuma por entre los ramajes.
Caperucita llora sobre una encina vieja...
La liebre cariñosa lame sus pies desnudos
Y el lobo lentamente mueve su gran cabeza.

561/562 Ms: *Y piensan que tu vives cerca de sus aldeas*
564 Ms: e*n*terna(?)
565 Ms: ramjes(?)
567 Ms: *muerde* lame

143
[¿SERÁN MIS ANSIAS HONDAS DE INFINITO?]

¿Serán mis ansias hondas de infinito
Como la diosa del romance claro?
¿O en la rueca tremenda de lo Eterno
No seré nunca hilado?

5 En abril vigoroso, ¡qué perfume
Exhalan los sembrados!
Niños buenos, escucho vuestras voces
Desde mi bosque negro y centenario.
Pájaros en los nidos siempre hay.
10 Soltad el gavilán de uñas de gato.
Y llorad a la reina que tenía
Carita de marfil, traje de raso.
Esperad entre las nieves cándidas

⟶

18-II-1919
Se trata del fragmento final (hoja numerada 5) de un poema cuyo tema, versificación y fuentes populares se acercan a la *Balada triste* de *Libro de poemas*.

---

1 Ms: a*mo*nsian
3 Ms: tre-me-nda
4 Ms: ser*áé*
6 Ms: Exalan
8 Ms: bosque *rudo* negro

El sueño de los Magos.
15 Vuestros ojos cargados de infinito
Miren los míos malos.
Que vuestros besos lleguen a mi frente
Como un bautismo santo.
Que vuestras risas claras y divinas
20 Me desconchen el alma de pecados
Y se vean los lirios sin perfume
Que en mi pecho marchitan solitarios.
Niños buenos, escucho vuestras voces
Desde mi bosque negro y centenario.
25 Guardad el corazón muy bien del Tiempo
Y del polen fatal del desengaño.

---

14 Ms: *A*El
15 Ms: infinito*s*
18 Ms: bautis*to*mo
21 Ms: *mis* los lirios
22 Ms: en *el* mi pecho
26/ Ms: Febrero 1919
18

144
PALOMA FATAL

Mirando el agua que corre,
Enturbiada por el cielo,
Se posó en mi corazón
La paloma del recuerdo.
5 Un crepúsculo arrollado
Era su tímido cuerpo,
Sus alas rayos de luna,
Sus ojos blancos luceros,
Y su pico sombra muerta
10 Robada al arca del tiempo.
Yo la sentía anidar
En mi corazón enfermo,
Bajo el sonoro ramaje
Del árbol del pensamiento.
15 ¡Paloma, tiende tus alas
Hacia otro sitio más bueno!
Deja en paz mi corazón,
Que se han dormido los Sueños.
Y no quiero que germine

⟶

25-III-1919

---

8 Ms: *verd* blancos
17 Ms: e*m*n

20 La semilla del deseo.
Tus alas de luna densa
Iluminan mi cerebro,
Haciendo brotar las rosas
Exaltadas de mis versos.
25 Y yo sólo quiero paz
De penumbra y de silencio.
Haré mi espíritu flores,
Haré mi corazón viento,
Y dejaré en los sembrados
30 La carroña de mi cuerpo,
Tan sólo por espantarte,
Ave triste del recuerdo.
Mas tengo que ser el nido
Y horizonte de tus vuelos
35 Hasta el día en que me marche
Camino del gran misterio...

Dejé mi rosa dorada
Marchita sobre el desierto.
Dejé sobre su perfume
40 El rocío de mis besos.
Puse el corazón ardiente
Al agua del aguacero
Y anidó en él la paloma
Silenciosa del recuerdo.
45 Olvido, dame tu manto
De quietud y de aislamiento.
¡Dame tu ropa de niebla,
Campo dormido de invierno!

→

---

20 Ms: del del deseo.
21 Ms: dluna
33/34 Ms: *Donde vivan tus hijuelos*
37-38 Ms: un solo verso
38 Ms: *sendero* desierto.
42 Ms: ag*a*(?)uacero
43-44 Ms: un solo verso
47 Ms: ro*j*pa
48 Ms: Campo *tranqui* dormido

Dame tu nieve, montaña,
50 Dame tu musgo, sendero,
Dame tu espiga, trigal,
Dame tu bondad, insecto,
Para enterrar o apagar
Este corazón de fuego
55 Donde ha colgado su nido
La paloma del recuerdo.

---

49 Ms: niev*ae*
52 Ms: *in*(?)tu
53 Ms: *co*apagar
56/ Ms: 25 de Marzo 1919.

145
SALUTACIÓN ELEGÍACA A ROSALÍA DE CASTRO

Desde las entrañas de la Andalucía,
Mojados con sangre de mi corazón,
Te mando a Galicia, dulce Rosalía,
Claveles atados con rayos de sol.

5 Que este ramo llegue a tu sepultura
Tal como una llama de las que el Señor,
Para iluminarlos en su noche obscura,
A los doce Apóstoles un día envió.

Caigan los claveles en tu calavera,
10 Manchando su blanco marfil de pasión,
Y hagan el efecto de una cabellera
Con trenzas de sangre nevada de olor.

29-III-1919

---

1 Ms: Desde *el* las *corazon* entrañas
5 Ms: *sobre tu sepulcro* a tu sepultura
tu sepultura-tu panteón (v. 18): en la iglesia de Santo Domingo de Santiago de Compostela.
6-8 alusión a la venida del Espíritu Santo en el día de Pentecostés.
7 Ms: o*s*bscura
12 Ms: sangr*a*e
En el margen izquierdo aparece: ramos (?).

Llevan el rocío de mi madrugada.
Pondrán en tu cráneo vacío mi amor
15 Y en tus huesos tristes rumor de Granada,
Llenando de estrellas la noche cerrada
Que como ceniza de sombra quemada
Cubre la covacha de tu panteón.

El clavel resume a la Andalucía:
20 Es cerebro, seno, rayo, corazón.
El sol lo engendró en un mediodía
Sobre el ronco treno de un viejo bordón.

El clavel es alma de esta tierra fuerte,
Cubierta de olivos, palmeras, y al son
25 Que el Mediterráneo sobre el campo vierte,
El clavel asoma rojo entre el verdor,
Cual copa imposible que beba la muerte
Levantando el alma latina hacia Dios.

Ya ves, Rosalía, que mando a tus mares
30 Lo que en este campo es estrella-flor.
Mándame tú en cambio rumor de pinares,
Ruido de rebaño que vuelve a sus lares,
Y el panal meloso de gaita y cantares
Que se oye en tus campos al primer albor.

---

14 Ms: *el* mi amor

16 Ms: estrellas *a* la noche atroz / cerrada - Hemos optado por la última versión.

17 Ms: sombra *apagada* quemada

18/19 Ms: aparece escrito a lápiz en línea oblicua, en el margen derecho: llegem (?).

19 Ms: rusume

21 Ms: *Lo engendro padre sol* El sol lo engendro

22 Ms: *P*Sobre

23 Ms: de *estos fuertes campos* est*e*a *campo* tierra fuerte,

24 Ms: Cue*r*bierta - *e*al son

26 Ms: claver

29 Ms: a tus *niebla* mares

30 Ms: estrella-fo*l*ror.

32 Ms: rebaño*s*

35 Sobre los senderos de la Iberia ruda
En clavel o zarza se enreda el amor.
El alma de España es mar, roca muda,
Torrente de sangre preñado de sol.

Mas tú, Rosalía, llena de tristeza,
40 Surges del torrente con vago dulzor
Y elevas al cielo tu pobre cabeza
Como el lirio blanco del huerto español.

El abrir tus libros es mirarte el alma.
De ellos brota un polvo viejo de dolor,
45 Dolor de una raza cuya sangre limpia
Llevara en sus venas Cristóbal Colón,
Dolor de las madres que por los sembrados
Van dejando espigas de desilusión,
Dolor de los niños siempre abandonados,
50 Dolor de los campos secos y alumbrados
Por la negra antorcha de la emigración.

El abrir tus libros es abrir a España,
Una España llena de herrumbre y dolor,
Una España herida por astral espada.
55 Y hoy surge Castilla aún más encarnada,
Pues toda la sangre piadosa empapó.

España caída levanta las manos
Hacia las estrellas de su tradición.
Mas ya las banderas que antes desplegadas
60 Fueran en Lepanto rosas incendiadas

⟶

---

41 Ms: *Levantas* Y elevas

42 Ms: Como *un* lirio

45 Ms: sangre limpia. Mantenemos el adjetivo, aunque encima aparece una palabra de difícil lectura: santa(?)-casta (?)-canta(?)-exenta (?).

45 ss referencia al problema secular de la emigración gallega (de forma explícita en el v. 51).

47 Ms: *van*por

48 Ms: *es*dejando

55 Ms: surgue

57 Ms: *sus* las manos

Y en Italia estrellas de inmortal fulgor,
Llenas de gusanos están arrumbadas,
Como corazones rotos a lanzadas,
Junto al esqueleto del viejo león.

65 ¡Qué haré, Rosalía, frente a España rota
Sino como tú limpiar su sudor!
¡Qué sino limpiarle sangre que le brota
Del hundido pecho ya sin corazón!

Mojando en la nieve de Sierra Nevada
70 Escribo, ¡oh poeta!, mi salutación.
Divina cantora de esquila pausada
Que en lira de arroyos sus versos cantó,
¿Quién puso en tu senda cortantes cristales?
Eres un suspiro hecho carne y amor,
75 Eres niebla en dulces tardes otoñales,
Eres flor de monte, voz de recentales,
Musgo de la acequia, miel de los panales
Nieve de la umbría, cirio de pasión.

Quiero que con estos claveles sangrientos
80 Llegue a tu sepulcro mi llanto y mi voz,
¡Oh hermana en tristeza de Juan el Sediento
Que a Cristo una noche sin luz encontró!

---

61 Ms: imortal
63 Ms: a lanzandas,
66/67 Ms: *Que ha de hacer España en la senda ignota*
Bajo las estrellas de su tradicion!
70 Ms: *tu*mi
71 Ms: Divina *cantora aldeana* cantora *co*de esquila
72 Ms: versos *for* cantó,
73 Ms: *cristales cortantes* cortantes cistales
73/74 Ms: *Eres como un suspiro hecho mujer y amor*
74 Ms: Eres *un* un suspiro hecho carne y *amor flor*
75 Ms: Eres *como la* nibla en *días* dulces tardes otoñales
76-78 Ms: repartidos sobre seis versos hexasílabos
81 Ms: hermana *divina* en tristeza
81-82 Juan el Sediento: el apóstol San Juan, en quien es característica la presentación de Cristo como agua viva y fuente de vida. El

Quiero que consueles mi vida exaltada.
Ha tiempo mi alma perdió su pastor.
85 Quiero que me cuentes tu vieja tonada,
A la vera tibia del hogar sentada,
Sintiendo en la noche sonar el ciclón.

Quiero que en tu dulce y quieta cabaña
Hagamos un rato los dos oración
90 Por nuestros abuelos y por nuestra España,
Por los ya dormidos fuera de su entraña,
Por toda la gente sin pan que sufrió.

Quiero que lloremos la melancolía
Que sobre nosotros el cielo dejó,
95 Pues vamos cargados con cruz de poesía
Y nadie que lleva esta cruz descansó.

Junto a los cipreses que rompen el cielo
Saludo a los sauces que tiene Padrón.
Quiero que con estos claveles sangrientos
100 Llegue a tu sepulcro mi llanto y mi voz.

---

texto apunta probablemente a la escena narrada en el cap. XX, vv. 1-10 de su evangelio: los apóstoles descubren el sepulcro de Cristo (v. 1.: "era de noche").

86 Ms: vera *dulce* tibia

89 Ms: un ratos *d*los dos

92 Ms: *lloró* sufrió.

93-96 Ms: un gran corchete enmarca estos 4 vv., precedido de NO. Sin embargo hemos guardado estos vv. porque no se han tachado como los dos vv. que siguen.

96-97 Ms: *Triste de las tristes niña candorosa.*
Violeta gallega que sangre lloró

97 Ms: cipreces que rompen el cie*p*lo

98 Padrón: Rosalía de Castro murió en esta villa en 1885.

99 Ms: Quieron

100/ Ms: Marzo 29 1919

146

MADRIGAL APASIONADO

Quisiera estar en tus labios
Para apagarme en la nieve
De tus dientes.

Quisiera estar en tu pecho
5 Para en sangre deshacerme.

Quisiera en tu cabellera
De oro soñar para siempre

Que tu corazón se hiciera
Tumba del mío doliente,

10 Que mi carne sea tu carne,
Que mi frente sea tu frente.

Abril 1919
edic: OC, págs. 987-988; ABCD, pág. 9.

---

5 Ms: deshazcerme.
6 Ms: tu *de* cabellera
8 Ms: hiziera
10 Ms: Que mi carne sea *mi* tu carne,
ABCD,OC: Que tu carne sea mi carne
11 Ms: s*o*ea

Quisiera que toda mi alma
Entrara en tu cuerpo breve,

Y ser yo tu pensamiento,
15 Y ser yo tu blanca veste.

Para hacer que te enamores
De mí con pasión tan fuerte
Que te consumas buscándome
Sin que jamás ya me encuentres.

20 Para que vayas gritando
Mi nombre hacia los ponientes,
Preguntando por mí al agua,
Bebiendo triste las hieles
Que antes dejó en el camino
25 Mi corazón al quererte.

Y yo mientras iré dentro
De tu cuerpo dulce y débil,
Siendo yo, mujer, tú misma,
Y estando en ti para siempre,
30 Mientras tú en vano me buscas
Desde el Oriente a Occidente,
Hasta que al fin nos quemará
La llama gris de la muerte.

---

15 OC: tu blanco veste.
19 Ms: sin que *ya* jamás ya
20 Ms: gritando *mi*
23 Ms: *en copa* triste *el* las hieles
28 Ms: mugjer
30 Ms: Mientas
31 Ms: De*l*sde el Orie*l*nte ABCD, OC: desde Oriente
32 Ms, OC, ABCD: quemara
33/ Ms: Federico
Abril 1919

147
LA BALADA DE LAS TRES ROSAS

¡La rosa blanca!
Tiende sus alas el gran cisne.
Sale la luna llena sobre el campo sin fin.
Venus queda sin sangre.
5 La nieve se estremece.
Y un romance de mármol se anima en el jardín.

Comprendemos el tiempo
En que nada existía.
La prehistórica niebla sin Dios y sin luceros.
10 El canto de los muertos bajo la tierra fría
Y la aurora que pone
Temblor en los senderos.

La rosa blanca tiene pasión de eternidades
Y la tranquilidad de las miradas yertas.
15 Cuando morimos viene

⟶

MsB: 23-VII-1919
El MsA, sin fecha, sólo contiene los vv. 1-61 con variantes que indicamos.

---

3 MsA: campo *de Abril* sin fin
9 MsA: la prehistori*a*ca nieba / sin Dios y *sin estrellas* luceros.
10 MsA, MsB: *sobre* bajo la tierra
11 MsB: Y la la aurora
14/15 MsA: *Desangrose en falsas (?) [..?..]*
15 MsA: Cuando *nos*morimos vienen *a contarnos verdades*

A contarnos verdades
Sobre las frentes frías y en nuestras manos
[muertas.

Fue sangre en los martirios
Y nota musical
20 En el antifonario del pensamiento casto.
Se deshizo en perfume y en gotas de cristal,
Frente a la hoguera bíblica
Del Dios potente y vasto.

Son lunas pequeñitas
25 O sepulcros de ungüentos.
Otelo el gran Sombrío
A una de ellas segó.
Crecen en los jardines igual que en los
[conventos.
Su luz es luz filtrada
30 De un antaño sin sol.

Se adivina a la muerte,
Vestida de azucena,
Ya vieja y suspirando por tener más allá.
Se adivina un sendero
35 Bajo la luna llena
Y una puerta cerrada donde el Amor está.

---

20 MsA: antifonari*co*o
22 MsA: hogue*g*ra
24/25 MsA: *Y copas de inocencia*
25 MsA: Y sepulcros de unguentos.
26-27 Otelo: este personaje de la obra de Shakespeare mata a Desdémona, encarnación de un amor perfecto y puro, por lo que se la puede considerar rosa blanca.
28 MsA: dos versos heptasílabos
MsB: jardines *y* igual
33 MsA: por tener *paz* mas alla.
36 MsB: el *a*Amor

Las rosas blancas fueron
Leche tibia y sagrada
Caída de los senos del cielo maternal.
40 Las escupió la luna cuando mamando estaba
En su infancia de luz
Serena y matinal.

¡La rosa blanca!
Pasan las mieses de la muerte
45 Y los sueños borrosos de los niños dormidos.
Pasa el blanco esqueleto de Eloísa sin suerte
Manchado por la lluvia y repleto de nidos.

II

¡La rosa rosa!
Lejos suenan liras nupciales.
50 Junto al estanque juegan Arlequín y Cupido.
Mil princesas avanzan
Rozando los rosales

→

---

37 MsB: *p*rosas
37/38 MsA: *Llantos de las estrellas*
39 MsA: *Que* caidas
40 MsA: dos versos heptasílabos
41 MsA: *e*infancia
43/44 MsA:
En la historia del mundo
Nadie tuvo una rosa
Blanca por corazon
Sino la azul mimosa
Que juega caprichosa
Con mi pasion
44 MsA: Pasan las *infancias* miesas
46 MsA: Eloisa *la fuerte* sin suerte
MsB: de *elo* Eloisa-sin Suerte
Eloísa: con Abelardo, célebre pareja de enamorados.
49 MsA: *liras* arpas
51 Ms: p*in*rincesas

Bajo un palio esfumado
De atardecer dormido.

55 Vemos la primavera
De los adolescentes.
El seno que se agita
Y el labio que suspira.
Y sobre una cascada de doradas simientes
60 El viento hecho misterio
Pulsa su vaga lira.

Satán es bello y joven.
Dios no ve los pecados.
La carne es dulce rosa
65 Y canta Juventud.
¡Cual gotas de rocío caeremos en los prados
Junto a las rosas bellas,
Copas de plenitud!

La rosa rosa tiene
70 La elegancia discreta
De amor apasionado
Pero sin frenesí.
¡Nunca la tomaría con sus dedos Julieta!
Ella lleva en sus manos la rosa carmesí.

75 Son de fiestas que cuenta
Verlaine evangelista
De marquesas que quieren sufrir y no podrán.
Son heridas flotantes de viejos guitarristas

⟶

---

53 MsB: Bajo *el* un palio
59 MsB: si*s*mientes
66 MsB: roci*ao*
73 MsB: *en* con sus dedos
76 Verlaine: el poeta francés (1844-1896), autor de *Fêtes galantes* (1869) (cfr. vv. 75, 81), cuadro de referencia no sólo de éste sino de otros varios poemas juveniles de Lorca.

Y puntúan los versos
80 ¡Que nunca se dirán!

Son espuma de siglos galantes y amadores
(La capa descolgada
Y la escala en el viento).
Imitan de las tardes los últimos fulgores
85 Y de las hembras dulces
Lo tibio del aliento.

¡La rosa rosa!
Viejos jardines.
Suena el clave.
90 El pavo real extiende
Su gran retablo de ojos.
Se ven piedras preciosas,
Sedas rasas y un ave
Que se muere cantando
95 De tristezas y enojos.

III

¡La rosa roja!
Asoma Nemrod en la distancia.
El chivo se estremece de lujuria potente.
Un Don Juan enlutado
100 Sobre su copa escancia
El veneno inmortal
Que en el alma se siente.

---

82 MsB: desgcolgada
93 MsB: ra*r*sas (?)
 un ave: el cisne
97 Nemrod: personaje bíblico, famoso cazador.
98 MsB: se estreme
100 MsB: coj*o*a
102 MsB: *se*se *se*siente.

Esta rosa conoce
A Carmen y Esmeralda.
105 Ha sacado la sangre a más de un corazón.
Se ha burlado de aquella princesita Mafalda
Que resistir no supo
El beso y la pasión.

Es rosa de agua turbia
110 De tarde de verano.
Rosa para que bese senos de Salomé
Y al tocarla una niña se le queme la mano,
Y un beso de amor venga
De donde no se ve...

115 Cada rosa en el campo
Es ardiente vocablo.
El agua de la fuente
Se transforma en vapor.
Las rosas rojas son como frases de Pablo,
120 Inflamadas de gloria,
De ternura y amor.

Las rosas rojas vienen
De los labios antiguos.

⟶

---

104 Carmen-Esmeralda: Carmen, heroína de la novela corta de P. Mérimée (1845) y de la ópera de Bizet (1875); Esmeralda, personaje de la novela de V. Hugo, *Notre-Dame de Paris* (1831); las dos, mujeres-prototipos literarios de la incitación amorosa.

105 MsB: A sacado

Mafalda: infanta de Portugal, beatificada por haber soportado y resistido, a pocos años de edad, un matrimonio forzado, por lo que se la suele considerar como ideal del amor virginal.

106 MsB: de *qu*aquella

107 MsB: no *p* supo

111 Salomé: hija de Herodías; por su danza considerada como sensual, hechizó a los invitados de Herodes. Este le dio en premio de su actuación la cabeza de Juan el Bautista.

119 MsB: Pa*p*blo

Pablo: el apóstol San Pablo, autor de varias cartas que muestran de forma inflamada su fe y amor a Cristo.

Risas transfiguradas,
125 Besos errantes son.
Se llenan de perfumes
En ocasos ambiguos.
¡Vienen de orientes raros
Pasando por Sión!

130 ¡Oh rosas como antorchas junto a la mar bravía,
Ascuas de una balada fatal que se quemó!
¡Rosas de Magdalena, la pasional judía,
Que fue una rosa herida que al fin se deshojó!

---

129 Sión: sinécdoque para el mundo judaico. En todo este texto Lorca sugiere un exotismo oriental, pasado por una tradición bíblico-judaica (ver, el v. 132, las figuras de San Pablo, Salomé, Nemrod, etc.)
133/ MsB: 23 Julio 1919.

148
PASIONAL

Yo tengo en el corazón
Espuma de muchas aguas,
Flores de muchos países
Y soledades soñadas.
5 Seca el mar, seca las fuentes,
¡Ve, y troncha todas las ramas!
Pues si mi corazón quiere,
Otro mundo de él brotara.
¡Que el que tanto supo amar,
10 Levantaría montañas!

24-VII-1919
edic: POL, pág. 10; CPI, s.p.

---

2 Ms: Es*pu*puma
5 Ms: *Se el Seca* Seca
9 POL: el tanto supo
10 POL: Levantarí amontañas!!
9-10 expresión bíblica, pero aplicada a la fe (cfr. Mat. XVII, 20).
10/ Ms: 24 Julio 1919.

149
[Y SE REPETIRÍA LA ESCENA DE JONÁS]

Y se repetiría la escena de Jonás.

Y entonces la paloma
Volaría con el cuervo
Y a Dios en una nube veríamos pasar.

25-VII-1919
Se trata del fragmento final (hoja 3), fechado, de un poema cuyo título y demás versos desconocemos.

---

1 Jonás: por falta del resto del texto es difícil definir exactamente la referencia al profeta bíblico. Teniendo en cuenta empero el final del poema con su visión profética de una harmonía futura, comparable a ciertas promesas mesiánicas (ver, por ejemplo, el cap. 65 de Isaías), se puede hipotéticamente pensar en la escena de salvación de Jonás.

2-3 paloma-cuervo: cfr. los vv. 35-36 de *Poema* [La primera aurora] (núm. 134).

4 verso comparable con el verso final de *Los álamos de plata* del *Libro de poemas:* una visión profética como la de Daniel VII, 13 y otros textos vetero-testamentarios.

4/ Ms: 25 Julio 1919.

150
ROMANZA LÍRICA

Por los valles del alma
Un pastor paseaba,
Rubio como los trigos,
Bueno como las hadas.
5 Con sus manos de viento
Pasiones arrancaba,
Con sus ojos de nieve
Pensamientos helaba.
Se encontró una idea vieja,
10 Vestida de palabras,
Que una flor en sus manos
Encendida llevaba.
¿De quién es esa flor?
El pastor preguntara.
15 ¿De quién es esa flor?
La vieja contestara:
Es la flor de los mundos,
Es la flor de las aguas.

⟶

26-VII-1919
edic: AL, págs. 8-11

9 AL: una dea vieja,
Nuestra lectura es hipotética.

¡Dadme la flor que quieren
20 Mis labios aspirarla!
¡No, que tú eres la nieve,
No, que tú eres la escarcha!

El pastor bruscamente
La flor le arrebatara,
25 Y al tocarla sus manos
Se deshojó cansada.
Que era el pastor Olvido
Y la flor era brasa
De un Amor que vivía
30 En los valles del alma.

Mi amor quedóse muerto
En una madrugada
Al par que las estrellas
Morían por el alba.

---

23 Ms: El Pas*p*tor
25 AL: tocarla en sus manos
34/ Ms: 26 de Julio 1919.

151
[YO TE LLEVARÍA]

Yo te llevaría
Por las otoñadas,
Junto los estanques
Verdes infinitos,
5 A ver los hijuelos
De paridas hadas,
Y a mirar los quietos
Árboles marchitos.

¿Qué es eso que suena
10 Muy lejos?
Amor.
El viento en las vidrieras,
Amor mío.

4-XI-1919

Debe tratarse del primitivo fragmento final (hojas 3-4-5) de *Aire de nocturno* del *Libro de poemas*.

/1 Ms: *Por aires (?) de amor*
¿Por qué yo los quiero
Cuanto mas impuros
Muestran sus heridas,
Su miel y su olor.

Y por los veranos,
15 Allá en la campiña,
¡Cómo gozaría
Viéndote en mi trigo!,
Llena de amapolas,
Tu frente de niña
20 Entre la frescura
Del paisaje amigo.

¿Qué es eso que suena
Muy lejos?
Amor.
25 El viento en las vidrieras,
Amor mío.

Pero al fin las hojas
Llenan el sendero
Y tú tienes ya
30 El corazón frío.
Sé que tú bien sabes
Lo que yo te quiero.
Las aguas de sangre
Que arrastra mi río.

35 Y a pesar de todo
Yo siento los ecos
De tu voz medrosa
Que teme a los ruidos.
Y yo te respondo

→

---

15 Ms: *Como* Allá en la campiña,
24 Ms: Amor *el viento*
25/26 Ms: *No me preguntes mas*
¡Oh Niña deja (?)
Por ese triste
27 Ms: Pero *ya* al fin
32/33 Ms: *Pero que no quieres*
Bañarte en mi rio
36 Ms: *tus boces* los ecos
39 Ms: *contesto* respondo

40 Con los ojos secos,
¡Soltando mis negros
Pájaros sin nidos!

¿Qué es eso que suena
Muy lejos?
45 Amor.
El viento en mi corazón,
Amor mío.

---

41 Ms: *De llorar amores* Sotando mis negros
46 Ms: en *las vidrieras mis entrañas* en mi corazon,
47/ Ms: 4 de Noviembre
1919
(Tarde)

152
[ESTA TARDE EN EL RÍO (VERDE PENSAMIENTO)]

Esta tarde en el río (verde pensamiento)
He visto al diablo.
Estaba entre los juncos temblorosos,
Muy vestido de blanco,
5 Mirando las choperas tenebrosas
Con un aire de efebo legendario.
Sonreían las aguas con malicia
Y en el prado
Las flores se ocultaban como niños
10 A vista de un extraño.
¡Oh gentil caballero de la muerte,
Roja estrella de Fausto!
Al verme aquí con libros
Me tomaste quizá por Cipriano.

⟶

¿1919-1920?

De este autógrafo existe un apógrafo mecanografiado (cfr. CAT 1, págs. 195-196).

---

3 Ms: juncos *sonriyente* temblorosos,

6 efebo: en la época clásica, joven a menudo sensual, en edad de la pubertad.

9 Ms: flores *de* se ocultaban

11 Ms: de la muert*ae*

14 Cipriano: protagonista de *El mágico prodigioso* de Calderón de la Barca.

15 Sobre el verde jugoso, si tú quieres,
Charlaremos un rato.
Te advierto que ahora tengo el corazón
Fuerte, galvanizado
Y lleno.

18 Ms: garl*a*vanizado

153
[HERMANO ENVEJECIDO]

Hermano envejecido,
Debajo de mis pies veo las estrellas,
Y resbalo en la nata de la sombra.
Dame tu larga cuerda.

5 Mis cuernos de lujuria
Destrozan el cristal del cielo. Vengan
Tus dos manos tostadas como el trigo,
Trayéndome la fuerza
Que haga doblarse como un débil junco
10 Mi voluntad morena,
Abeja de carmín que va dejando
El corazón sin néctar.

Dentro del alma tengo
Gusanos humoristas y culebras,
15 Parientas del diablo que me alaban

¿1919-1920?

6 Ms: del cielo *y quiebran* Vengan
7/8 Ms: *A estrujar mi tristeza*
14/15 Ms: Primas de Mefistofeles
15 Ms: *Hermanas* Parientas del diablo que me *explican alaban*

La juventud de Eva.
(El gusano humorista es un payaso
Inglés de la conciencia.)

Mi cisne se ha dormido
20 Ante la roja mancha de la idea
Que autoriza los besos en la fuente
de la palabra.
Queman
Los labios su plumaje.
25 Yo no puedo ofrecerle el agua fresca,
Más que lágrimas turbias y arcillosas
Sacadas a la fuerza.

Hermano silencioso,
Un solo pensamiento me rodea.
30 Bosque inmenso con troncos de miradas
Y ramajes de letras.

¿Qué haré con esta carne
Tapizada de ortigas y de yedras?
Al último rincón tranquilo y casto
35 Han de llegar las hierbas.

Mi divina ilusión,
La ilusión de ser santo que tuviera
Mirando aquella niña como el agua,
¡Se la tragó la tierra!

19-27 Ms: estos versos vienen marcados por una línea en el margen izquierdo.

24 Ms: Los blabios

30 Ms: immenso.

32 Ms: har*á*é

32/33 Ms: *Cubierta por lianas y por yedras.*

35 Ms: *H*Han

36 Ms: Mi *perenne* divina ilusion,

37 Ms: ser *casto* santo

37/38 Ms: *Cuando besaba miraba a la*

40 Hermano silencioso,
Resbalo en el abismo, ¡da tu alerta!
Los muslos de mi espíritu ya sienten
De los besos la lepra.

Aún piso tierra firme.
45 Dame zarzas de amor que me defiendan.
Mi corazón que es bueno se estremece
Ante la sima negra.

---

41 Ms: *Da* Resbalo
42 Ms: Los mu*ertos*los (?)
43 Ms: lepa (¿cepa?). Nuestra lectura es hipotética.
44/45 Ms: *Debajo de mis pies veo las estrellas*
47/ Ms: Después del v. 47 se lee: *Fin,* escrito a lápiz. Siguen todavía 8 vv., 4 a tinta más 4 a lápiz.

Caigo dentro del alma
El alma mia es muy profunda. piensa
Hermano silencioso que tu arriba
Sin corazon te quedas.

Para huir de la sombra
Necesito botas de siete leguas.
Entro en la casa del dolor la Muerte
Me cerrara la puerta.

Los 4 vv. a tinta van enmarcados por un cuadro trazado con lápiz. Los 4 vv. añadidos a lápiz van precedidos por el número 2.

154
[TODO SERÁ EL CORAZÓN]

Todo será el corazón
Lleno de caminos
Que conducen al raro rumbo
Del amor.

5 Tened el alma llena de estrellas dolorosas.
El Azul será nuestro
Quiera la Luz o no.
Sobre la encrucijada de la muerte borrosa
Estaré quieto y dulce
10 Cantando mi canción.

Y mi amargura intensa
Por mi vida sin fruto
Será como en Otoño son las puestas de sol.

⟶

¿1919-1920?
edic: IDE, pág. 11; AC, págs. 67-69
El autógrafo se encuentra escrito sobre las páginas 72-74 del 6° volumen de los *Ensayos* de Miguel de Unamuno (Madrid, Residencia de Estudiantes, 1918).

---

3 IDE, AC: al reino sombrío
6 IDE, AC: vuestro
11 Ms: Y mi *agri*amargura

Pero las aguas dulces de mi lírica fuente
15 Serán en el silencio
Aurora de dolor.
Tengo el alma mojada
De cosas imposibles,
Que llueve sobre ella mi vago corazón.
20 Hoy siento que se inicia
Un otoño en mis versos.
El arpa tiene rosas
Y las marchito yo.

Hoy siento sobre el pozo
25 Profundo de mi pena
Una herida en la sombra
Que hace tiempo se abrió.
Hoy escucho un glorioso
Repicar de Azucena.
30 ¡La campana y la forma
De mi rara pasión
Se perderá en la noche!
Mas ¿qué importa si sufro?
¿Qué sabemos nosotros
35 De estrellas y de flor?

La sombra y lo Profundo
Tienen blancor de nieve
Y el barco de las almas
Con velas de ilusión.
40 ¿Dónde hallaré una boca

⟶

---

17 Ms: el alma *ll*mojada
23 Ms: margchito
24 Ms: sieto
25 Ms: de *de* mi pena
26 Ms: *H* Una herida
29 IDE, AC: Azucenas
32 se perderá: la métrica (heptasílabo) impide la forma verbal en plural.
36 Ms: *T*La sombra

Que besar, y unas manos
Que serían en mi frente
Luceros, y un Amor
Que se derrame todo
45 Sobre mi cuerpo ardiente
Y salpique de rosas
El río de mi voz?

Tengo el alma mojada de cosas imposibles,
Que llueve sobre ella
50 Mi vago corazón.

---

42 Ms: serian (?) IDE, AC: unan
45 Ms: *En*Sobre
46 Ms: Y *me cuaje* salpique
48 Ms: el alma mojadas

155
[TURBIA FAROLA]

Turbia farola,
Campana enferma,
Luciérnaga
Del sereno
5 Silbo de tren.
Estrella.
¡Noche antigua de amor!
Las mariposas de mis nostalgias
Vuelven y mis callejas
10 Están abarrotadas
De sombras espesas.
Sombras de barro mohoso y de madera
Que llevan mis suspiros en bandejas
Y pregonan: Vendemos
15 Suspiros de poeta.
Y aunque no los venderán
Porque están en conserva,

¿1919-1920?

---

2 Ms: Campana *vieja* enferma,
5/6 Ms: *Noche*
16 Ms: *compraran* venderan
17 Ms: en con*v*serva

Toca para ahuyentar,
Campana enferma,
20 A las sombras de barro mohoso
De mis callejas.

---

18 Ms: ahuyentar*las*
21/ Ms: *Que vienen*

Apéndices

[BUDDHA]

El palacio en sombra
Enseña brumoso sus oros bruñidos.
La cálida noche derrite sus tules
Entre las estrellas rojizas y azules.
5 Lloran los chacales en junglas perdidos.

En el estanque lotos sangrientos,
Lirios de agua, palmas, umbrías.
En los jardines altas palmeras
Se inclinan lánguidas y severas
10 Acompasando sus melodías.

Dulces magnolias majestuosas
Dan su fragancia sobre las cosas.

⟶

Enero 1918
Autógrafo incompleto; falta toda la página 2 creando así una laguna textual entre los versos 15 y 16.

t Ms: *Buddha*
Este poema narra un episodio de la vida de Buda. Después de haber experimentado la radical vanidad de la existencia humana, el joven Siddharta abandona de noche palacios y familia y sale en búsqueda del camino de la verdad y de la sabiduría y la liberación de todo deseo.
1 Ms: *Sidharta solloza* (?) El palacio en sombra

Noche de luna. Raro consuelo.
Arturo llora su luz de cielo.
15 Flores divinas... Piedras preciosas.

[...]
Abrióle la puerta de calma infinita.
Después esfumóse. Siddharta medita.
Una voz celeste suave musita:
"Tú eres Tathagata, puro, sin igual".

20 En fondos dorados entre rosas blancas
Lució sus encantos la diosa Verdad.
El iluminado quedóse hierático
Aspirando triste un perfume enigmático
Que manaba lento de la eternidad.

25 El cuerpo sin alma subió al aposento.
Yasodhara y el niño dormían.
Siddharta sintió un agobio violento.
Corazones en sombras yacían...
Grave palpitaba el firmamento.

30 Se arrancó la flecha que le lanzó Mara.
Traspasado salió de la estancia.

⟶

---

16 Ms: de calma infita

Por la falta de la hoja 2 se desconoce el sujeto de las formas verbales *abrióle* y *esfumóse*.

18 Ms: *recita* musita

19 Ms: *el* Tathagata

Tathagata: uno de los numerosos epítetos de Buda: el que se fue por el camino de la perfección.

22 el iluminado: traducción literal de Buda

23 Ms: aspirando tirste

26 Ms: *S*Yasodhara

Yasodhara: la esposa de Siddharta

27 Ms: Siddarta

28 Ms: *Los* Corazones

30 Mara: divinidad que simboliza las tentaciones del mundo humano con sus sentidos y deseos y la muerte.

Dulce el corazón se durmió en la fragancia
Que la luz del cielo le dejara.
Y marchó con la Bienaventuranza.

35 Siddharta solloza. El palacio lejano
Enseña entre ramas sus oros bruñidos.
La cálida noche derrite sus tules
Entre las estrellas rojizas y azules.
Lloran los chacales en junglas perdidos.

---

34 Ms: *Y marcho con el Amor por los caminos*
Y marcho *a pre* con la Bienhaventuranza
35 Ms: Siddaharta
39/ Ms: F. Enero 1918

Índice cronológico y por numeración

título	fecha	núm. de Fed. y Fco. GL	núm.en esta ed.
	1917		
Canción. Ensueño y confusión	1917, Jun.29	I 1	1
[Yo estaba triste frente a los sembrados]	1917, Oct.23	- -	2
Canciones verdaderas	[1917], Oct.24	- -	3
Canción	1917, Oct.29	II 2	4
Parques en otoño	[1917], [Nov.] 29	III 3	5
Elogio a las cigüeñas blancas	1917, Nov.30	IV 4	6
Tardes estivales	1917, Dic.4	V 5	7
Tentación	1917, Dic.7	VI 6	8
La noche	1917, Dic.11	VII 7	9
Bruma del corazón	1917, Dic.12	VIII 8	10
Un tema con variaciones pero sin solución	1917, Dic.19	IX 9	11
Elogio. Beethoven	1917, Dic.20	X 10	12
Viejo sátiro	1917, Dic.25	XI 11	13
Impresión	1917, Dic.30	XII 12	14
Canción desolada	1917, Dic.30	XIII 13	15
Nostalgia	1917, Dic.30	XIV 14	16
Lluvia	[1917], Dic.	XV 15	17

Recuerdo	1917, Dic.	XVI 16	18
Canción erótica con tono de elegía lamentosa	[1917?]	- -	19
El cartujo	[1917?]	- -	20
[Mi corazón se quiere abrir]	[1917?]	- -	21

<u>1918</u>

Romántica	1918, En.3	XVII 17	22
La prostituta	1918, En.9	XVIII 18	23
La mujer lejana. Soneto sensual	1918, En.9	XIX 19	24
Crepúsculo	1918, En.10	XX 20	25
Soneto	1918, En.10	XXI 21	26
La religión del porvenir	1918, En.16	XXII 22	27
Noche de verano	1918, En.18	XXIII 23	28
Ensueño de romances	1918, En.18	XXIV 24	29
La montaña	[1918], En.19	XXV 25	30
Melodía de invierno	[1918], En.23	XXVI 26	31
Escudos	1918, En.24	XXVII 27	32
El bosque	1918, En.30	XXVIII 28	33
Un romance	1918, En.	XXIX 29	34
El cuervo	1918, En.	XXX 30	35
Dúo de violonchelo y fagot	1918, En.	XXXI 31	36
Canto de los cirios	1918, Feb.1	XXXII 32	37
Vaguedades	[1918], Feb.3	XXXIIIbis? 33	38
Crepúsculo espiritual	[1918], Feb.6	- 33bis	39
Angelus	1918, Feb.7 o 9	XXXIV 34	40
Crepúsculo del corazón	1918, [Feb.10]	XXXVI 36	41
Carnaval	1918, Feb.[11]	- 37	42
Los cipreses	1918, [Feb.11]	XXXVIII 38	43
Interior	[1918],[Feb.] 19	XXXV 35	44
Romance	[1918],[Feb.-Mar.]	XXXIX 39	45
La leyenda de las piedras	[1918],[Mar.] 10	XLIII 43	46
La gran balada del vino	1918, Mar.14	XL 40	47
Los ojos de los viejos	1918, Mar.20	XLI 41	48
Balada sensual	1918, Mar.20	XLII 42	49
Jueves Santo	1918, [Mar.28]	XLV 45	50
Romanzas con palabras	1918, Mar.31	[XXXVII] XLIV 44	51
Visión	1918, Abr.3	XLVI 46	52
La idea	1918, Abr.7	XLVII 47	53

Título	Fecha			
Palomita blanca. Balada	1918, Abr.7	XLVIII	48	54
Poema. Balada	1918, Abr.13	XLIX	49	55
Balada de las niñas en los jardines	1918, Abr.13	L	50	56
Tarde de abril	[1918, Abr.¿13-24?]	LI	51	57
Elegía	1918, Abr.25	LII	52	58
Unos versos pobres y aburridos	1918, Abr.29	LIII	53	59
El encanto del azahar de las novias	[1918], Abr.30	LIV	54	60
Unos versos pobres y dolorosos	[1918], Abr.30	LV	-	61
Aria de primavera que es casi una elegía del mes de octubre	[1918], Abr.30	LVI	56	62
[¡Sonrisas dulces de la mujer!]	[1918], Mayo 6	-	57	63
[Que nadie sepa nunca mi secreto]	1918, Mayo 7	-	58	64
Letanía del arroyo	[1918], Mayo 9	-	59	65
Aire popular del día de la Santa Cruz	1918, Mayo 11	-	60	66
Tablas	1918, Mayo 11	-	61	67
Crepúsculo	1918, Mayo 11 o 17	-	62	68
[¿Por qué será tan triste?]	1918, Mayo 18	-	63	69
Oración	1918, Mayo 14 o 19	-	64	70
[El paisaje es un silencio]	[1918?], Jun.3	-	-	71
Acordes mayores	1918, Jun.4	-	65	72
El pastor	1918, Jun.6	-	66	73
Leyenda a medio abrir	1918, Jun.6	-	67	74
Paz	1918, Jun.8	-	68	75
Salmo recordatorio	1918, Jun.10	-	69	76
Tarde soleada	1918, Jun.11	-	70	77
Noche	1918, Jun.12	-	71	78
Crepúsculo	1918, Jun.14	-	72	79
Albaicín	1918, Jun.15	-	73	80
Música de circo	1918, Jun.16	-	74	81
El Dauro y el Genil	1918, Jun.17	-	75	82
Crepúsculo	1918, Jun.28	-	76	83
Julio	1918, Jun.28	-	77	84
Romance de ciego	1918, Jun.28	-	-	85
Hora	[1918], Jun.29	-	78	86

[¡Alamo inmenso sobre verde soto!]	[1918 Jun-Jul.?] 26	-	-	87
[Y el aire va entre los árboles]	[1918 Jun-Jul.?] 26	-	-	88
Alfonso y Paquito	[1918 Jun-Jul-Ag.?]	-	-	89
[Cielo azul lleno de tarde]	"	-	-	90
Crepúsculo	"	-	-	91
[Entre las ramas de los zarzales]	"	-	-	92
[Este crepúsculo torturado]	"	-	-	93
[¡Estos insectos en el remanso!]	"	-	-	94
[Estrella la gitana está en su puerta]	"	-	-	95
[Haces que mis ilusiones]	"	-	-	96
Sedas de sonido plata	"	-	-	97
[Montecicos ingenuos]	"	-	-	98
[¡Oh gran preámbulo rojo!]	"	-	-	99
Sangre de los campos	[1918], Jul.3	-	-	100
Camino	1918, Jul.4	-	79	101
Mediodía	1918, Jul.6	-	80	102
Momento de tormenta en una tarde de julio	1918, Jul.9	-	81	103
[En verano la vega amarilla del trigo]	1918, Jul.12	-	-	104
Ribera	[1918], Jul.17	-	82	105
Salmo de mañana	[1918], Jul.19	-	83	106
Momento de luna	[1918], Jul.19	-	84	107
Salmo de noche	[1918], Jul.19	-	85	108
[Junto al gris claro del agua entre los mimbres]	[1918], Jul.20	-	-	109
Momento de inquietud	1918, Jul.25	-	86	110
Los campesinos	[1918], Jul.25	-	87	111
[¿Qué tiene el agua del río?]	[1918], Jul.27	-	-	112
Nublada	1918, Jul.28	-	88	113
La víbora	1918, Jul.30	-	89	114
[La oración brota de la torre vieja]	[1918], Jul.30	-	90	115
[¡Cigarra!]	[1918], Ag.3	-	-	116
[Los crepúsculos revelan]	[1918], Ag.4	-	-	117
Mañana	[1918], Ag.7	-	-	118
Sobre un libro de versos	1918, Ag.9	-	91	119
Golondrinas	1918, Ag.22	-	93	120
Aurora del siglo XX	1918, Sept.3	-	94	121

La muerte de Ofelia	1918, Sept.7	-	95	122
Madrigal interior	1918, Sept.16	-	96	123
Balada	[1918], Oct.31	-	97	124
Lux	[1918], Nov.1	-	98	125
[Todo se siembra]	1918, Nov.	-	92	126
Grito de angustia ante la crisis espiritual del mundo	1918, Nov.	-	99	127
El despertar	[1918], [Nov-Dic.?]	-	100bis	128
El poeta y la primavera	1918, Nov.	-	-	129
El madrigal triste de los ojos azules	1918, Dic.6	-	-	130
[En la noche sin luz Job va por el sendero]	[1918-1919?]	-	-	131
[El espectro divino del de Asís]	"	-	-	132
[Era el tiempo divino]	"	-	-	133
Poema	"	-	-	134
Spleen	"	-	-	135
[¡Te he herido demasiado!]	"	-	-	136
[Hay veces que pensamos sollozar]	"	-	-	137
Oración devota a Santa Magdalena	"	-	-	138

<u>1919</u>

Nido de ruiseñores	[1919?]	-	-	139
La muerte de Pegaso	1919, En.23	-	-	140
Sombra	1919, En.28	-	-	141
La balada de Caperucita	19[19] En.30-Feb.4	-	-	142
[¿Serán mis ansias hondas de infinito]	1919, Feb.18	-	-	143
Paloma fatal	1919, Mar.25	-	-	144
Salutación elegíaca a Rosalía de Castro	1919, Mar.29	-	-	145
Madrigal apasionado	1919, Abr.	-	-	146
La balada de las tres rosas	1919, Jul.23	-	-	147
Pasional	1919, Jul.24	-	-	148
[Y se repetiría la escena de Jonás]	1919, Jul.25	-	-	149
Romanza lírica	1919, Jul.26	-	-	150

[Yo te llevaría] 1919, Nov.4 - - 151
[Esta tarde en el río
(verde pensamiento)] [1919-1920?] - - 152
[Hermano envejecido] " - - 153
[Todo será el corazón] " - - 154
[Turbia farola] " - - 155

Índice de los poemas seleccionados por Federico y Francisco García Lorca

núm.de Fed. y Fco GL		título	fecha	núm.en esta ed.
		1917		
I	1	Canción. Ensueño y confusión	1917,Jun.29	1
II	2	Canción	1917, Oct.29	4
III	3	Parques en otoño	[1917],[Nov.] 29	5
IV	4	Elogio a las cigüeñas blancas	1917, nov.30	6
V	5	Tardes estivales	1917, Dic.4	7
VI	6	Tentación	1917, Dic.7	8
VII	7	La noche	1917, Dic.11	9
VIII	8	Bruma del corazón	1917, Dic.12	10
IX	9	Un tema con variaciones pero sin solución	1917, Dic.19	11
X	10	Elogio. Beethoven	1917, Dic.20	12
XI	11	Viejo sátiro	1917, Dic.25	13
XII	12	Impresión	1917, Dic.30	14
XIII	13	Canción desolada	1917, Dic.30	15
XIV	14	Nostalgia	1917, Dic.30	16
XV	15	Lluvia	[1917], Dic.	17
XVI	16	Recuerdo	1917, Dic.	18

1918

XVII	17	Romántica	1918, En.3	22
XVIII	18	La prostituta	1918, En.9	23
XIX	19	La mujer lejana. Soneto sensual	1918, En.9	24
XX	20	Crepúsculo	1918, En.10	25
XXI	21	Soneto	1918, En.10	26
XXII	22	La religión del porvenir	1918, En.16	27
XXIII	23	Noche de verano	1918, En.18	28
XXIV	24	Ensueño de romances	1918, En.18	29
XXV	25	La montaña	[1918], En.19	30
XXVI	26	Melodía de invierno	[1918], En.23	31
XXVII	27	Escudos	1918, En.24	32
XXVIII	28	El bosque	1918, En.30	33
XXIX	29	Un romance	1918, En.	34
XXX	30	El cuervo	1918, En.	35
XXXI	31	Dúo de violonchelo y fagot	1918, En.	36
XXXII	32	Canto de los cirios	1918, Feb.1	37
XXXIII	33	Vaguedades	[1918], Feb.3	38 bis?
-	33bis	Crepúsculo espiritual	[1918], Feb.6	39
XXXIV	34	Angelus	1918, Feb.7 o 9	40
XXXV	35	Interior	[1918], [Feb.] 19	44
XXXVI	36	Crepúsculo del corazón	1918, [Feb.10]	41
-	37	Carnaval	1918, Feb. [11]	42
XXXVIII	38	Los cipreses	1918, [Feb.11]	43
XXXIX	39	Romance	[1918], [Feb.-Mar.]	45
XL	40	La gran balada del vino	1918, Mar.14	47
XLI	41	Los ojos de los viejos	1918, Mar.20	48
XLII	42	Balada sensual	1918, Mar.20	49
XLIII [XXXVII]	43	La leyenda de las piedras	[1918], [Mar.] 10	46
XLIV	44	Romanzas con palabras	1918, Mar.31	51
XLV	45	Jueves Santo	1918, [Mar.] [28]	50
XLVI	46	Visión	1918, Abr.3	52
XLVII	47	La idea	1918, Abr.7	53
XLVIII	48	Palomita blanca. Balada	1918, Abr.7	54
XLIX	49	Poema. Balada	1918, Abr.13	55
L	50	Balada de las niñas en los jardines	1918, Abr.13	56
LI	51	Tarde de abril	[1918, Abr.¿13-24?]	57
LII	52	Elegía	1918, Abr.25	58

LIII	53	Unos versos pobres y aburridos	1918, Abr.29	59
LIV	54	El encanto del azahar de las novias	[1918], Abr.30	60
LV	-	Unos versos pobres y dolorosos	[1918], Abr.30	61
LVI	56	Aria de primavera que es casi una elegía del mes de octubre	[1918], Abr.30	62
-	57	[¡Sonrisas dulces de la mujer!]	[1918], Mayo 6	63
-	58	[Que nadie sepa nunca mi secreto]	1918, Mayo 7	64
-	59	Letanía del arroyo	[1918], Mayo 9	65
-	60	Aire popular del día de la Santa Cruz	1918, Mayo 11	66
-	61	Tablas	1918, Mayo 11	67
-	62	Crepúsculo	1918, Mayo 11 o 17	68
-	63	[¿Por qué será tan triste]	1918, Mayo 18	69
-	64	Oración	1918, Mayo 14 o 19	70
-	65	Acordes mayores	1918, Jun.4	72
-	66	El pastor	1918, Jun.6	73
-	67	Leyenda a medio abrir	1918, Jun.6	74
-	68	Paz	1918, Jun.8	75
-	69	Salmo recordatorio	1918, Jun.10	76
-	70	Tarde soleada	1918, Jun.11	77
-	71	Noche	1918, Jun.12	78
-	72	Crepúsculo	1918, Jun.14	79
-	73	Albaicín	1918, Jun.15	80
-	74	Música de circo	1918, Jun.16	81
-	75	El Dauro y el Genil	1918, Jun.17	82
-	76	Crepúsculo	1918, Jun.28	83
-	77	Julio	1918, Jun.28	84
-	78	Hora	[1918], jun.29	86
-	79	Camino	1918, Jul.4	101
-	80	Mediodía	1918, Jul.6	102
-	81	Momento de tormenta en una tarde de julio	1918, Jul.9	103
-	82	Ribera	[1918], Jul.17	105
-	83	Salmo de mañana	[1918], Jul.19	106
-	84	Momento de luna	[1918], Jul.19	107
-	85	Salmo de noche	[1918], Jul.19	108
-	86	Momento de inquietud	1918, Jul.25	110
-	87	Los campesinos	[1918], Jul.25	111
-	88	Nublada	1918, Jul.28	113

-	89	La víbora	1918, Jul.30	114
-	90	[La oración brota de la torre vieja]	1918, Jul.30	115
-	91	Sobre un libro de versos	1918, Ag.9	119
-	92	[Todo se siembra]	1918, Nov.	126
-	93	Golondrinas	1918, Ag.22	120
-	94	Aurora del siglo XX	1918, Sept.3	121
-	95	La muerte de Ofelia	1918, Sept.7	122
-	96	Madrigal interior	1918, Sept.16	123
-	97	Balada	[1918], Oct.31	124
-	98	Lux	[1918], Nov.1	125
-	99	Grito de angustia ante la crisis espiritual del mundo	1918, Nov.	127
-	100bis	El despertar	[1918], [Nov.-Dic.?]	128